석학
人文
강좌
83

시와 언어문화

– 우리 시로 읽는 삶의 방식 –

김대행(金大幸)

1943년생으로 서울대학교 사범대학 국어교육과를 수료한 다음 서울대학교 대학원 국어국문학과에서 문학석사, 문학박사 학위를 받았다. 숭전대학교(현재의 한남대학교)에서 현대시론을, 이화여자대학교에서 고전시가론을 가르쳤으며, 서울대학교 사범대학 국어교육과로 옮긴 뒤에는 국어교육과 문학교육을 아우르며 강의를 하고 글을 썼다. 2008년에 서울대학교 명예교수가 되었다.

저서

『한국시의 구조 연구』(1976), 『한국시의 전통 연구』(1980), 『운율』(편저, 1984), 『고려시가의 정서』(공저, 1985), 『시조유형론』(1986), 『우리 시의 틀』(1989), 『북한의 시가문학』(1990), 『시가시학연구』(1991), 『문학이란 무엇인가』(1992), 『시조』(역주, 1993), 『한국문학강의』(공저, 1994), 『국어교과학의 지평』(1995), 『노래와 시의 세계』(1999), 『시와 문학의 탐구』(1999), 『문학교육원론』(공저, 2000), 『문학교육 틀짜기』(2000), 『우리 시대의 판소리문화』(2001), 『웃음으로 눈물 닦기』(2005), 『통일 이후의 문학교육』(2008), 『한국의 고전시가』(2009), 『Classical Poetic Song of Korea』(2009)

석학人文강좌 83

시와 언어문화

우리 시로 읽는 삶의 방식

초판 1쇄 인쇄 2018년 5월 14일
초판 1쇄 발행 2018년 5월 21일
지은이 김대행
펴낸이 이대현
편 집 추다영
디자인 홍성권
펴낸곳 도서출판 역락
　　　　서울시 서초구 동광로 46길 6-6 문창빌딩 2층
　　　　전화 02-3409-2058(영업부), 2060(편집부)
　　　　팩시밀리 02-3409-2059
　　　　이메일 youkrack@hanmail.net
　　　　홈페이지 http://www.youkrackbooks.com
　　　　역락 블로그 http://blog.naver.com/youkrack3888
　　　　등록 1999년 4월 19일 제303-2002-000014호
ISBN 979-11-6244-215-9 03810

* **책값은 표지에 있습니다.**
* **파본은 교환해 드립니다.**

「이 도서의 국립중앙도서관 출판예정도서목록(CIP)은 서지정보유통지원시스템 홈페이지(http://seoji.nl.go.kr)와 국가자료공동목록시스템(http://www.nl.go.kr/kolisnet)에서 이용하실 수 있습니다.(CIP제어번호: CIP2018014859)」

석학
人文
강좌
83

시와 언어문화

─ 우리 시로 읽는 삶의 방식 ─

김대행 지음

역락

시를 예술로 보는 관행 대신 '문화'로 보자. ―이 책이 말하려는 핵심입니다. 예술의 특별함과 빼어남에 주목하기보다 문화로 보면 잘 보이게 마련인 삶과 마음을 살피자는 취지입니다. 이런 생각으로 시를 보되 시와 언어문화의 오고감이며 변화까지도 살펴 거기 담긴 사람과 삶의 모습을 이해하고자 했습니다. 그런 시각으로 시를 읽고 가르치는 일의 필요성이며 내용까지도 아울러 생각해 보았습니다.

시를 예술로 한정해서 바라본 관행이 이미 오래기에 새 길로 가 보려는 일이 순조롭기만 할 수는 없었습니다. 그래도 시를 문화로 보자는 생각은 사범대학의 교수라서 더 강했습니다. 인문의 깃발을 나부끼면서도 사람의 마음이며 삶에는 눈길조차 주지 않는 전문성 과시는 암울해 보였습니다. 메마른 주석이며, 분석적 설명 일변도, 아니면 현학적 용어 암기로만 몰아가는 문학교육은 참담했습니다. 기껏해야 암기에나 능한 사람을 기르고 말게 될 일이 걱정이었습니다.

시가 예술적으로 얼마나 빼어난가를 발견하기보다 언어로 빚어낸 삶의 모습과 마음을 통해 사람을 이해하는 방법을 생각했습니다. 그렇게 찾아 나선 길이 시를 언어문화로 접근하는 시선이었습니다. 그러나 제 혀는 짧고 손은 무딘 데다 외롭기까지 했습니다. 더불어 이야기하고 토론할 수 있도록 정한 세월까지 다 지나갔습니다. 별 수 없이 다 던지고 흔히 말하듯이 '오늘 쉬고, 내일 놀며' 지냈습니다.

그러던 중 인문학대중화의 '석학인문강좌'가 2016년 6월에 강의를 맡기기에 '얼씨구나!' 맡았습니다. 그 결과물이 이 책인데 말 그대로 난산(難産)이었습니다. 강의까지 마친 것을 책으로 내는 것인데도 꼭 두 해가 걸리고 말았습니다. 게으른 데다 딴 어려움도 겹쳐서입니다.

다만 그동안 이런 생각은 많이 했습니다. 생리적 욕망과 배타(排他)가 홍수처럼 넘쳐나는 '원시인적' 거리, 붕당적 투쟁으로 뒤엉키는 '격투기장' 같은 세상에 '사람'을 공부하자는 책이라고? 이런 취지의 책이 과연 어떤 도움을 줄 수 있겠는지 자신이 없습니다. 그런 어지러움 속에서 썼기에 이리저리 흔들린 마음 자취가 책갈피에 뒤섞여 있음도 굳이 밝혀 둡니다.

세상은 늘 빚만 지며 살 수밖에 없음을 또 느낍니다. 강의 진행에는 위원회, 사무국, 담당자, 함께 공부했던 후배들—두루 빚을 졌습니다. 출판은 역락출판사 사장님 이하 관계자 여러분들—정성껏 도와주시어 마음에 빚이 큽니다. 그리고 서울교육대학교 강당에서 저의 강의를 한 달 동안이나 경청해 주신 많은 분들! 그렇듯 귀 기울여 들어 주셨기에 이 책이 나올 수 있었습니다. 이에 신고합니다!

고맙습니다.

2018년 4월

허당 김대행

차례

생각과 감사 / 5

제1장 시와 삶의 방식 서설

제2장 탐구의 시와 언어문화

제3장 소통의 시와 언어문화

제6장 시와 언어문화 그리고 21세기

시와
삶의 방식 서설

시는 시인이 자기 생각을 드러낸 '말'이다. ― 이것이 '시와 삶의 방식'을 생각하는 대전제라고 해도 되겠다. '시'라고 하면 보통 '작품'이라는 말이 먼저 떠오르고 이어서 '예술'이라고 갈라놓는 일들에 익숙한데 이제 그런 관행에서 벗어나 그냥 '말[言語]'이라고 먼저 생각하자는 제안이다.

그리고 한 걸음 더 나아가 말로 이루어지는 모든 활동을 '문화'의 관점에서 살피고자 한다. 시는 물론이거니와 일상의 대화에서부터 욕설이며 시장의 호객이며 흥정 또는 마음속으로 되뇌는 기도에 이르기까지 모든 말은 다 문화의 실천이자 산물이라고 본다. 이는 문화를 '삶의 방식(way of life)'으로 이해하려는 관점이다.

1

시 읽기의 두 길

시, 노래, 그리고 말은 모두 '언어(言語)'이다. 용어는 서로 다르지만 생각을 겉으로 드러내는 언어활동이라는 근본은 동일하다. 이처럼 본질이 다 같은데도 그 명칭이 조금씩 다른 것은 그 드러내는 방식이며 쓰임이 조금씩 다르기 때문이다. 예컨대 다음 노래의 사연을 단서로 삼아 노래와 말의 관계를 살핀다.

노래 삼긴 사람　　　　　　신흠

노래 삼긴 사람 시름도 하도 할사
일러 다 못 일러 불러나 풀었던가
진실로 풀릴 것이면 나도 불러 보리라

말로 다 못해 노래로 불러 '푼다'고 하였다. 말과 노래 사이에는 표현의 강도며 전달의 효과에 차이가 있다는 뜻이겠다. 이를 뒤집어보면 말이나 노래나 전하고자 하는 바가 마음이라는 본질은 같다고 보는 관점이 드러난다. 그러기에 흔히들 "말이 부족해서 시가 있다"는

말도 하는 것이겠다. 이렇듯 본질이 같은데도 이름을 각기 달리하는
데는 까닭이 있을 것이다. 동양에서도 시와 노래 그리고 말 세 가지를
구분하기는 하였지만 한마디로 근본은 다 같되 방식이 각기 다르다고
하였다.[1]

가. 마음 읽어내기

다음 글이 예술이고 시라면 어째서 그러하며 아니면 그건 또 왜 그
런지 생각해 본다.

눈물은 왜 짠가   함민복

지난여름이었습니다 가세가 기울어 갈 곳이 없어진 어머니를 고향 이
모님 댁에 모셔다 드릴 때의 일입니다 어머니는 차 시간도 있고 하니까
요기를 하고 가자시며 고깃국을 먹으러 가자고 하셨습니다 어머니는 한
평생 중이염을 앓아 고기만 드시면 귀에서 고름이 나오곤 했습니다 그런
어머니가 나를 위해 고깃국을 먹으러 가자고 하시는 마음을 읽자 어머니
이마의 주름살이 더 깊게 보였습니다 설렁탕집에 들어가 물수건으로 이
마에 흐르는 땀을 닦았습니다
"더울 때일수록 고기를 먹어야 더위를 안 먹는다 고기를 먹어야 하는
데…… 고깃국물이라도 되게 먹어 둬라"
설렁탕에 다대기를 풀어 한 댓 숟가락 국물을 떠먹었을 때였습니다 어
머니가 주인아저씨를 불렀습니다 주인아저씨는 뭐 잘못된 게 있나 싶었

---

1   아득한 옛날에도 말, 노래, 시를 구분하여 설명하였다. 그런데 셋 모두가 마음속에 있
    는 생각을 드러내는 점은 같고 그 방식이 달라 각기 이름이 다르다고 하였다. 詩言志歌
    永言『尙書 堯傳』, 詩者志之所之也 在心爲志發言爲詩 情動於中而形於言 言之不足故嗟歎之 嗟
    歎之不足故永歌之 <毛詩序>.

던지 고개를 앞으로 빼고 의아해 하며 다가왔습니다 어머니는 설렁탕에 소금을 너무 많이 풀어 짜서 그런다며 국물을 더 달라고 했습니다 주인 아저씨는 흔쾌히 국물을 더 갖다주었습니다 어머니는 주인아저씨가 안 보고 있다 싶어지자 내 투가리에 국물을 부어 주셨습니다 나는 당황하여 주인아저씨를 흘금거리며 국물을 더 받았습니다 주인아저씨는 넌지시 우리 모자의 행동을 보고 애써 시선을 외면해 주는 게 역력했습니다 나는 국물을 그만 따르시라고 내 투가리로 어머니 투가리를 툭, 부딪쳤습니다 순간 투가리가 부딪히며 내는 소리가 왜 그렇게 서럽게 들리던지 나는 울컥 치받치는 감정을 억제하려고 설렁탕에 만 밥과 깍두기를 마구 씹어 댔습니다 그러자 주인아저씨는 우리 모자가 미안한 마음 안 느끼게 조심, 다가와 성냥갑만한 깍두기 한 접시를 놓고 돌아서는 거였습니다 일순, 나는 참고 있던 눈물을 찔끔 흘리고 말았습니다 나는 얼른 이마에 흐른 땀을 훔쳐 내며 눈물을 땀인 양 만들어놓고 나서, 아주 천천히 물수건으로 눈동자에서 난 땀을 씻어냈습니다 그러면서 속으로 중얼거렸습니다
　눈물은 왜 짠가

이 글이 "시인가 묻는 것도 부질없다."고 하면서 '산문집에 실려 있지만 많은 사람이 시로 알고 있다'고 설명한 대학교수도 있다. 그러고는 시임을 분명하게 확인시킬 의도임을 드러내 보이면서 이 글의 시적 감동을 다음처럼 풀어(정재찬, 2015:86-87) 보인다.

우리의 정서상 사나이가 밖에서 눈물을 흘린다는 것은 부끄러운 일이다. 이럴 때 우리는 많은 핑곗거리를 알고 있다. 연기가 눈에 들어가서, 하품하다가, 웃다가 그만……. 시 속의 사나이는 자신의 눈물을 땀으로 치장한다. 하지만 여기서 속아서는 안 된다. 그는 그 눈물을 씻어 냈다. 그런데 눈물이 왜 짠가 중얼거리는 걸까? 그렇다 겉으로는 아무리 속일 수 있어도 속은 못 속이는 게다. 목구멍을 넘어가는 설렁탕 국물의 짠 맛은 소금 때문도, '다대기' 때문도, 깍두기 국물 탓도 아닐 것이다. 그는

지금 눈물을 먹고 있는 것이다. 눈물을 삼키고 있는 것이다. 그래서 이 시를 읽다 보면 우리의 목구멍에서마저 울컥 짠 내가 올라온다. 나아가 만일 그 짭조름한 눈물 내음이 툭 하는 '투가리' 소리와 더불어 느껴진다면 그때 당신은 이 시를 정말 제대로 읽었다고 확신해도 좋다. 이처럼 감동은 기교가 아니라 진실에서 온다.

굳이 시비를 걸자고 들면 얼마든지 시비도 가능할 수 있는 설명이다. 이 해설에서 풀이한 내용대로라면 '냄새와 소리를 느끼게 하는 글'은 다 시라는 뜻이 되겠는데 과연 그런 말로 시가 설명되는 것인지 잘 모르겠다. 반대로 뒤집어 본다. 그렇다면 시가 아닌 글은 냄새와 소리를 느끼게 만들지 못하는 글인가, 그 또한 답하기 쉽지 않다.

또 다소 멋쩍어하며 머리를 긁적거릴 사람도 제법 있을 것으로 짐작된다. 시를 읽으면서 혹은 읽고 나서 냄새를 느끼고 소리를 느낀다? 전에 어디서 한 번이라도 들어 본 적이 있는 말인가? 그러기에 이 말이 도무지 생소한 나머지 속으로는 어리둥절까지 할는지도 모르겠다. 단언한다. 이 나라에서 학교를 다닌 사람이라면 어떤 시를 놓고도 이런 식의 설명은 들은 바가 분명, 그리고 결코 없을 것이다.

방금 인용해 보인 이 대학교수의 시 해설서 『시를 잊은 그대에게』라는 책이 낙양의 지가(紙價)를 하늘 닿게 만들면서 판을 거듭하여 팔리는 베스트셀러가 되기도 했다고 들었다. 그렇다! 그 정도로 책이 팔려 나가게 만든 그 인기의 비결 가운데 한 가지가 바로 눈물 내음과 투가리 소리로 시를 느끼라는 식의 이런 설명이었으리라. 말하자면 전에는 한 번도 들어 본 적이 없는 말로 이 책은 시를 설명한다. "시의 마음을 읽어내라!"—이것이 그 인기의 비밀이다.

그렇다고 해서 이런 방식 또한 이 시에 대한 최상의 설명이라고는 말하기 어려울 것이다. 그만큼 시를 바라보는 눈은 다양하므로. 이제 이 시에 대한 또 다른 이해에 다음 시가 충분하게 도움을 줄 수 있지는 않을까 생각하며 함께 읽어 보기를 권한다.

젓갈   이대흠

어머니가 주신 반찬에는 어머니의
몸 아닌 것이 없다

입맛 없을 때 먹으라고 주신 젓갈
매운 고추 송송 썰어 먹으려다 보니
이런,

어머니의 속을 절인 것 아닌가

설명은 생략하는 쪽이 훨씬 낫겠다. 솔직하게 말해서 말로 설명하기가 쉽지 않다. 그러나 어머니가 주시는 젓갈을 먹으면서 어머니의 속을 절인 것 같은 느낌 속에 저도 모르게 눈시울이 붉어지는 사람이라면 더 이상의 설명은 필요가 없을 것이다. 그렇지 못하다면 이 짤막한 시를 놓고 그 어떤 고급스런 문학 용어며 훌륭한 분석적 설명을 곁들인들 이 시가 우리 마음에 던져주는 감동을 어찌 이해하랴!

사족 하나 곁들인다. 내 친구 이야기다. 겨울철이면 아무데서나 먹을 수 있는 '꼬막'이라는 작은 조개가 있다. 밥반찬으로건 술안주로건 먹어 본 사람이면 그 맛을 익히 안다. 그런데 술상에 올라온 꼬막을 도저히 먹을 수 없더라고 말하곤 했던 친구를 한 사람 알고 있다.

그의 고향은 전라남도 벌교. 꼬막 산지로 유명하다. 그런데 상 위

에 올라온 꼬막만 보면 맵고 쓰라린 가난을 겪어야만 했던 어린 시절이 먼저 떠오른다고 했다. 꼬막잡이는 한겨울 갯벌에 다리를 걷어 올린 맨살로 걸어 들어가야 한다. 생각해 보시라. 때로는 살얼음조차 얼 정도로 시리디시린 그 갯벌에 다리를 걷어부친 맨살로 철벅철벅 걸어 들어가야만 하는 한겨울의 꼬막잡이. 겨울 내내 그 일을 해야만 식구들의 입에 풀칠을 할 수 있었던 어머니 모습은 얼마나 시리고 아린 기억이었을까?

칼보다 날카로웠을 겨울 갯벌의 추위를 맨살로 철벅거려야 했던 그 어머니의 세월—그 종아리의 시림과 아림을 생각하면 꼬막에 도저히 젓가락을 가져갈 수가 없다던 친구. 그 말을 할 때면 그의 눈가가 붉고 촉촉하게 젖어들던 것도 보았다. 더 말해 무엇하리. 그의 그 촉촉하게 젖어오던 눈가가 바로 시라고, 그 마음을 짐작이라도 한다면 시의 이해는 이미 끝난 것이라고 늘 생각해 왔다.

이쯤에서 생각을 정돈한다. <눈물은 왜 짠가>나 <젓갈>이라는 시는 여러 말 할 것 없이 '마음의 말'들이다. 그래서 시가 되었다. 그런데 꼬막을 도저히 먹을 수 없다던 내 친구의 말은 여기 옮겨 전하긴 했어도 '말'이 없으니 시가 되지는 못하였다. 다만 그런 말을 들었던 나의 기억만 여기 옮겼을 따름이다. 이것이다. 시는 '마음의 말'을 노래로 한 것이니 그 마음을 느껴 고개를 끄덕일 정도로 알아들으면 그것으로 족하다.

나. 설명 암기하기

대부분의 대한민국 국민은 시를 어떻게 생각하고 있을까? 그 생각하는 바를 국민 모두에게 일일이 물어 확인한 바는 없다. 그러나 짐작은 얼마든지 가능하다. 전국의 모든 학교 모든 교실에서 배우는 시교육의 내용은 교사의 창안이거나 재량으로 마련되는 것이 아니다. 참고서가 정해 준다. 그게 우리나라 교육의 현실이고 실상이다. 그리고 참고서의 내용은 출판사끼리 서로 적극적으로 베끼므로 일시적으로 다소 차이가 있더라도 결국은 같아지게 마련이다.

그렇다면 그토록 위대한 영향력을 발휘하는 참고서에 따르면 시란 어떤 것일까? 교실에서 쉽사리 볼 수 있을 법한 내용의 한 예를 본다. EBS가 펴낸 한 교재(E.B.S., 2015:10-11)는 시 두 편을 한데 엮어 놓고는 이렇게 묻고 있다.

01. [가]와 [나]의 공통점으로 가장 적절한 것은?
① 유사한 시구를 점층적으로 변주하여 리듬감을 형성하고 있다.
② 부정적 현실에 대해 거리를 두어 관조하는 태도를 취하고 있다.
③ 어린 화자의 목소리를 활용하여 동화적인 분위기를 조성하고 있다.
④ 색감을 드러내는 시어를 활용하여 대상을 선명한 이미지로 제시하고 있다.
⑤ 역설적 표현을 사용하여 모순적인 상황에 대한 반성적인 자세를 보여 주고 있다.

전국의 학생들이 문학을 이런 식으로 공부한다. 바꾸어 말하면 '눈물의 짠내'며 '투가리 소리'를 느끼거나 가슴 찡함을 맛보는 일과는 아득히 먼 모습이 문학교실의 풍경이다. 이렇듯이 문학 수업은 주로 비평적 분석의 결과인 설명이며 용어의 기억과 관련된다.

이런 사례 모두 다를 살피기는 어렵다. 그러나 좀 더 살피면 이런 문제(E.B.S., 2015:22-23)도 보인다. <저녁에>(김광섭)라는 시 둘째 연의 "밤이 깊을수록/ 별은 밝음 속에 사라지고/ 나는 어둠 속에 사라진다."

라는 구절을 가리키며 다음처럼 묻고 있다.

    02. [A]에 쓰인 표현 방식이 무엇인지 쓰고, 그것이 거두는 효과에 대해
        설명하시오.

이 문제는 아마 주관식 서술형이라고 하는 문제일 것이다. 풀이를
보면 '대구법, 대조법, 반복법' 세 가지가 모범답안이라고 되어 있다.
이 또한 문학은 분석적 설명의 대상이고 수사법은 그중 중요한 지식
임을 강조하는 사례이다. 여기에다 '기출문제'라는 표시까지 해서 그
것을 꼭 기억하도록 강조한다. 이렇듯이 시에 대한 설명이며 용어의
암기가 시에 대해 학습하는 중점임을 알 수 있다.

이제 시험문제의 출제 경향과 시 감상 능력의 관계를 생각해 본다.
이 나라 고등학생의 장래는 수능이 결정한다. 그리고 수능은 EBS 문제
집에서 연계하여 출제한다고 되어 있다. 이런 지침에서 자유롭거나 무
시할 수 있는 학생이 이 나라에는 없다. 그러기에 누구나 학원이며 학
교에서 이런 식으로 시를 공부하고 나서 대학에 가고 사회인이 된다.

그 다음은 자명하다. 이처럼 설명적 지식의 암기에나 몰두하면서
익힌 시이니 감동은 고사하고 느낌인들 어찌 남을 수 있으랴. 그래서
대부분의 우리 국민은 시를 외면한다. 그러니 시는 이미 국민의 것은
아니다. 이래서 우리 사회에서 시는 그것을 직업적 자산으로 삼은 사
람들만의 관심사로 전락하고 만 지 이미 오래다.

그러면 우리 말고 다른 나라며 세계의 형편은 어떤가? 일일이 살
펴 알기는 어려운 노릇이지만 한 사건을 두고 벌어진 일들을 통해 대
략의 짐작은 가능하다. 2016년 노벨문학상 수상자 팝 가수 밥 딜런
(Dylon, Bob). 이를 두고 여론은 둘로 나뉘었다. '노벨문학상을 대중가

요 가수에게?'라는 반대 의견과 '지극히 당연한 선구적 처사!'라는 적극적 지지로 나뉘었다.

이런 두 갈래의 생각을 떠받치고 있는 서로 다른 문학관을 세심하게 살펴 그 정당성을 가름하는 일이 우리의 관심사일 수는 없다. 다만 이 일에서도 시를 바라보는 생각이 어느 사회에서건 다 같지는 않다는 엄연한 사실만은 거듭 확인하게 된다.[2]

---

2 2017년 영국의 가즈오 이시구로가 노벨문학상 수상자로 발표된 뒤 우리나라의 한 신문은 <문창과 최초의 노벨문학상>이라는 표제를 내건 칼럼(이수웅, 『조선일보』, 2017. 10. 14.)을 게재한 바가 있다. 이럴 정도이니 예술로서의 문학과 생활로서의 문화를 구분하는 관행은 앞으로도 쉽게 사라지지 않을 것으로 보인다.

2

시를 '언어문화'로 보기

시를 '문화' 혹은 '언어문화'라고 말하려면 먼저 '예술'이라는 고정관념에서 벗어나야 생각이 쉽다. 그런데다가 요즘은 '문화'라는 말이 유행어처럼 두루 쓰여 그 용법 또한 다양해져서 이해가 간단하지 않다. 우선 '언어문화'라는 말을 사용하기 위해 '문화'라는 말부터 그 용법을 정리할 필요가 있다.

가. 문화와 언어문화

'문화'라는 말의 어원은 본디 경작(耕作), 보호, 보살핌 등과 관계가 깊은 말이었다. 그러기에 '인공(人工)'의 뜻을 함축한 말이었다. 그래서 문명(civilization)과 비슷한 말로 쓰이기도 했지만 물질적인 것과 구분되는 정신적인 세계와 관련된 말로 쓰여 왔다.

우리 사회가 문화라는 말을 널리 일상적으로 쓰게 된 것도 20세기 들어서였고 도입될 당시에는 '지적세련(intellectual refinement)'을 함축하는 말이었다. 그러기에 '문화'라는 말은 학문, 예술, 종교 등 지적 진지성(intellectual seriousness)과 관련된 용어로 쓰였고 그런 관행 때문에 오늘날에도 '문화'란 말이 붙으면 예술이나 학문처럼 지적인 활동을 먼저 떠올리는 경향이 강하다.

한편 서양의 19세기는 공동체의 민속에 대해 큰 관심을 가지기도 했다. 민속이 단지 습관에 그치는 것이 아니라 어떤 특정한 의미를 표현 및 상징하는 체계(signifying, symbolic system)라고 봄으로써 이를 통해 공동체가 지닌 특징을 설명하기도 하였다. 이런 관점 때문에도 문화의 뜻과 적용 범위는 더욱 확대되었다. 문화를 총체적 삶의 방식(whole way of life)으로 정의하는 것도 이와 관련이 깊다.

나. 시와 언어문화

문화라는 시각에서 보게 되면 우리가 한국어로 말하고 생활한다는 것은 곧 한국적 문화의 정체성을 언어라는 기호체계로 실현하는 행위가 된다. 그래서 언어로 실천하는 문화, 곧 언어문화라 할 수 있다.

말을 집단적 표상(collective representation)이라고 보는 관점이 이와 맥을 같이한다. 예술을 비롯하여 행동, 신앙, 제도, 신화, 제의처럼 모든 문화는 그 사회의 구성원들이 동의 또는 공유하는 의미이자 가치이며 기준(Gay, P., 1997:12-13)이라고 본다. 그래서 집단적 표상이라는 용어가 뜻하는 바와 같이 말은 그 공동체가 소유하고 실현하는 문화 그 자체가 된다.

조금 다른 각도에서 언어의 문화적 성격을 살필 수도 있다. 말은 상호텍스트(intertextuality)라는 요소의 구체적 실현이다. 말하기와 듣기가 바로 그러하다. 누구든 들은 말의 방식대로 말하고 또 그 방식대로 듣는다. 이처럼 말은 상호성을 기반으로 이루어진다. 이런 점에서 말은 바로 총체적 삶의 방식이고 다른 말로 하면 문화 활동이 된다.

이런 생각을 이해하려면 언어가 독자적 체계가 아니라 매우 상호적임을 먼저 생각하는 관점이 중요하다. 그 중요한 전제가 이 세상의 어느 누구도 혼자 말하는 일은 없다는 사실이다. 누군가와의 대화가 아닌 말이 없다는 생각(Morris, P. ed., 1994:25-60)이 이 문제를 생각하는 데 기본적인 바탕을 제공해 준다.

어린이가 걸음마를 하고 수저를 잡으며 말을 배우는 등의 모든 학습은 누군가 그렇게 하는 것을 보고 익힌다. 그렇듯이 말을 구상하고 표현하며 듣고 이해하는 모든 행위는 반드시 상호적이다. 그래서 이를 특히 주목하고 강조한 사람이 바흐친(Bakhtin, M. M.)인데 그의 이런 생각을 가리켜 대화주의(dialogism)라고도 한다. 환경의 이런저런 요소들에 의해 생각이 구체화한다고 보는 심리학도 이와 맥을 같이 한다.[3]

이처럼 말이 우리 삶에서 무수한 요소들과 상호관련적임을 확인하게 되면 말은 문화적 행위라는 설명을 이해하는 것이 손쉬워진다. 나아가 시 또한 이러한 말과 같다고 생각하게 되면 시를 언어문화로 보는 데 어려움을 걷어내기가 한결 쉬워진다.

그렇다고 해서 시가 예술임을 부정하자고 하는 것은 아니다. 다만 시는 예술로 규정하여 그 특수성을 말하기 이전에 우리가 늘 쓰는 말의 한 형식으로 보려는 것이다. 그렇게 하면 말이 곧 집단 표상의 성격을 지니는 문화적 행위라는 전제에 접근하기가 쉬워진다.

---

3   이러한 언어의 특성을 생각하는 데 중요한 역할을 하는 것이 바로 '맥락(context)'이다. 언어활동에 맥락이 어느 정도로 중요하게 작용하는가를 쉽게 확인하게 해 주는 사례가 있다. 오늘날 누구나 사용하는 휴대전화의 대화 가운데 가장 많이 하게 되는 말이 '어디야?'라고 한다. 말하는 장소가 통화 내용 선정이며 표현 방식 결정을 좌우하기 때문일 것이다. 이는 맥락이 언어생활에 얼마나 중요한가를 알게 해 주는 예도 될 것이다.

다. '언어문화'라는 용어

시를 언어문화로 보는 시각에 어느 정도 동의한다 하더라도 용어의 적절성에 대해서는 아직도 여러 의견이 있을 수 있다. 지금까지 우리는 쉽사리 언어문화라는 용어를 사용해 왔지만 엄격해야 할 학술용어가 대중적으로 지나치게 함부로 쓰임을 걱정스럽게 바라보는 시각도 없지 않다. 이러한 염려는 오늘날 우리 주변에서 널리 사용되는 언어문화라는 용어가 학술용어라기보다 일종의 유행어처럼 쓰이는 데 대한 경계(왕한석, 2009:4-6)라고 하겠다.

용어의 엄밀성에 못지않게 정확성도 문제가 될 수 있다. 우리말로는 '언어문화'라는 말로 대강 지금까지 말해온 바와 비슷한 뜻으로 통용하더라도 소통에 큰 문제는 없어 보인다. 그러나 이를 외국어 특히 영어로 번역하게 되면 문제가 그리 단순하지 않다. 언어문화를 흔히 'culture of language'라고 번역하는 것이 보통인데 영어권에서는 이런 표현을 우리가 생각하는 것과 같은 의미로 받아들이지 않는다고 한다. 그런가 하면 문화를 중심 과제로 연구하는 학문이라고 할 인류학에서는 언어가 이미 문화에 포함되어 있기도 하다. 그러니 굳이 언어문화라는 말을 쓰게 되면 동어반복이 되고 만다.

그렇긴 해도 '한국 사회의 언어 유형에 대한 문화적 기술'(왕한석, 2001:3)을 구체적으로 범주화하면서 '언어문화'라는 용어를 사용한 바도 있고, 이런 용어를 사용하여 언어공동체에서 발견되는 경험적 자료를 분석하는 작업을 해낸 성과도 이미 있다. 그런가 하면 외국에서도 이런 영역을 지칭하여 'linguaculture'라는 용어를 사용하기도 한다니 그런 변화를 촉진하는 계기가 되기를 기대해 본다.

여기서는 시를 대상으로 하여 언어활동 방식의 체계를 살피되 시를 이해하여 생활화하는 데 도움이 될 수 있는 쪽에 중심을 두고자 한다. 이는 분명 언어 사용의 체계를 설명하는 형식언어학의 관점과는 다른 시각이다. 그러기에 여기서 주목하고자 하는 관점의 차이를 드러내려면 '언어사용' 유형이라거나 '언어행동'의 유형으로 하는 것도 방법이리라. '언어문화'를 영어로 바꾸어 말할 때는 'language life style' 정도로 표현하는 것도 생각해 볼 만하다.

3

시의 두 바퀴

시가 예술이기 이전에 말(노래)이라고 하면 많은 이들이 불편하게 생각하기도 함을 모르지는 않는다. 예술적 감수성과 언어능력의 조화로운 결정체이며 예술적 상상의 발현이라고 해야 할 시작품을 일상어 수준으로 격하시켜버리는 천박함이라는 비난을 들어 싸다고도 생각한다. 예술에 대한 무지와 몰이해의 극치라는 비난도 듣는다. 그런 생각도 이해는 한다.

그러나 오로지 천재만이 시를 쓰는 것도 아니고, 읽는 것 또한 천재만이 하는 일도 아닌 것임은 누가 무어라 해도 분명하다. 시를 읽어 알기 쉽게 풀어 주는 전문가가 있고 또 그런 사람의 도움을 받아야만 이해가 가능한 시도 없지 않음이 사실이다. 그렇기는 해도 누구나 알 수 있도록 쉽게 쓰는 시라야 사랑을 많이 받는 것만은 분명하다. 시인만이 혹은 전문가만이 아는 시가 있다면 그것은 고스만(Gossman, 1990:9-29)이라는 문학이론가의 설명 체계에 비추어 볼 때 비민주적 문학임이 분명하다. 민주가 민중과 평등 등을 핵심적 개념으로 하는 이념일 터이므로 시 역시 누구든지 이해할 수 있는 것이라야 민주적일 것이다.

그런데 문학은 비민주적 역사의 길을 걸어왔다는 고스만의 시각은 역사적 전개의 실상에 비추어 타당해 보인다. 개략적인 경과는 이러하다. 오랜 옛날에는 누구나 문학을 공유하였다. 그러다가 문자라는 표기수단이 등장하면서 사회적으로 층이 갈라졌다. 시란 말로 된 노래를 문자로 적은 것인데 문자는 상층인만 쓸 수 있었다. 그렇게 해서 비민주적 문학이 시작되었다고 모든 문학사는 기술한다. '시인'이라는 단어만 하더라도 근대 자본주의 사회에 들어와서 생겨난 말이다. 시를 쓰는 일을 생업으로 삼는 직업이 출현한 뒤에 사용된 용어다. 이렇듯 그보다 더 예전에는 노래라는 것이 모두 그리고 누구나의 것이었다.

말과 노래 그리고 시의 차이부터 생각해 본다. 말이 주로 한 개인의 행위로 한정되는 특성이 있다면, 노래는 가락에 올려 여럿이 함께 되풀이하는 말이라고도 바꿔 말할 수 있다. 이처럼 노래는 공유물(共有物)이다. 그런데 노래를 입으로 부르는 대신 문자로 표현하면 시가 된다. 그렇다면 노래 또는 시가 여러 사람의 공유물이 되게 만들어 주는 요소는 무엇인가. — 이제 그 점을 생각할 차례이다.

가. 창조와 재현의 두 요소

노래는 공유물이기에 그 문화공동체의 구성원은 누구나 그것을 익히 알고 두루 노래하게 마련이다. 이렇듯이 노래는 알고 있는 내용의 말을 필요한 때와 장소에서 가락에 얹어 부른다. 이처럼 두루 알고 있는 기존의 것을 다시 실현하는 것을 가리켜 다른 말로 재현(再現, representation)이라 한다. 그러한 재현이 널리 활발하게 이루어지는 노래 양식의 한 예가 민요(民謠)이다.

그런데 민요는 누구나 다 같이 하는 노래니까 언제 어떤 경우라도 고정불변인 것으로 생각하기 쉽다. 그러나 전문 소리꾼이 부르는 선율요라면 모를까 모두가 향유하는 민요의 실상은 그렇지 않다. 선율은 하나로 정해져 다 같게 노래하더라도 노랫말은 노래할 때마다 조금씩 달라지게 마련이다. 심지어 같은 사람이 같은 노래를 하더라도 경우에 따라 노랫말을 달리 바꿔 부르기도 한다. 입에서 입으로 전하는 말이 여러 사람의 입을 거치다 보면 표현이며 뜻까지도 조금씩 차이를 보이며 달라지는 것과 한가지다.

이는 구비문학으로서의 민요가 지닌 특성이기도 하다. 현장에서 채록한 <정선아라리>(김시업, 2003:347) 노랫말로 그 변형의 실상을 살핀다.

> 시냇물은 돌구나 돌아서 한바다로 가는데
> 이 내 몸은 돌구 돌아서 어데루 가나
>
> 시냇물으는 돌구 돌아서 바다루 가련만
> 요 내 몸 돌고 돌아서 나 여기 왔소
>
> 시냇물이 돌고 돌아서 인천바다로 가네마는
> 요 내 몸 돌고 돌아서 고향에 녹초 되겠네
>
> 시냇물은 돌구 돌아서 바다우로 가지만
> 요 내 몸은 정선 북면 장열에 폴싹 늙었네
>
> 시냇물으는 돌구 돌아서 바다으루나 가건만
> 이 내 몸으는 돌구 돌아서 예미 천지에 녹아져

이처럼 부를 때마다의 노래에 '같음'과 '다름'이 함께 어우러져 있음을 볼 수 있다. 그러니까 이 노랫말 각각을 같은 노래라고 할 수도 있고 각기 다른 노래라고 할 수도 있다.[4] 이제 보았듯이 한 노래라도 같음과 다름을 다 지니고 있는데, 그중 같음을 되풀이하는 것을 가리켜서는 재현(再現, representation)이라고 하고 이와는 반대로 노래마다 새로 만들어 내는 것을 가리켜는 창조(creation)라 한다. 그러기에 민요는 재현과 창조의 두 요소를 동시에 구현하는 노래라 할 수 있다.

이제 창작시를 살필 차례다. 개인의 작품 그것도 창작시라고 하면 누구라도 먼저 '창조' 혹은 '창작'이라는 말을 떠올리게 마련이다. 그러나 민요가 창조와 재현의 두 요소로 이루어지듯 개인이 지은 창작시 또한 창조와 재현이라는 두 개의 바퀴로 이루어지는 언어활동이라는 점을 살피기 위해 먼저 시 한 편을 읽는다.

즐거운 편지   황동규

Ⅰ
내 그대를 생각함은 항상 그대가 앉아 있는 배경에서 해가 지고 바람이 부는 일처럼 사소한 일일 것이나 언젠가 그대가 한없이 괴로움 속을 헤매일 때에 오랫동안 전해오던 그 사소함으로 그대를 불러보리라.

Ⅱ
진실로 진실로 내가 그대를 사랑하는 까닭은 내 나의 사랑을 한없이 잇닿은 그 기다림으로 바꾸어버린 데 있었다. 밤이 들면서 골짜기에 눈이 퍼붓기 시작했다. 내 사랑도 어디쯤에선 반드시 그칠 것을 믿는다. 다만 그때 내 기다림의 자세를 생각하는 것뿐이다. 그동안에 눈이 그치고 꽃이 피어나고 낙엽이 떨어지고 또 눈이 퍼붓고 할 것을 믿는다.

---

4 이처럼 노래의 같음과 다름을 설명하기 위해 쓰는 용어가 유형(type)과 각편(version)이지만 여기서는 이쯤만 말해 두는 정도가 좋겠다.

이 시를 두고 많은 사람들이 놀라움 섞인 찬사를 보냈음을 우리는 잘 알고 있다. 경탄은 대체로 시에 담긴 생각의 독특하고 신선함에 관한 것이었다. 그렇다. 우선 시작부터가 놀랍다. 사람을 사랑하는 마음을 가리켜 '사소함'이라 표현하는 사람이 실제로도 있을까? 그런데 그렇게 말했다. 그러니 먼저 예상 못한 말이어서 신선하다.

이런 시를 두고 교실이며 해설은 흔히 '반어'니 '아이러니'니 하는 용어를 던져주며 기억하라는 투로 설명한다. 그러나 그런 용어를 알거나 모르거나 이 시를 이해하는 데 무슨 차이가 있을까 싶다. 되풀이해 생각해 본다. 이 시가 말하는 '사소함'이라는 것이 실상은 '세상이 흔들릴' 정도의 어마어마한 마음이라는 것, '기다림'이라고 한 마음이 실은 당장이라도 달려가 함께 있고 싶음이라는 것 — 이 정도는 사랑을 겪어본 사람이면 누구라도 알고도 남는다. 그러기에 이 시의 말들은 하나같이 반대로 뒤집어 하는 말임이 드러난다. 그래서 그토록 괴로운 심사를 굳이 '즐거운 편지'라 뒤집기한 것조차도 '그러네!' 하고 공감하기에 이르게 된다.

그런데 그러하면 그렇다고 말하지 왜 그렇게 뒤집어 말할까? 그 답은 알고 보면 쉬울 수도 있다. 세상 모든 것은 서로 상반된 이것과 저것이 한데 겹쳐 있기에 그러하다는 게 답이 된다. 누구든 경험해 봐서 다 안다. 최고로 기쁜 순간에 울음을 터뜨리는 것은 올림픽 시상대에서 흔히 보는 일이다. 릴레이경주에서 바통을 넘겨주다 떨어뜨린 선수가 순간 '허!' 하고 헛웃음을 웃던 것도 본 사람이 많으리라. 세상사가 다 그러하다. 손등과 손바닥이라는 두 세계가 합쳐야 손이다. 전기는 음극과 양극이 합쳐야 작동하고 마라톤도 출발선이 있으면 결승선도 반드시 함께 있다. '겨울이 오면 봄도 머지 않다'는 시구도 그래서 이해하게 된다. 이 세상 모든 것이 다 그러하다.

서로 상반되는 요소의 결합이 곧 삶이라는 것을 스포츠 경기를 보면서도 확인할 수 있다. 권투며 태권도는 '때리기/막기'의 전혀 상반되는 요소로 흥미를 끈다. '뒤집기/버티기'의 조합으로 된 유도며 레슬링도 있고, '넣기/막기'의 조합이어서 긴장을 하도록 만들기에 축구며 농구의 흥미도 유지된다. 눈을 돌려 시장에 가면 '싸게 사기/비싸게 팔기'의 상반된 긴장이 흥미롭게 전개되기도 한다.

이처럼 세상사 모두가 상반된 두 요소를 포함하기에 이 끄트머리는 곧 저 끄트머리로 바꾸어 말할 수 있다. '미운 정 고운 정'이라는 말이 그렇고, '위기가 기회다'며 혹은 '같지만 다른 은행'이라는 CF가 그래서 말이 되고 기억에 오래 남게 된다. 반대되는 것을 합쳐야 강한 인상을 남기는 광고 효과도 다 이런 이유 때문일 것이다.

다시 시로 돌아가자. <즐거운 편지>에 담긴 마음을 '지구가 흔들릴 정도로 어마어마한 마음'이라 하는 대신에 '사소함'이라고 뒤집어 말함으로써 그 사랑의 말이 강하게 기억됨과 동시에 오히려 우주 저 끝까지 울리게 된 셈이다. '당장이라도 달려가 껴안고 싶음'을 '기다림'으로 바꿔 말함으로써 이 시가 쓰인 지 수십 년이 지난 지금까지도 그 사랑은 '진행형'이라고 믿게 만든 것 또한 이래서 이해가 된다.

이쯤에 이르러서 생각이 엉뚱하게 옮겨 간다. 이런 식의 말을 전에 언젠가 들은 적이 있는 듯도 하다. '사랑해선 안 될 사람을 사랑하는 죄'(<꿈속의 사랑>, 현인 노래, 손석우 작사)라는 대중가요며 '사랑을 하면서도 보내야 하는'(<기적소리만>, 나훈아 노래, 진남성 작사)이라는 표현도 이런 식의 뒤집어 말하기일 것이다.

생각해 보면 이처럼 겉 다르고 속 다르게 뒤집어 말하기가 표현의 문제만도 아님을 알 수 있다. 말재주 혹은 표현기술로 그런 게 아니라 바로 그렇듯이 창[矛]과 방패[盾]가 함께 작동하고 있음이 삶의 실상이기에 그러하다는 깨달음이다. 그래서 이런 대중가요의 노랫말도 생각이 난다.

난 정말 몰랐었네
최병걸 노래, 김중순 작사

발길을 돌리려고 바람 부는 대로 걸어도
돌아서질 않는 것은 미련인가 아쉬움인가
가슴에 이 가슴에 심어준 그 사랑이
이다지도 깊을 줄은 난 정말 몰랐었네
아아아아 아아아아 진정 난 몰랐었네

제목으로 내세운 '몰랐다'는 '잘 알고 있었다'의 뒤집어 말하기일 것이다. 아무리 걸어도 '돌아설 수 없음'이 그런 마음을 미루어 헤아리게 해 준다. 이렇듯 실상을 뒤집어 말하는 것이 특정한 시인만의 특기가 아니라 대중가요에서조차 흔히 보게 될 정도로 우리 삶의 기반을 이루고 있음을 깨닫게 된다.

생각이 여기에 이르면 <즐거운 편지>의 말하기 방식 또한 시인의 특별한 발명이라기보다 우리 모두의 공통된 말하기 방식이라고 말할 수 있게 된다. 그러기에 우리가 다 충분하게 공유하고 있는 뒤집어 말하기의 언어문화를 이 시가 '재현'한 것이라고 말해도 무방하리라.

그렇다고 해서 이 시가 뒤집어 말하기의 언어문화를 모방하거나 표절했다고는 누구도 생각하지 않는다. 표현을 가져다 쓴 것이 아니라 '방식'을 재현한 것이기에. 그리고 꼭 시만이 아니라 모든 언어활동이 또한 그러하기에. 언어문화는 이처럼 창조와 재현의 두 요소를 아울러 구현하면서 이루어진다. 그것이 모든 언어활동의 실상임을 우선 확인해 둔다.

나. 창조와 재현의 거리

<즐거운 편지>를 읽으면서 언어문화며 대중가요를 들먹이는 것이 어쩌면 기이해 보일는지도 모른다. 또 참신하기 짝이 없는 시를 쓴 시인이 이런 말을 듣게 되면 혹 몹시 불쾌할는지도 모르겠다. 실로 신선함으로만 뭉쳐진 창작시에 대하여 공연히 흠집을 내려는 쓸모없는 험담으로 의심할 수도 있겠다.

그러나 우리가 어떤 예술작품에 대하여 '창조(creation)'라는 말을 쓴다고 해서 그것이 꼭 백 퍼센트 새로 만들었음을 뜻할 수는 없다는 점을 분명히 해 두어야 한다. 그렇다. 창조라고 한다고 해서 본 적도 들은 적도 혹은 생각한 적도 전혀 없는 그런 난데없는 것이 하늘에서 뚝 떨어지는 일인 것처럼 생각하는 것은 잘못이다. 결론을 미리 말한다면 하늘 아래 순전하고 완전하게 창조만으로 이루어지는 작품이거나 문화란 없다. 이제 이 점에 대해 좀더 구체적으로 살핀다.

창조의 문제를 가장 골똘하고 중요하게 다루고 따지는 분야는 미학일 것이다. 그런데 미학 분야의 연구 결과에 따르면 고대 유럽에서는 '창조'라는 개념 자체가 없거나 의식되지 않았다고 한다. 그러니까 창조는 인간이 아니라 신의 능력에 관련된 말로 쓰인 것이었다. 그러다가 기독교에서 말해 온 하나님의 창조 개념이 예술에까지 적용되면서 예술적 창조를 생각하기 시작하게 된 것이라고 설명한다. 그러기에 인간이 할 수 있는 창조의 요체란 결국 '색다름'에 한정되는 것으로 본다(타타르키비츠, 1999:297-321). 이런 점에서 예술은 창조가 아니라 제작이었고 '색다름'이란 실은 '변화'를 뜻하는 것이었다.

여기서 생각을 시작하면 이 세상 만물이며 말은 물론이고 시의 창작까지가 모두 본받음을 통해 이루어진다는 큰 생각에 이르게 된다.

그러기에 생각을 좀 더 확대한다. 개개인이 이런 상호연관성 속에서 어떤 지식을 습득하는 것을 가리켜 학습(learning)이라고 한다. 이를 하나의 공동체로 확대해 바라보게 되면 문화(culture)가 된다. 그러니까 한 개인이 성장하고 사회화하는 활동이 바로 '문화학습' 또는 '문화화'하는 과정(이홍우, 1991:97-127)이다.

따라서 개인이건 공동체건 간에 모든 창조는 재현을 그 상당 부분의 요소로 포함하게 마련이다. 이를 문화로 옮겨 생각하면 모든 문화는 곧 재현의 성격을 아울러 지니게 마련임을 알 수 있게 된다. 한 사회의 문화를 가리켜 집단재현(collective representation)이라는 용어를 쓸 수 있는 것도 이런 근거에서다.

이처럼 모든 인문활동은 상호연관적이며 복합적이다. 그러기에 앞에서 읽은 시 <즐거운 편지>가 창조와 재현의 두 요소로 교직(交織)된 구조물이라는 관점을 이해하고 받아들이면 언어문화의 이해가 좀 더 정돈된다.

다. 창조와 재현의 이론적 근거

지금까지 설명한 창조 및 재현과 문화의 관계는 결코 독특하거나 새로운 관점이 아니다. 이미 많은 이론가들이 이에 대해 충분할 정도로 설명한 바 있다. 다만 객관성을 별나게 강조했던 20세기에는 시대적 분위기 탓으로 그런 설명에 별로 관심을 갖지 않거나 의미 부여에 인색했을 따름이다.

프린스턴대의 불문학과 교수였던 고스만(Gossman, L.)은 그의 저서에서 야곱슨(Jakobsom, R.)과 보가티레프(Bogatyrev, P.)의 논문을 소개한다. 두 사람이 랑그(langue)와 빠롤(parole)로 양분하는 소쉬르(Saussure, F.)의 이론체계에 따라 구술문학과 창작문학의 성격을 구분한 논문을 소개 (Gossman, 1990:9-29)한 것이다. 이 구분에 따르면 구술문학이 공적체계 인 랑그(langue)에 해당한다면 창작문학은 개인적 특수성에 해당하는 빠롤(parole)로 볼 수 있다는 것이다.

구술문학이 랑그에 해당한다는 것은 입으로 전해진[口傳] 데서부터 드러나듯이 그 사회의 공적인 공유문화였음을 뜻하는 말이다. 이에 반하여 개인이 창작한 기록문학은 빠롤로서 사적언어라는 차이가 있 다고 본 것이다. 랑그는 공적이므로 사회 전체의 관심사가 될 수 있고 또 되어야 마땅하다. 그러나 빠롤에 해당하는 창작품은 어디까지나 개인적 특성의 반영일 따름이라고 본다. 이런 견해를 근거로 삼아 고 스만은 언어학이 랑그를 연구하는 것과 마찬가지로 문학교육도 한 사 회의 공유물에 해당하는 구술문학에 중점을 두어 기획하고 실천되어 야 마땅하다고 주장한다.

고스만은 이 밖에도 엘리엇(Eliot, T. S.) 또한 <전통과 개인의 재능> 이라는 논문에서 이 문제를 다루었음을 예로 들기도 한다. 시인은 본 질적으로 전통의 재현을 바탕으로 그 위에 개인의 재능을 덧보태어 작품을 창작한다는 것이 엘리엇의 주장임을 소개한다. 또 음악 분야 에까지 눈을 돌려 베토벤의 작곡을 예로 들기도 한다. 베토벤의 악곡 가운데는 아일랜드의 전통민요에서 악상을 가져온 것조차도 있다는 것이다.5 새로운 악상의 창조 못지않게 전통의 재현이라는 요소 또한

---

5 물론 근대사회로 오면서는 이런 문화적 공유가 어려운 환경이 형성된다. 바로 이런 변 화에서 문화이론가들이 붙들고 고민하는 문화적 문제들이 발생하기도 하였다. 윌리엄즈 (Williams, R.)를 비롯하여 에코(Eco, U.)나 부르디외(Bourdieu, P.) 등이 씨름했던 문제 가 바로 이런 범주의 문제였다. 근대화가 진행될수록 삶의 개별화가 강화됨으로써 사회 는 문화적 불평등이라는 문제를 야기하게 마련이다. 이는 민주적 사회의 구현이라는 지

복합적으로 작동함을 설명하였다.

이와는 다른 시각으로 재현 못지않게 창조의 가치를 드러내는 조명 또한 필요하다. 시적인 것 그리고 독창적인 것의 중요성을 강조하는 이론가는 시적 창조의 중요성을 '말과 생각의 확대'로 집약해 강조하기도 한다. "현대시는 어떻게 하면 말을 더 효과적으로 쓸 수 있는가를 알아내고, 시험하고, 미처 표현하지 못해 우리가 의식하지 못한 것들을 꼭 집어 내 이름 붙이려 애쓰는 작업이다. 그 결과 생각과 의식의 폭, 말할 수 있는 것의 폭, 눈에 보이는 것의 폭을 넓히는 역할을 해 왔다."[6]고 설명하기도 한다. 이런 설명은 시적 창조가 인간의 인간다움을 확장하는 활동임을 뜻한다.

이렇듯이 창조와 재현의 두 바퀴는 시의 수레를 굴리는 두 바퀴로서 인문적 몫을 한다. 이제 이쯤에서 창조와 재현이라는 문화적 활동에 관한 관점을 정돈하는 것이 좋겠다. 요약하건대 지금까지 살폈듯이 모든 시는 창조이면서 동시에 재현이다. 창조가 미래와 관계된다면 재현은 과거에 기반한다. 이제 그 두 요소 가운데서 재현의 관점에 좀더 주목하고 그 의미를 생각하고자 언어문화의 관점에서 들여다보고자 한다. 이렇게 함으로써 우리 언어문화를 형성한 삶의 방식을 통해 '우리'를 좀 더 이해하는 데 다가설 수 있기를 기대한다.

표를 방해하는 치명적 사회문제가 아닐 수 없게 된다. 그러기에 20세기 서유럽을 중심으로 전개된 문화에 대한 관심은 이러한 비민주적 삶의 개선 방법을 모색하는 과정에서 필연적으로 부딪히게 된 사회적 고민이었다.

6 황현산은 <글 잘 쓸려면 선입견 버리고 정직하게 써야>(중앙일보, 2017.10.14.)라는 제하의 인터뷰에서 이런 취지로 난해시의 창조적 가치를 강조한 바 있다.

4

언어문화와 인간 이해

가. 인간, 언어적 존재

'인간'이라는 말보다 더 설명하기 어려운 것이 있을까? '인간'을 이해하기 위해 많은 사람이 오랜 세월에 걸쳐 노력도 무척 해 왔지만 '인간'은 아직도 여전히 수수께끼로 머물러 있다.[7] 하라리(2015:14-15)가 제시한 긴 인류역사연대표 가운데서 언어와 관계된 부분만 옮겨 본다.

7만 년 전	인지혁명. 창작하는 언어의 등장. 역사의 시작.
	사피엔스 아프리카에서 퍼져 나감.
5천 년 전	최초의 왕국. 글씨와 돈 사용. 다신교 종교.

---

[7] 이스라엘의 문명사학자 하라리(2015)가 쓴 책 『사피엔스』의 앞머리에 실려 있는 인류의 역사연표에 따르면 지구라는 행성이 45억 년 전에 형성되었다고 한다. 그 뒤 지금부터 250만 년 전에 아프리카에서 호모속의 진화가 이루어짐으로써 최초의 석기가 사용되었다. 이어 30만 년 전에는 불을 사용하게 되었으며 20만 년 전에는 동아프리카에서 호모 사피엔스로 진화한 것으로 되어 있다. 이 호모 사피엔스들이 다른 종을 물리치고 오늘에 이른 인류의 시작이라고 하라리는 설명한다. 그러니 아프리카가 우리 모두의 고향(?)인 셈이다.

135억 년 전부터를 기술한 연표에서 이 만큼만 뽑아서 보고 인류 역사를 짐작이라도 해 보고자 하는 것은 지나치게 소략해서 위험할 수도 있겠다. 그러나 우리의 관심인 언어문화에 주목하여 이 부분만 가지고 생각해 본다. 하라리는 이 연표처럼 7만~3만 년 전에 인류에게 인지혁명이 일어났는데 그 혁명적 변화는 언어로 새로운 사고와 의사소통 방식을 구사하게 됨으로써 나타나고 이루어졌다고 설명한다(하라리, 2015:42-43).

그러한 혁명이 가능할 수 있었던 원천은 무엇인가? 바로 언어다. 언어라는 것이 놀라울 정도로 유연한 것이어서 그렇다는 설명이다. 여러 사람이 비슷하게 설명하듯이 언어는 매우 제한된 개수의 소리와 기호를 연결해 각기 다른 의미를 지닌 무한한 개수의 문장을 만들 수 있는 힘을 지닌 것이어서 그러하다는 것이다. 이런 힘 때문에 결국 언어는 세상에 대한 정보를 공유하는 수단으로 진화하였다. 그럼으로써 호모 사피엔스는 언어를 이용하여 다른 동물들이 갖지 못한 지식을 소유하고 전수하며 확대함으로써 만물의 영장이 될 수 있었다. 또한 언어를 활용함으로써 사회적 동물로서의 기능과 힘을 충분히 발휘할 수 있게도 되었다.

더구나 언어가 있기에 직접 보거나 만지거나 냄새 맡지 못한 것에 대해 마음껏 이야기할 수 있게 되었는데 그럴 수 있는 존재는 오직 호모 사피엔스뿐이다. 이것이 다름 아닌 허구를 말할 수 있는 능력이라고 본다. 말하자면 상상의 능력을 바탕으로 하여 인류사회에 전설, 신화, 신, 종교가 등장하게 된 것이라고 하라리는 설명한다. 물론 이와는 다른 시각도 있다. 밀로는 호모 사피엔스가 5만 8천 년 전에 아프리카를 떠나 이주를 시작했다고 보는데 그렇게 할 수 있었던 계기가 바로 '내일'이라는 단어의 발명(밀로, 2017:187)이었다고 설명한다.

결국 인류는 이와 같은 허구적 능력을 바탕으로 집단적 상상이 가능했고 이를 바탕으로 사람들 사이에 유연한 협력이 가능했다고도 본다. 그러기에 인류가 도시며 제국을 건설하기에 이른 삶의 변화는 모두 언어의 힘에 근거하여 가능했던 것으로 이해해도 되겠다(하라리, 2015:42-54).

간략하게 요점만 압축했지만 초점은 결국 인간과 언어의 관계에 놓인다. 인간이 만물의 지식을 갖게 됨으로써 영장이 되고, 소통을 통해 더불어 사는 사회를 이루고 오늘보다 나은 내일을 꿈꿀 수 있도록 해 준 힘의 원천이 모두 언어에 있음을 확인하게 해 주는 견해이다. 그럴 수 있게 해 준 근원이 바로 언어이다. 흔히 의사소통의 도구쯤으로 이해하고 말아버리기 쉬운 언어관을 넘어서는 전환이 필요한 대목이다.

언어란 것은 사실 발음이라는 감각운동과 사고라는 두뇌활동의 결합이라는 지극히 간단한 기제(機制)의 산물에 지나지 않는다. 그런 언어로 거의 무한정에 가까울 정도로 인간은 모든 것을 말할 수 있게 된 것이다.[8] 무엇이든 말한다는 것은 무엇이든 알 수 있고 전할 수 있다는 뜻도 된다. 하라리도 설명했듯이 언어는 고도로 유연하다. 언어는 이런 점에서 오히려 유연함을 넘어서서 놀라운 창조[9]의 행위라고까지

---

8 "모든 언어는 계층적 구조를 갖는 표현들의 무한집합을 제공하며, 각각의 표현은 두 개의 접합면에서 해석이 된다. 그중 하나는 표출을 위한 감각운동 접합면이며, 다른 하나는 사고 처리를 위한 개념-의도 접합면이다. 이 같은 기본 특성을 인정하면 다윈이 말한 무한한 능력이나 그보다 오래 전에 언어는 의미를 지닌 소리라고 한 아리스토텔레스의 고전적인 문구 같은 구체적인 표현이 가능해진다."(촘스키, 2017:45)

9 "문법적인 면에서도 모국어를 사용하는 사람은 거의 믿을 수 없을 정도로 언어 사용에 창조적이다. (중략) 모든 사람은 지구상에서 전에 발화되지 않았던 발화를 계속 만든다. 믿기 어려울지 몰라도 여러분이 방금 읽은 문장은 꼭 이러한 형태로는 언어 역사에 처음 쓰인 문장일지도 모른다. 흔히 쓰는 인사말, 작별인사, 틀에 박힌 말, 속담 등을 빼놓으면 이론상으로는 우리가 쓰는 말은 전에 한 번도 쓰이지 않은 새로운 말이다."(파브, 2000:234)

할 수 있다. 언어학에서도 이런 점에 특별하게 주목한다.

그런데 주목할 것은 언어가 인류의 삶에 일으킨 변화의 놀라움이다. 하라리의 역사연표에서도 보지만 인류가 언어를 가지게 된 것이 고작해야 겨우 7만 년 전이다. 이에 반해 인류의 조상은 무려 250만 년 전에 지구상에서 그 삶을 시작했음을 눈여겨보아야 한다. 250만 년이라는 시간은 그저 단순한 숫자가 아니다. 헤아리기조차 거의 불가능할 정도로 장구한 시간이다. 그 기나긴 기간 동안 인류는 이제나 저제나 그저 그렇고 그런 동물의 한 종으로 별다른 변화 없이 살았을 것이다. 그 삶의 광경을 떠올려 보자. 마치 호랑이나 황소 또는 두더지가 지금도 그러하듯 그렇게 살았을 것이 아닌가!

그러던 인간이 7만 년 전에 언어생활을 시작한 이후 그 삶이 어떻게 바뀌어 왔는가를 생각만 해도 언어가 얼마나 놀라운 힘을 지닌 것인가가 금방 실감된다. 또한 인류가 문자로 정보를 기록함으로써 시·공간을 초월하여 소통하기 시작한 것은 불과 5천 년 전일 따름이다. 겨우 5천 년! 인류의 시작이 250만 년 전이고, 언어생활을 시작해서 7만 년, 그리고 문자생활을 시작하여 겨우 5천 년밖에 지나지 않았는데 오늘날의 우리 인류가 이런 모습으로 생활하기에 이르렀다.

문자가 없던 5천 년 전, 그리고 언어가 없었던 7만 년 전의 인간과 오늘날의 우리를 상상으로라도 비교해 본다. 그러면 언어가 우리 인간에게 과연 어떤 역할을 하는 것이었던가를 짐작할 수 있다. 그렇듯이 인간이 언어로 삶을 영위하기에 인간을 이렇게 규정(장상호, 1991:4)할 수도 있게 되었다.

인간은 가능성이다. 인간의 본질이 무엇인지는 확정지을 수 없다. 진화론자는 원초적 생명체로부터 인류의 발생까지 수십만 년에 걸친 변형을 기술한다. 계통발생적으로 인간은 동굴에서 기어 나와 우주여행을 할 수 있었다. 개체발생적으로 인간은 100년 이내의 일생 동안 원시인으로 태어나 고도의 문명인으로 사멸한다. 변화는 시간을 필요로 하지만 그것이 충분조건이 되지는 않는다. 하등생물들은 그들의 종(種)을 변화시키는 방법으로서만 자체를 변화시키지만 고등동물로서의 인간은 생물적 한계를 넘어 역사를 창조하고 그 창조된 세계에 적응한다.

이 글이 말하듯 '역사를 창조하고 그 창조된 세계에 적응'하는 능력— 그 생물적 한계를 넘어서는 능력의 근원은 두말할 나위가 없이 언어이다. 언어가 없는 다른 존재에게도 이런 희망적 전망이 가능할까? 결코 있을 수 없는 일이다. 그러기에 인간을 가리켜 특히 '언어적 존재'라고 하는 그 자체가 인간은 무한히 축복받고 영광된 존재임을 뜻한다고 말할 수 있게 된다.

나. 삶의 세 국면

이제 언어에 모았던 시야를 넓혀 인간이 저마다의 삶을 영위하는 존재라는 데로 생각을 옮겨 본다. 사람의 삶을 몇 개의 국면으로 나눈다면 어떻게 구분하는 게 좋을까? — 이런 과제를 던져 놓고 그 답을 궁리해 볼 수 있겠다. 그러기 위해 다음 시를 근거 자료로 삼고자 한다. 이 사연을 예로 삼아 사람의 삶을 구성하는 요소와 성격의 차이에 따라 몇 개의 범주로 구분해 본다. 그런 목적을 앞세워 시를 먼저 읽는다.

남신의주(南新義州) 유동(柳洞) 박시봉(朴時逢) 방(方)   백 석

어느 사이에 나는 아내도 없고, 또,
아내와 같이 살던 집도 없어지고,
그리고 살뜰한 부모며 동생들과도 멀리 떨어져서,
그 어느 바람 세인 쓸쓸한 거리 끝에 헤매이었다.
바로 날도 저물어서,
바람은 더욱 세게 불고, 추위는 점점 더해 오는데,
나는 어느 목수네 집 헌 샅을 깐,
한 방에 들어서 쥔을 붙이었다.
이리하여 나는 이 습내 나는 춥고, 누긋한 방에서,
낮이나 밤이나 나는 나 혼자도 너무 많은 것같이 생각하며,
딜옹배기에 북덕불이라도 담겨 오면,
이것을 안고 손을 쬐며 재 우에 뜻없이 글자를 쓰기도 하며,
또 문밖에 나가지두 않구 자리에 누워서,
머리에 손깍지베개를 하고 굴기도 하면서,
나는 내 슬픔이며 어리석음이며를 소처럼 연하여 쌔김질하는 것이었다.
내 가슴이 꼭 메어 올 적이며,
내 눈에 뜨거운 것이 핑 괴일 적이며,
또 내 스스로 화끈 낯이 붉도록 부끄러울 적이며,
나는 내 슬픔과 어리석음에 눌리어 죽을 수밖에 없는 것을 느끼는 것
이었다.
그러나 잠시 뒤에 나는 고개를 들어,
허연 문창을 바라보든가 또 눈을 떠서 높은 천장을 쳐다보는 것인데,
이때 나는 내 뜻이며 힘으로, 나를 끌어가는 것이 힘든 일인 것을 생
각하고,
이것들보다 더 크고, 높은 것이 있어서, 나를 마음대로 굴려가는 것을
생각하는 것인데,
이렇게 하여 여러 날이 지나는 동안에,

내 어지러운 마음에는 슬픔이며, 한탄이며, 가라앉을 것은 차츰 앙금
이 되어 가라앉고,
외로운 생각만이 드는 때쯤 해서는,
더러 나줏손에 쌀랑쌀랑 싸락눈이 와서 문창을 치기도 하는 때도 있는데,
나는 이런 저녁에는 화로를 더욱 다가 끼며, 무릎을 꿇어 보며,
어느 면 산 뒷옆에 바우섶에 따로 외로이 서서,
어두워 오는데 하이야니 눈을 맞을, 그 마른 잎새에는,
쌀랑쌀랑 소리도 나며 눈을 맞을,
그 드물다는 굳고 정한 갈매나무라는 나무를 생각하는 것이었다.

시의 앞부분에서 강렬하게 느끼게 되는 것은 이것이다. ─사람은
누구를 막론하고 반드시 누군가와 '더불어' 살아야 한다는 깨달음. 그
렇다. 이 세상에서 '혼자 사는 사람'은 없다. 여기서 모든 생각은 비
롯한다. 아내, 부모, 동생들과도 멀리 떨어져 홀로가 되니 그 삶은
'쓸쓸한 거리 끝에 헤맴'에 이르고 만다. 그것은 그냥 '헤맴'이라고 예
사로운 듯 말하고 말긴 했지만 실은 삶이라고 하기조차 어려운 행동
일 것이다. 그러다가 그나마 '어느 목수네 집'에 '쥔을 붙이'게 되니
겨우 겨우 삶 비슷한 모습이 됨을 느낀다. 그렇다. 인간은 마땅히 누
군가와 '더불어' 소통함으로써 비로소 삶을 이루는 '사회적 존재'임을
여기서 확인하게 된다.

그러나 다른 한 편으로는 그 모든 것이 바로 '나'의 삶이다. '목수
네 쥔'을 붙였다고는 하니 주인과 더불어 살기는 하겠지만 그렇더라
도 자신의 삶은 오로지 자기 혼자의 것이다. '박시봉 방'이란 그 집에
서 산다는 뜻이다. 그러나 삶은 '나'의 삶이지 그 누구든 남의 삶은
아니다. 주인인 '박시봉'이 대신 '나'의 삶을 살아 줄 수도 없다.

시는 말한다. '나 혼자도 너무 많은 것같이 생각하기'도 하고, '내

슬픔이며 어리석음이며를' 곱씹어 '째김질하고' 그러기에 '슬픔과 어리석음에 눌리어 죽을 수밖에 없다'는 생각에까지 이르게 된다. 그런데 그 생각의 중심은 어디까지나 '나'이다. 그렇다. 누구든 사람은 자기 자신의 삶을 살게 되어 있다. 말하자면 인간은 누구나 기본적으로 '개인적인 존재'이다. 자신을 위해 살고, 자기 뜻으로 살며, 자기답게 살도록 되어 있다.

그렇다면 이렇듯이 개인적 삶일 뿐인 '혼자'에게 언어는 과연 무슨 소용일까 하는 의문도 있을 수 있다. 말은 누군가와 주고받는 것인데…… 하는 생각도 떠오를 수 있다. 그러나 꼭 누구와 교환해야만 말인 것은 아니다. 시의 구절마다에 그득하게 혼자서 이어 가는 그 모든 생각—그것을 해내는 모든 과정이 하나같이 언어의 일이다.

그렇게 혼자서 입 밖으로 내지는 않더라도 머릿속으로 혹은 혼잣말로 수많은 생각을 전개해 나가는 생활—헤어나올 길이라곤 도무지 없어 보이는 그 혹독한 삶의 구렁에서 헤매는 나날의 끝에 마음에 떠올린 단어가 '갈매나무'라 하였다. 그것도 저물어 가는 겨울 산 바위 섶에 외따로 서서 '쌀랑쌀랑 소리도 내며 눈도 맞는' 갈매나무를 '생각한다'고 하였다.

'본다'고 하지 않고 '생각한다'고 말하는 것으로 보건대 이 나무를 이 시인이 본 적도 없는 것 같은 느낌을 받는다. '드물다는'이나 '갈매나무라는 나무' 등의 표현으로 보건대는 아마도 이전에 들은 적이 있어 말로만 알고 있을 따름임을 짐작하게 된다. 나가서 직접 그 나무를 보고 생각했다고 하지도 않았다. 그렇다! 그러니까 그 나무는 '갈매나무'라는 말로 머릿속에만 있을 따름이다. 그걸 생각한다고 했다. 그러하다! 생각도 말로 한다는 것을 이로써 거듭 확인하게 된다. 더구나 '드물다는 굳고 정한 갈매나무'라는 말에서 연상되는 마음을 다져

먹는 것 같은 느낌까지 받게 되니 안도감마저 느낀다. 물론이다! 이는 비로소 이 사람이 절망에서 빠져나오는 생각을 함을 뜻하는 것이다. 그러니 삶의 '회복과정'임이 분명해 보인다. 이른바 '꿈꾸기'가 바로 이것이리라.

그런데 꿈 또한 언어로 꾼다는 것도 확인하게 된다. 좀 과격하게 말한다면 이 사람은 '갈매나무'라는 나무 이름[10]을 알고 있기에 절망의 바닥과도 같은 삶에서도 꿈을 꿀 수 있었다. 그 나무에 대해 들은 말의 기억을 바탕으로 그 나무 같은 삶을 생각할 수 있었고, 이 생각을 딛고 그 절망의 구렁텅이에서 벗어날 꿈을 꿀 수 있었다고 해도 좋다. 이것을 달리 생각하면 하라리가 말한 '허구의 언어'로 꿈을 꾸는 일이라고 할 수도 있다. 밀로의 말로 바꾸면 '내일'을 생각한 것(밀로, 2017:211-214)이라고도 하겠다.

사람은 '직접 보거나 만지거나 냄새 맡지 못한 것에 대해 마음껏' 언어로 이야기할 수 있다. 또 언어는 '단순한 상상을 넘어 많은 수가 모여 유연하게 협력하는 유례없는 능력'(하라리, 2015:49)도 발휘하게 해 준다. 오늘의 고통을 넘어 "내일 보자!"고 말할 수 있게도 해 준다. 이런 언어를 지녔고 그래서 꿈을 꿀 수 있는 것이 인간임을 거듭 재확인해 둔다.

---

10 '갈매나무'가 어떤 나무인가를 알아보았는데 그 결과는 다소 실망스러웠다. 실제로 나무를 잘 아는 사람 가운데는 '들메나무'를 시인이 착각한 것이 아닐까 하는 말도 한다. 갈매나무는 3미터 정도의 키에 가닥이 여러 개인 줄기로 된 잡목이라는 설명과 사진을 보면 그런가 싶기도 하다. 반면 '들메나무'는 30미터 정도까지 자랄 정도로 매우 크다니까 그쪽이 시의 내용과 어울리는지도 모르겠다는 생각까지 하게 된다. 그렇지만 다시 시로 돌아가 생각하면 '갈매나무'가 '굳고 정한' 나무라고 생각한다고 하였으니 그러면 되는 것이다. 하라리가 말한 허구의 언어가 그러하듯이 '그렇게' 말하고 '그렇다'고 믿는 힘이 인류를 위대하게 만든 힘이었으니까.

다. 인문론적 시론을 위하여

시와 삶의 방식을 관련지어 살피고자 하는 방향에 대하여 대강 살폈다. 이제 그러한 방향의 관찰이며 논의를 굳이 해야 하는 까닭에 대해 말할 차례다. 그렇게 함으로써 다소 생소해 보이는 논의가 궁극적으로는 인간의 이해에 초점을 맞춘다는 점을 설명해 보이고자 한다.

그 핵심에 해당하는 단어로 '사람[人間]'을 앞세우고자 한다. 시를 대상으로 삼건 아니면 문화를 과제로 삼건 간에 그 인문적 탐구의 최종적 시선은 반드시 사람에 맞춰져야 한다고 생각한다. 흔히 보는 바이지만 때로는 진지하게 혹은 열성적으로 관찰 또는 분석하는 시선이 그 대상 자체에 그치고 마는 것은 아쉬운 일이다.

예컨대 박물관에 놓인 장신구 하나를 보더라도 장신구 자체의 해명에 못지않게 중요한 것이 그와 관련된 '사람'의 해명이다. 말하자면 그것을 만들고 또 손가락에 끼었거나 귀에 걸었던 사람들의 마음을 이해해 내는 것이 더 중요하다고 본다. 시를 언어문화로 바라보며 살피고자 하는 바가 그러하다. 거듭 말하지만 시를 예술로 보는 것은 시를 소수의 우수한 사람들에만 관련짓는 일로 한정하고 말게 되기 쉬운 아쉬움 때문에 시각을 달리하고자 한다. 그래서 택한 핵심어가 '삶의 방식'이다. 시에서 예술적 빼어남보다는 이 세상 사람이 살아가는 방식을 보다 실상에 가깝도록 알아낼 수 있었으면 하는 강한 희망이 담겨 있다.

'삶의 방식(way of life)'이란 물론 '문화'의 다른 말이기도 하다. 그러나 굳이 문화 대신 그 풀이의 용어라고도 할 수 있는 '삶의 방식'을 강조한 것도 '사람 이해'를 강조하려는 뜻에서다. 시가 시인의 말솜씨이기를 넘어서서 사람이 무엇을 위해 어떻게 살아가는가를 살피는 단

서로 이해되었으면 하는 희망을 강하게 내포한 용어다.

이제 시를 읽으면서 사람을 이해하는 길에 들어서려 한다. 이를 위하여 먼저 시를 읽는다. 시는 개인의 시적 영감이 빚어낸 창작이어서 개성적 예술품이라는 점이 일차적으로 중시된다. 그러나 이 세상에 혼자 익히고 홀로만 중얼거리고 마는 말이 있을 수 없듯이 시 또한 개인의 것이되 그와 동시에 공동체문화의 일부라는 점도 아울러 주목한다. 그러기에 삶에 대해 매우 개성적으로 표출 또는 진술하는 생각이라 할지라도 그것이 언어문화의 어떤 것들과 관련되는지를 탐색하는 데로 시선을 옮기게 된다. 가장 개성적이고 특수한 시라 할지라도 그 개별성의 바탕에는 공동체문화의 요소가 재현되어 있다고 봄을 뜻한다.

이를 달리 형식적인 측면으로 말한다면 시와 언어문화의 연계성을 탐색하는 과정이라 하겠다. 일상생활에서 확인할 수 있는 어법에서부터 속담이며 관용구 혹은 어휘 변화에 이르기까지 관계가 있어 보이는 것이면 모두 대상으로 놓고 살피고자 한다. 그런 과정을 거쳐 언어문화의 모든 현상 속에서 시가 드러내는 삶의 방식과 연계되는 요소를 특정하고 체계화한다.

이 과정에서 시와 언어문화를 잇대어 바라보고 해명하는 데 가교가 되는 자료로 고전시가가 중요한 역할을 하게 된다. 그럴 수 있는 근거는 고전시가의 대부분이 구비문학적 자질을 지니고 있다는 데서 찾는다. 고려시대 이전의 시가는 말할 것도 없거니와 조선조의 시조 가운데 상당수에 이르기까지 대부분의 고전시가가 개인의 것이라기보다 당시 문화공동체의 공유였다는 점은 이미 충분히 확인된 바 있다.[11]

---

11 개인 창작으로 여길 수 있을 만한 시조까지도 구비문학적 공유물이었을 가능성을 생각

이런 절차로 시에서 공동체가 지향하는 삶의 방식을 읽어내면 시에 대한 공감도 또한 높아질 것임은 물론이다. 너와 내가 다 같이 그렇게 살아가므로.

하게 만드는 단서로 다음과 같은 점을 들 수 있다. 첫째, 가집에 실린 시조라도 지은이며 노랫말이 이본에 따라 다르기도 한 점, 둘째, 전혀 다른 사람의 다른 작품에서 같은 구절이나 동일한 표현방식이 보이는 점, 그래서 이른바 로드(Lord, Albert B., 1973)의 공식구(formula) 이론처럼 공동의 소유로 이루어지는 언어활동을 생각하게 만드는 점, 셋째, 정몽주와 이방원 사이에 오간 것으로 알려진 시조 <하여가(何如歌)>며 <단심가(丹心歌)>만 해도 지금 우리가 보는 모습으로 문헌에 정착하기까지 무려 2백여 년의 세월이 필요했으며, 그동안은 입에서 입으로 혹은 한문 번역으로 전했던 점. ─이렇듯이 대부분의 고전시가가 실은 그처럼 구비문학으로 유통되었음이 분명하다.

제2장

탐구의
시와 언어문화

　사람은 누구나 '저 자신의 삶'을 산다. 모든 나에게 '나'는 가장 중요하며 최우선이고 그리고 모든 것이다. 그런 의미에서 사람은 누구나 '개인적 존재'이다. 이처럼 개인적 존재인 인간의 삶에서 가장 중요한 과제는 무엇인가? 어쩌면 사람마다 그 대답은 다를 수 있을는지 모른다. 삶의 목적이며 가치관은 사람마다 천차만별이어서 그러하다.

　그러나 한 가지는 누구에게나 공통이다. '탐구하는 존재'라는 점이다. 사람의 본성은 무엇이든지 알고자 한다. 탐구는 인간 본성이자 본연의 지표이면서 삶의 가치이다. 그러기에 '탐구'는 누구에게나 가장 핵심적인 삶의 요소이다. 시인 또한 마찬가지다.

1

개인적 존재 : 탐구하는 삶

사람은 무엇인가를 알고자 하는 본성을 지닌 존재이며, 이렇듯 알고자 하는 과제를 수행하는 행위를 가리켜 탐구(探究)라 한다. 이 점에서 모든 개인은 본성에 따라 무엇이든 알고자 하는 탐구적 존재로 정의할(장상호, 1997:77-78, 373-425) 수 있다.

가. 시와 탐구

(1) 시인과 탐구

시인은 왜 시를 쓰는 것일까? 시는 무슨 내용을 담아야 하며 또 그 것을 읽는 독자는 시에서 어떤 것을 기대할까? 이런 질문에 대한 답은 쉽지 않다. 시라고 해서 다 같은 내용으로 된 것도 아니겠고, 시인마다 시를 쓰는 이유가 다 같지도 않을 것이며, 독자 또한 시에 대한 기대나 얻는 바가 다양할 것임은 물론이다.

그래서 우선 생각하기 쉽도록 시가 '말로 하는 인간 활동'이라는 점에 초점을 맞춘다. 누구나 말을 하고 시 또한 누구나 하는 말과 같다.

그렇지만 시가 누구나 하는 말과 같다고 하는 데 동의하더라도 시는 보통 무슨 이야기를 하며 그리고 왜 할까? 다소 새삼스러워 보일지라도 이 점을 중심으로 생각한다. 그러기 위해 누구에게나 낯익어 아주 잘 아는 다음 시는 과연 무엇을 노래한 것일까를 먼저 살핀다.

국화 옆에서　　　　　　　서정주

한 송이의 국화꽃을 피우기 위해
봄부터 소쩍새는
그렇게 울었나 보다.

한 송이의 국화꽃을 피우기 위해
천둥은 먹구름 속에서
또 그렇게 울었나 보다.

그립고 아쉬움에 가슴 조이던
머언 먼 젊음의 뒤안길에서
인제는 돌아와 거울 앞에 선
내 누님같이 생긴 꽃이여.

노오란 네 꽃잎이 피려고
간밤엔 무서리가 저리 내리고
내게는 잠도 오지 않았나 보다.

제목이 <국화 옆에서>니까 이를 단서로 생각하면 이 시가 말하고자 하는 바를 이해하기 쉽다. 제목 그대로 국화꽃 앞에 서서 지금 참으로 아름다운 모습으로 피어 있는 노오란 국화꽃을 바라보면서 시인은 생각한다. "저 꽃은 어떻게 해서 피게 되었을까?" ─ 이런 질문을 던지고서는 그 답으로 생각하게 된 내용이 바로 이 시이리라.

시인은 속으로 물었을 것이다. 저 국화꽃은 도대체 어떻게 해서 저처럼 아름답게 피어날 수 있었을까? 아마 이랬겠지? ─ 국화의 싹은 봄에 나왔겠지. 연한 새싹 솟아날 때가 봄이니 그 땐 소쩍새 울었고, 여름에는 비 쏟아지고 천둥이 쳤을 것이다. 그리고는 정작 꽃이 피어나는 가을엔 차가운 서리까지 내렸으리라. 햇볕, 이슬, 비, 바람……. 그만큼 변화무쌍한 나날이 그 사이 긴 세월로 흘렀으리라. 그렇다! 국화꽃은 그렇게 긴 시간과 어려움을 겪고서야 피어날 수 있었다.

생물시간에는 결코 들을 수 없었던 국화꽃의 비밀 ─ 그것은 오로지 이 시인이 처음으로 알아낸 것이다. 소쩍새 울음이며 천둥 그리고 무서리 ─ 이런 것들이 있었기에 국화꽃은 피어날 수 있었다. 그런데 이 내용은 이 지구상에서 오로지 이 시인만이 유일하게 알아낸 국화꽃 성장의 비밀이다.

그런데 <국화 옆에서>라는 시는 말 그대로 만인에 회자(膾炙)되는 명시가 되었다. 그 힘은 도대체 무엇일까? 그 답은 '누님'이라는 표상(表象)에 함축되어 있다고 할 수 있다. 그래, 내 누님 같은 한 생이야! 내 누님이야말로 젊은 날에 비, 바람, 천둥, 무서리 ─ 아니 그보다 더 혹독한 시련을 겪으셨지. 이제 그 폭풍 속의 삶 같았던 젊은 날을 돌아보는 내 누님. 거울 앞에 서듯 자기를 돌아볼 수 있는 원숙(圓熟)에 이른 누님. 그리고 보니 노오란 저 빛깔조차 내 누님의 원숙을 닮았음이여!

생각해 보자. 국화꽃 피는 사연이 그러함을 그리고 그 느낌이 내 누님과 같음을 이 세상에서 맨 처음으로 알아낸 사람은 바로 이 시인뿐이다. 그리고 그것을 우리에게 말해서 알게 해 준 사람도 오로지 이 시인뿐이다. 알고 나니 모든 국화가 실로 그러함을 새삼 느낀다. 그래서 의문에 대한 답인 이 시야말로 참으로 정확함을 더욱 분명하게 느낀다.

이래서 시 한 편을 쓰는 일은 과학자의 발명이나 다름없는 일이기도 하다. 남들이 풀지 못하는 문제를 풀어내는 수학자와도 같다. 그런가 하면 탐험가의 발견과도 같다. 이처럼 시인이 새로이 알아내는 활동을 가리키는 말이 '탐구'이다. '탐구'를 순우리말로 바꾼다면 아마 '알아내다' 정도가 가장 가까운 뜻이 되지 않을까 싶다. 탐구라는 말의 이런 쓰임새를 통해서도 시인은 알지 못하던 것을 '알아내는 사람'임을 재확인하게 된다.

(2) 탐구와 언어활동

시인이 하는 핵심적인 일의 본질이 '탐구'임을 확인하였다. 그런데 수학자의 탐구나 탐험가의 발견과 시인의 탐구가 같은 '탐구'라는 말을 쓰지만 다 같지는 않을 것이다. 그렇다면 그러한 탐구와 시의 탐구가 다른 점은 무엇일까? 이제 또 다른 시 한 편을 들어 시가 하는 탐구활동의 특징을 생각해 본다.

앞의 <국화 옆에서>(서정주)는 국화 피어나는 비밀을 탐구하되 그 결과는 말[言語]로 표현하였다. 이는 수학자가 탐구한 바를 공식이나 정리로 나타내는 것과 차이가 있다. 이를 참고로 삼으면서 다음 시의 탐구적 특징은 무엇이라고 해야 할까를 생각해 본다.

깃발   유치환

　　이것은 소리 없는 아우성
　　저 푸른 해원(海原)을 향하여 흔드는

영원한 노스탤지어의 손수건
순정은 물결같이 바람에 나부끼고
오로지 맑고 곧은 이념(理念)의 푯대 끝에
애수(哀愁)는 백로처럼 날개를 펴다
아아 누구던가
이렇게 슬프고도 애달픈 마음을
맨 처음 공중에 달 줄을 안 그는

이 시에 대해 이렇게 질문해 본다. ─이 시가 정작 말하고자 하는 바는 무엇일까? 그 대답은 바로 다음 질문에 대한 답과 한가지가 아닐까 싶다. ─하늘에 펄럭이는 저 '깃발'은 '누가, 왜, 무엇을, 어떻게, 언제, 저기(어디)에' 달아맨 것일까? 우리가 어떤 대상에 대하여 알고자 할 때 던지는 질문의 대표적 형식이 바로 이러하다. 이를 압축해 말하는 용어가 바로 '육하(六何)'[12]이다.

시행을 따라가며 그 답에 귀 기울여 본다. 시인은 바람에 펄럭이는 깃발의 외침을 듣는다. 고함소리보다 더 간절한 아우성 소리를 시인의 귀는 들을 수 있다. 간절한 향수, 티 없는 순정, 맑고 곧은 이념, 그러면서도 어딘가 마음 서늘한 애수─말하자면 강렬한 의지와 함께 슬프고 애달픈 마음이 공중에서 펄럭임을 드디어 알아낸 것이다.

이러한 탐구 결과야말로 이 세상에서 오로지 이 시인만이 알아낸 것이다. 세계 역사를 뒤져 보더라도 이는 이 시인이 최초로 탐구해 낸 지식이다. 생각하면 할수록 깃발의 본질이며 거기 담긴 정서가 참으

---

12 혹은 5W1H라고도 한다. 학교의 교실에서는 이를 기사문에서 빠뜨린 것 찾기 같은 데에나 필요한 지식 정도로 가르치는 것이 보통이다. 안타까운 일이다. 육하(六何)는 어떤 대상의 정체에 대한 지식의 핵심적 요소이자 체계라 할 수 있다.

로 그러함을 거듭 확인하며 고개를 끄덕이게 됨은 그것이 마음에 새겨 둘 만한 진리의 말씀이기 때문일 것이다.

이제 화제를 바꿔 이 시가 해낸 탐구의 결과가 얼마나 새롭고 진실하며 중요한가를 생각해 본다. '깃발'에 대한 사전의 풀이(국립국어원, 『표준국어대사전』)와 비교해 보면 그 차이가 쉽사리 드러난다.

> **깃-발**02(旗-)[기빨/긷빨]「명사」
> 「1」깃대에 달린 천이나 종이로 된 부분.

비교해 보자. 사전이 풀이해 주는 이런 설명을 가지고 우리가 깃발에 대하여 알 수 있는 것이 도대체 무엇이란 말인가? 시가 밝혀낸 바에 비기면 사전의 설명이 참으로 공허하기 그지없다는 느낌이 든다. 이런 설명에 비하면 시 <깃발>은 지금 저 하늘에 펄럭이고 있는 깃발의 모든 것을 정확하게 깨달아 알게 해 준다. 목적이며 속성이며 그것이 우리에게 주는 느낌이며……. 이 시를 읽고 나서 하늘에 펄럭이는 깃발을 새롭게 바라보게 된 사람이 아마도 한둘이 아닐 것이다.

생각을 이어 본다. 어쩌면 시를 읽고는 시가 탐구활동이라는 점을 깨닫게 되는 생각을 한 적도 있을는지 모른다. —"그래, 맞아! 바로 그거야! 암, 그렇지! 그렇고말고!" 이렇듯이 전에는 생각을 해 보지 못했거나 미처 모르던 것을 알아내는 일, 그것이 바로 탐구이고 그래서 얻는 것은 지식(knowledge)이다. 지식을 순우리말로 '앎'이라 하는데 '아는' 것이 바로 지식이다. 그러니까 시는 이처럼 모르는 것을 알아내 들려주는 말이다. 그러기 위해 시인은 지식을 탐구하고 그 탐구한 바를 말로 표현한다.

나. 인간과 탐구

(1) 학교에 가는 이유

벌써 오래 전 일이다. 어느 날 무심하게 인터넷 사이트 여기저기를 기웃거리다가 이런 글이 올라와 있음을 발견하였다.

공부는 왜해야하나요?　　비공개　2009.03.08　01:45　답변 8ㅣ 조회 2,713

15살 남자인데요 **//**

요즘 공부가 너무 어렵고... **//**스트레스받고 그런거같아서...

어제 공부에대해서 계속 생각해봤는데...

공부가튼거 잘해봤자

커서 뭐 도움되는것도 없잖아요 **—; //**제생각 **//**

수학은 생활에서는 더하기/빼기/곱하기/나누기

이정도밖에 안쓰는정도구..

//공부 열심히 해도

생활에서는 필요도 없고 그렇잖아요... **//**

뭐 .. 우리 일상생활에서 소인수분해라도 하나요 **——;;;**

너무 답답하네요. .;; 커서 공부도 안할건데.. **//**엄마는 선생님이나 외교관가튼

공부잘하는 직업가튼거 하라그러는데 저는 진짜 그런거 되기 싫어요. **——;;**

제가 미친듯이 공부하면 선생님이나 외교관같은.. 뭐..좋은직업가지고 그러겠

죠..;;

근데 **//**제꿈은 개그맨입니다..

엄마한테 개그맨된다고 말하니까 개그맨도 공부 잘해야된다고 별 개ㅈㄹ떨고.

——;;;

개그맨이 왜 공부를 잘해야하는겁니까...; **//**개그맨도 공부해야한다고 학원보

내내요 ㅋㅋㅋ

자신을 15세의 중학생이라고 밝혔는데 그 나이가 되도록 학교에 다니는 목적을 생각해 보는 일 없이 지냈다고 하였다. 하지만 그런 학생이 이뿐이랴! 실제로 우린 '왜'라는 질문을 던지거나 그 대답을 궁리하지 않고도 많은 일을 하며 산다. 일상생활이라는 것이 대부분 이유나 목적의 분석이나 결정 없이 행해지는 게 사실 아닌가!

학교엔 다니라니까 다니지 왜 그 일이 필요한지 진지하게 생각해 보는 사람은 과연 얼마나 되랴 하는 생각도 들었다. 다른 한편으론 이 학생과 같은 의문에 어른들은 어떤 답을 주는가도 궁금하였다. 미국의 대통령조차도 한국의 이름을 들먹이며 부러워하는 연설을 했을 정도로 한국의 교육열은 높은 것이 사실이다. 그런데 정작 대부분의 학생들은 학교에 가서 공부를 해야 하는 이유를 모른다니!

이제 이쯤에서 학교에 가는 이유에 대한 우리 나름의 답을 정리할 때가 되었다. 한마디로 압축해 말한다. 학교란 '배우기 위해' 간다. 누구든 배움으로써 세상 만사를 알게 되는데 학교란 알도록 가르치는 곳이다. 그러니 학교 가는 이유이자 목적은 한마디로 말해 '앎', 곧 지식을 위해서다.

이제 여기서 좀더 깊게 물을 수 있다. 왜 그런 앎이 필요한가? 그 답도 줄이면 간명하다. "사람이니까!" — 이것이 그 답이다. 사람은 누

구나 알고자 하는 본성을 지니고 있다. 한 예로 자라나는 아이들의 성
장과정에서 그런 인간 본성이 드러난다. 아이들은 자라나면서 "나는
어디서 나왔어?"에서 시작하여 "밤낮이 왜 바뀌어?"며 "비는 왜 와?"
처럼 무엇이나 의문을 가진다. 알고자 하는 인간의 본성 때문이다. 아
이들만이 아니라 어른들도 알고자 하는 본성은 마찬가지다.[13] 그러기
에 아리스토텔레스도 그의 『형이상학』(김진성 역주, 2007:29) 맨 첫머리
에서 이렇게 거론한 바 있다.

> 모든 인간은 본래 앎을 욕구한다. 이 점은 인간이 감각을 즐긴다는 데
> 에서 드러난다. 우리는 정말 쓸모를 떠나 감각을 그 자체로 즐기는데 다
> 른 어떤 감각들보다도 특히 '두 눈을 통한 감각(시각)'을 즐긴다.

아리스토텔레스가 말한 대로 알고자 함은 사람의 본성이다. 이러한
본성이 시키는 대로 무엇이든 알고자 하고 알게 된 것을 체계화하고
이를 바탕으로 다시 또 더 새로운 것을 아는 활동 — 이를 가리켜 탐
구(探究)라 한다. 시인의 시 쓰기 또한 알고자 하는 본성을 바탕으로
실천하는 맹렬한 탐구활동이다. 그러기에 시인의 또 다른 이름은 '탐
구자'가 적당하리라.

---

13 알고자 하는 본성의 흥미로운 예가 있다. 선거 때면 으레 하게 마련인 출구조사라는 것
    이 그러하다. 생각해 본다. 출구조사란 투표 결과를 미리 '알고자' 하는 본성을 위한 기
    획일 따름이다. 두서너 시간 혹은 늦더라도 너댓 시간 후면 분명하게 알게 될 결과들이
    다. 그러니 조금만 참고 기다리면 될 일이다. 그런데도 막대한 경비와 노력을 들여 그
    일을 한다. 이런 사소한 예만으로도 인간의 알고자 하는 본성은 충분히 확인된다. 하기
    야 더 쉬운 증거도 볼 수 있다. 길을 가면서, 심지어는 대로의 횡단보도를 건너면서조
    차 스마트폰을 들여다보는 사람들이 바로 그 출구조사 발표보다 더 적나라한 알기 본능
    의 예들이다.

(2) 탐구의 두 방향 – 지식과 언어

알고자 하는 인간 본성의 실현은 대체로 언어활동과 더불어 전개된다. 어린이들도 말을 배우는 일과 앎을 지니는 일을 동시에 하게 된다. 말하자면 말을 아는 것은 곧 지식을 축적하는 활동이다. 이처럼 우리는 언어로 지식을 저장함과 동시에 알아 지니고 있는 지식들을 언어로 질서 있게 체계화한다. 그리고는 나아가 실제로 체험하지 못한 것조차 언어를 통해 이해하고 새롭게 추리하여 알아냄으로써 지식을 더 확장하고 이를 바탕으로 더욱더 새롭게 확산하고 체계화하는 과정을 거친다. 이런 과정을 다음 시는 알기 쉽게 들려주고 있다.

말을 배우러 세상에 왔네   김영석

말을 배우러 나는 이 세상에 왔네
말을 익히며 말을 따라
산과 바다와 들판을 알았네
슬픔이 어떻게 저녁 못물만큼 무거워지는지
삶의 쓰라림과 희망이
어떻게 안개처럼 유리창에 피고 지는지
말을 따라 착하게도 많이 배웠네
가을 산이 잎 떨군 빈 가지 사이로
아주 먼 길을 보여 주듯
말 떨군 고요의 틈으로 돌아가서
푸른 파도가 밤낮으로
바위에게 웅얼거리는 소리를
쪽동백이 날빛에 흰꼬리새 부르는 소리를
이제 남김없이 들어야 하네
그 말을 배워야 하네

아이들에게 말을 가르치고
말을 배우러 나는 이 세상에 왔네

이 시처럼 우리는 말로 배우고 정리하여 기억함으로써 더욱 확대하게 되는 지식을 얻기 위해 이 세상에 왔으며 그러기 위해 살아가고 있다고 해도 좋을 것이다. 사람이기에 누리는 복이요 즐거움이다. 오직 사람만이 말을 할 수 있으므로 지식을 가질 수 있고 그렇게 얻은 지식을 가르쳐 전할 수 있다. 그래서 사람은 다른 종(種)이 흉내조차 낼 수 없는 만물의 영장이 된다. 인간으로 살아가는 보람이다. 또 그런 보람을 위해 시를 읽는다.

그런데 시는 언어로 지식을 습득하고 체계화하는 일 못지않게 그 말을 다루는 일 또한 중요하게 작용한다. 다시 말해 얼마나 적절하고 효과적인 언어로 그것을 드러내며 또 그 언어를 알아듣고 즐기는가도 중요하다. 시와 노래는 이렇듯이 제대로 표현하고 이해하는 일을 중점적으로 추구하는 탐구활동이다. 이 점이 지식의 탐구 못지않은 인간적 의의를 지닌다. "말로 부족해서 시가 있다."는 말도 그러하거니와 "일러 못 다 일러 불러나 풀었던가."(신흠)라고 노래한 것 등은 적절하고 효과적인 표현의 기능과 의의를 강조한 것이다.

"아 다르고 어 다르다."는 속담을 가지고도 생각해 본다. 같은 생각이라도 어떻게 표현하는가에 따라 그 표현과 전달의 효과가 크게 다르다는 생각이 이 속담에 담겨 있다. 사실이 그러하다. '천 냥 빚도 말로 갚을' 수도 있는가 하면 "혀 아래 도끼 들었다."고 하듯 말로 해서 참사가 빚어지기도 한다. 어떻게 하면 생각을 보다 적절하게 그리고 신선하면서 의미 있게 표현할 것인가 하는 문제는 일상어는 물론이거니와 시와 노래에서는 핵심적인 과제가 된다. 이런 표현효과와 관련된 영역이 바로 '언어탐구'의 영역이다.

시의 언어탐구가 말을 얼마나 빛나게 그리고 효율적으로 해내는지 살피기 겸해 다음 시를 함께 읽는다.

밀물   정끝별

가까스로 저녁에서야

두 척의 배가
미끄러지듯 항구에 닻을 내린다
벗은 두 배가
나란히 누워
서로의 상처에 손을 대며

무사하구나 다행이야
응, 바다가 잠잠해서

달리 읽을 수도 있겠으나 '벗은 두 배'는 '배'[船]이기도 '배'[腹]이기도 할 것으로 읽게 되니 그러고 보면 밀물은 어떤 배[船, 腹]건 배들이 쉬게 해 주는 쉼터가 되기도 하겠다. 그 넉넉한 시간의 모습을 넌지시 뜻하고자 제목 또한 '밀물'이라고 하지 않았겠나 싶다. 하루를 잘 보낸 안락이 밀어닥쳐 봉봉 넘실대는…….

그처럼 말의 묘미를 충분히 살려 말 마디에 주목하게 만드는 것이 바로 시인의 치열한 말 탐구가 빚어내는 성과일 것이다. 예컨대 "마흔 살을 불혹이라던가/ 내게는 그 불혹이 자꾸/ 부록으로 들린다"(<불혹(不惑) 혹은 부록(附錄)>, 강윤후)로 시작하여 "권말부록이든 별책부록이

든/ 부록에서 맞는 첫 봄이다/ 목련꽃 근처에서 괜히/ 머뭇대는 바람처럼/ 마음이 혹할 일 좀 있어야겠다"로 끝맺음을 한 시는 말소리의 닮음을 이용하여 교묘하게 자기 삶 이야기를 하고 있어 그 말에 함축된 생각이 많은 걸 떠올리게 해서 눈길을 끈다.

시는 이러한 말 탐구를 중요한 과제로 놓고 그 길을 찾아내려 애쓴다. 말을 아는 것이 곧 지식을 아는 것이기도 하므로 지식의 탐구와 언어의 탐구는 결국 한 몸이기도 하고 표리(表裏)의 관계이기도 하다.

2

지식 탐구

사람이 한 세상을 살면서 알게 되는 지식이 무한하듯 시가 탐구하는 지식 또한 무수하고 무한할 것이다. 그 모든 것을 다 아울러 생각하기는 어려우므로 시의 주된 탐구 영역을 정체성, 다의성, 모순성의 세 방면으로 나누어 살핀다.

가. 정체성 탐구

(1) 정체성 탐구의 시 읽기

우리가 아침에 깨어나는 순간부터 밤에 잠들 때까지 가장 많이 하는 생각은 과연 무엇일까? 물론 사람마다 다르기는 할 것이다. 그렇기는 해도 추측건대 아마 "뭐지?"가 가장 많은 질문이 아닐까 싶다. 사람은 오관을 통해 들어오는 자극이 있게 되면 그것이 무엇인가부터 확인이 되어야만 그에 대한 반응을 결정할 수 있게 된다. 이미 알고 있으면 하던 대로 익숙하게 반응할 것이고 모르던 것이면 새롭게 탐구하여 알아내는 것이 사람이다.

다음 시는 승려였던 시인의 개인적 삶을 알게 되는 것과는 별개로 모든 사람에게 의미 있는 시로 읽힌다. 아마 시가 본디 탐구의 결정체이기에 일반적 공감을 깊게 일으켜 그런 것이리라.

알 수 없어요　　　　　　　　　　한용운

바람도 없는 공중에 수직(垂直)의 파문(波紋)을 내이며 고요히 떨어지는 오동잎은 누구의 발자취입니까

지루한 장마 끝에 서풍에 몰려가는 무서운 검은 구름의 터진 틈으로 언뜻언뜻 보이는 푸른 하늘은 누구의 얼굴입니까

꽃도 없는 깊은 나무에 푸른 이끼를 거쳐서 옛 탑 위의 고요한 하늘을 스치는 알 수 없는 향기는 누구의 입김입니까

근원은 알지도 못할 곳에서 나서 돌부리를 울리고 가늘게 흐르는 작은 시내는 굽이굽이 누구의 노래입니까

연꽃 같은 발꿈치로 가이없는 바다를 밟고 옥 같은 손으로 끝없는 하늘을 만지면서 떨어지는 해를 곱게 단장하는 저녁노을은 누구의 시(詩)입니까

타고 남은 재가 다시 기름이 됩니다

그칠 줄을 모르고 타는 나의 가슴은 누구의 밤을 지키는 약한 등불입니까

이 시가 던지는 정체성 확인의 질문에 대한 답이 무엇이겠는가를 여기서 되풀이하는 것조차 새삼스러운 일이다. 질문 형식으로 되어 있기는 하지만 답은 이미 분명하게 드러난 질문이기도 하다. 자기 눈으로 바라보니 세상 모든 것이 그분의 발자취이고, 얼굴이며, 입김이고, 노래이면서 시임을 알아냈다는 선언이라고도 할 수 있다.

그렇긴 해도 우리 삶의 중핵적인 과정이 이와 같은 정체성의 탐구

라는 점을 이 시는 분명하게 이해하도록 그 길로 이끌어 준다. 또한 늘 비슷한 나날의 일상이고 그래서 그냥저냥 지나치고 말기 쉬운 삶이라도 새삼스런 질문을 던져 보면 새롭고 깊은 뜻이 드러나기도 하리라는 암시도 던져준다.

이제 또 다른 시를 통해서 시인이 정체성을 탐구해 나가는 과정을 더듬어 본다.

을숙도(乙淑島)　　　　　　　　　정완영

세월도 낙동강 따라 칠백 리 길 흘러와서
마지막 바다 가까운 하구에선 지쳤던가
을숙도 갈대밭 베고 질펀히도 누워 있데.

그래서 목로주점엔 한낮에도 등을 달고
흔들리는 흰 술 한 잔을 낙일(落日) 앞에 받아 놓으면
갈매기 울음소리가 술잔에 와 떨어지데.

백발이 갈대처럼 서걱이는 노사공(老沙工)도
강물만 강이 아니라 하루해도 강이라며
김해벌 막막히 저무는 또 하나의 강을 보데.

제목은 <을숙도>지만 섬이 아니라 강을 바라보는 시인의 탐구적 시선을 따라가 본다. 우선 이 시가 골똘하게 바라보고 있는 대상은 낙동강임이 분명하다. 출렁이거나 여울지거나 그런 요란함과는 거리가 먼 저 바다 가까운 하구를 번번하게 흐르는 낙동강. 그 모습을 가리켜 '질펀히도 누워 있데'라고 했다.

시가 하는 말을 주섬주섬 모아 어떤 것들인지 그려 본다. 칠백 리,

마지막, 낙일(落日), 떨어지데, 백발, 노사공, 막막히, 저무는—대략 이런 말들이 눈에 들어온다. 시인이 을숙도에서 본 것이 이러하다는 말이다. 이 말고 다른 것들은 없었으랴만 시인은 유독 '끄트머리'들을 눈여겨 본 것이다. 이 모두가 을숙도의 정체성이면서 다른 한편으로는 세월이며 인생의 참모습과 이어질 것이다.

이러한 낙동강의 정체는 오로지 이 시인만이 본 것이리라. 그러니 모를 일이다. 새파랗게 젊은 시인이 을숙도에 가면 어떤 낙동강을 보게 될는지, 그것은 알 수 없는 일이다. 그러나 저물녘의 을숙도에서 천천히 그러나 한참을 흘러온 세월의 강을 탐구해내는 이 시의 정체성 해명에 비록 젊은 독자라도 실로 그러하다고 공감할 수는 있을 것이다.

(2) 정체성 탐구와 언어문화 – 명명과 별명

이 세상 만물은 저마다의 이름을 갖고 있다. 사람은 물론이고 삼라만상 그 어떤 미물이라도 모두 이름을 가지고 있다. 이름이라고 하면 흔히 명사(名詞)에 해당하는 사물의 명칭만을 생각하기 쉽겠다. 그러나 그런 명사적 이름 말고도 움직임의 이름인 동사며 형용의 이름이라 할 형용사 등 온갖 말이 실은 모두 다 이름이다.

그러기에 이름이 없다면 '그것'이 이 세상에 존재하지 않는다는 뜻도 된다. 흔히 말하듯 영어에 '반찬'이라는 말이 없는 것은 반찬이라는 음식이 그 사람들에게는 없다는 말이며, 잉크에 해당하는 우리말이 없음도 우리에게 그런 것이 존재하지 않았음을 뜻한다. 이런 설명은 모두 이름과 존재의 밀접한 관계를 미루어 알게 해 준다. 이런 관점에서 보면 지식을 탐구하는 일도 이름을 아는 활동과 직결된다고 할 수 있다.

이런 점과 관련하여 생각하면 사람이 누구나 저마다의 이름을 지니고 있는 이유와 의의를 짐작할 수 있다. 달리 말해 고유한 이름을 지녀 그 이름으로 불림으로써 그 존재가 실현된다고까지 말할 수도 있다. 그럴 정도로 한 사람의 이름은 바로 그 사람에 관한 지식의 모든 것일 수도 있다.

그런데 기이하게도 많은 사람들이 별명으로 기억되고 불리기도 하는 것이 현실이다. 왜 그런가? 그럴 만한 까닭을 '관계 없음'에서 찾을 수 있다. 여타의 삼라만상에 붙인 이름이 어느 만큼의 그럴 만한 이유를 가짐에 비해 사람의 이름은 그야말로 아무 관계가 없이 갖다 붙이는 것이 보통이다. 누구의 이름이라도 그 사람과 필연적 관련이 없이 작명되었기에 정체성을 그 이름이 드러내지는 못한다. 그 사람의 특징이라고도 할 수 있는 정체성이 나중에 그 이름에 와서 들러붙을 따름이다. 그래서 학교처럼 여럿이 모여 생활하는 곳에서는 고유명사인 이름보다 그 인물의 특징을 압축적으로 환기하는 별명을 사용하는 것이 매우 흔한 일이다.

친구들은 두말할 것도 없고 선생님의 별명이 대개 그러하였다. '콩자반'이라는 별명의 친구는 대개 콩자반다웠고 '멸치'라는 별명의 친구는 어딘가 멸치다움이 있었다. 선생님도 마찬가지였다. '기생오래비'며 '여섯시 오분 전' 또는 '살로만'이나 '비계로만' 등의 별명을 생각하면 오랜 세월이 지난 뒤라도 그 모습이며 행동거지가 환히 떠오르기도 하는 까닭이 바로 그 때문이다.

별명이라는 것이 흥미의 요소에 지나치게 치중한 나머지 본인의 인격에 손상을 끼치는 경우가 없지 않음이 사회적으로 문제가 될 수는 있다. 그러나 별명이 불러일으키는 그 선명한 환기력은 효율적 언어활동의 한 표본이라고까지 할 수 있을 정도이다. 그래서 별명은 사물에 대한 지식을 되도록 분명하게 그리고 정확하게 지니고자 하는 인간의 탐구 본성이 아주 잘 드러나는 언어문화라 할 것이다.

나. 다의성 탐구

'다의성(多義性)'이란 흔히 한 단어가 둘 이상의 뜻을 갖는 것을 가리켜 하는 말로 많이 쓴다. 이런 일은 삼라만상 모두에 빠짐없이 저마다의 이름을 달리 붙이기가 어렵기에 하나의 말로 여러 대상을 가리키기도 해서 생겨나는 현상이다. 그렇기는 해도 다의성이란 꼭 말의 의미에만 한정해서 쓰지는 않는다. 특히 탐구라는 화제와 관련해서 쓰는 다의성이라는 말은 '대상'이 지니는 의미의 다양성을 가리키는 말이 된다. 말하자면 어떤 대상이 여러 가지 뜻과 함축을 지니게 되는 것을 가리킨다.

(1) 다의성 탐구의 시 읽기

하나의 대상이 여러 가지 뜻으로 읽히게 되는 일은 필경 바라보는 사람이 다르기에 그 시각 또한 달라서 그러할 것이다. 흔히 사물을 '있는 대로' 보라고 말하지만 실은 '보는 대로 있는 법'이라고도 한다. 이처럼 사람마다 다르게 마련인 관점의 차이가 결국 대상을 달리 보게 만들고 그에 따라 대상의 정체와 의미 또한 달라지게 마련이다.

실제로 겪은 일이다. 그러니까 아주 최근, 바로 2017년 6월 6일 TV에서 하는 현충일 기념식 중계를 보고 있었다. 식이 끝나고 나서 공연 순서가 시작되었다. 그런데 머리가 희끗거리는 가수 장사익이 하얀 두루마기를 입고 무대에 올라오더니만 김영랑의 <모란이 피기까지는>을 노래로 부르는 것이 아닌가?

모란이 피기까지는　　　　　김영랑

모란이 피기까지는
나는 아직 나의 봄을 기다리고 있을 테요
모란이 뚝뚝 떨어져 버린 날
나는 비로소 봄을 여읜 설움에 잠길 테요
오월 어느 날[14] 그 하루 무덥던 날
떨어져 누운 꽃잎마저 시들어 버리고는
천지에 모란은 자취도 없어지고
뻗쳐오르던 내 보람 서운케 무너졌느니
모란이 지고 말면 그뿐 내 한 해는 다 가고 말아
삼백예순 날 하냥 섭섭해 우웁내다
모란이 피기까지는
나는 아직 기다리고 있을 테요 찬란한 슬픔의 봄을

　현충일 기념식에서 이 시를 추모의 노래로 듣게 되다니 참으로 생
각 밖이었다. 이 시가 그 기념일의 분위기와 어떤 연관을 가질 수 있
다고는 일찍이 상상조차 해 본 적이 없었다. 그런데 가만히 노래를 듣
고 있노라니 이 시야말로 호국영령에 대한 헌사이자 진혼 그리고 추
모의 뜻으로 행간이 그득함을 새삼스레 생각하게 되었다.
　고백하건대 속으로 충격이 컸다. 이 시가 조국에 몸을 바친 넋을 위
한 헌사(獻辭)도 될 수 있음을 생각조차 못했다니……. 이 시는 흔히
'기다림'과 같은 마음과 어우러진 것[15]이라고 말한다. 그리고 기다림은

14　노래는 원시의 순서를 약간 바꿔 불렀다. 다섯째 줄의 '오월 어느 날……'에서부터 시작
　　해서 끝까지 노래하고는 첫줄의 '모란이 피기까지는'부터 넷째 줄 '……설움에 잠길 테
　　요'까지는 낭송조로 읊더니만 다섯째 줄부터는 다시 노래로 되풀이해 불렀다.
15　한 예만 참고한다. "우리는 이 시에서 기다리고 비탄에 잠기고 다시 기다리는 순환의

모란이 다시 필 '내년'을 먼저 생각하게 만들기도 한다. 그런데 이 날 장사익의 노래로 듣는 이 시의 느낌은 그와 많이 달랐다. 내년에 다시 피어나는 모란이 아니라 우리 가슴에 영원하게 자리잡은 모란―그런 뜻이 간절하게 가슴을 울리며 지나갔다. 특히 '뚝 뚝 떨어진'이라는 대목에서는 가슴속에서 마치 징이나 바라가 울리는 것과 같은 느낌도 받았다.

그랬기에 시가 다의성(多義性)을 탐구하는 언어활동임을 생각하는 자리에서 이 이야기를 굳이 꺼내게 된 것이다. 이 시가 그런 맥락에 쓰일 수 있을 정도로 시의 의미는 해석하기에 따라 다양하다는 예로 적절하고 훌륭하기 때문이다.

이번에는 사물이 얼마든지 다양하게 보일 수 있으며 그 뜻을 달리 생각할 수도 있음을 깨닫게 해 주는 시 두 편을 아울러 본다. 전라북도 고창 선운사의 동백꽃을 두고 쓴 시들이다.

선운사 동백   김용택

여자에게 버림받고
살얼음 낀 선운사 도랑물을
맨발로 건너며
발이 아리는 시린 물에
이 악물고
그까짓 사랑 때문에
그까짓 사랑 때문에
다시는 울지 말자

인간사를 만난다."(이숭원, 2008:109)고 한 해설이 그러하다.

다시는 울지 말자
눈물을
감추다가
동백꽃 붉게 터지는
선운사 뒤안에 가서
엉엉 울었다.

이 시는 선운사 동백이 붉게 터지는 때의 일에 대한 것이겠다. 이
악물고 눈물 감추고 견디던 사람이 선운사 붉게 터지는 동백을 보고
는 '엉엉 울었다'고 했다. 선운사 동백은 버림받은 사랑조차 도저히
잊을 수 없게 만들 정도로 붉었던가 보다. 그런데 또 다른 시인은 같
은 선운사 동백을 두고 노래를 이렇게 한다.

선운사에서   최영미

꽃이
피는 건 힘들어도
지는 건 잠깐이더군
골고루 쳐다볼 틈 없이
님 한 번 생각할 틈 없이
아주 잠깐이더군

그대가 처음
내 속에 피어날 때처럼
잊는 것 또한 그렇게
순간이면 좋겠네

멀리서 웃는 그대여

산 넘어 가는 그대여

꽃이
지는 건 쉬워도
잊는 건 한참이더군
영영 한참이더군

꽃은 어렵게 펴서 쉽게 뚝뚝 지는데 사랑은 순간에 피어 사라지지 않고 이렇듯 맴을 도는가! 같은 동백꽃이되 뜻이 전혀 다르니 '제 눈의 안경'인가 아니면 '보는 대로 있기'인가? 선운사 동백의 뜻이 이다지도 다양함을 이런 시를 읽어서야 비로소 깨닫는다.

(2) 다의성 탐구와 언어문화 – 다의적 용법

다음 고시조 두 편은 우리가 익히 아는 노래이다. 그리고 둘 다 '청산(靑山)'과 '유수(流水)'를 화제로 삼았다는 점에서 공통이기도 하다. 어찌 보면 그 시대의 유행어라고 해도 될 정도로 친숙한 대상이기도 한 청산과 유수라는 자연을 두고 생각한 바를 담고 있다는 점까지가 동일하다. 그런데 그 뜻에 각기 다른 점이 있다.

말 없는 청산이요   성혼

말 없는 청산(靑山)이요 태(態)없는 유수(流水)로다
값 없는 청풍(淸風)과 임자 없는 명월(明月)이라
이 중(中)에 병(病) 없는 내 몸이 분별(分別)없이 늙으리라

청산은 어찌하여　　　　이황

청산(靑山)은 어찌하여 만고(萬古)에 푸르르며
유수(流水)는 어찌하여 주야(晝夜)에 그치지 아니는고
우리도 그치지 말아 만고상청(萬古常靑)하리라

　앞의 시조는 청산(靑山)의 말없는 묵묵함을 뒤의 시조는 변함없이 푸르름을 꼭 집어 강조하였다. 유수(流水)도 마찬가지다. 앞 시조는 유수가 자유로우며 정해진 모습이 없는 점을 강조하고 뒤의 시조는 그침이 없이 꾸준함을 그 특징으로 말하고 있다. 그러기에 청산과 유수를 보며 생각한 바도 각기 다르다. 전자는 자연스레 어울려 사는 즐거움을 말했다면 후자는 끊임이 없는 끈기를 지니자고 하였다. 다 같은 청산과 유수이되 그것이 지닌 모습과 우리가 거기서 배울 만한 의의를 각기 달리 탐구해 낸 점에서 차이가 있다.

　이 두 시조는 잘 아는 바와 같이 조선시대의 것이다. 이 시대에 사람들이 생각하고 행동하는 방식은 거의 틀이 짜여 있다시피 하였다. 그러기에 그 틀을 그대로 본받아 따라 하는 것을 이상이자 당위로 여기기도 하였다. 그러니 청산이나 유수도 그런 틀에서 비슷비슷한 의미로 읽어내게 됨을 당연한 일로 보기도 하였다. 그러나 이 두 시조는 익숙한 대상임에도 천편일률(千篇一律)로 생각하거나 말하지 않았다. 이처럼 옛날에도 사물의 뜻은 다의적이었다.

　이번에는 말의 '다의성'을 살핀다. 다의성이란 하나의 말이 여러 가지 뜻을 나타낼 수 있다는 말임은 이미 살폈다. 실제로 사전에서 한 단어의 어깨에 1, 2, 3…… 등의 번호를 매겨 가며 여러 가지 뜻풀이를 한 것을 흔히 보게 된다.

다의성의 한 예로 '시원하다'라는 단어의 뜻을 살핀다. 실제로 뜨거운 설렁탕을 먹으면서 '시원하다!'고 하는 사람도 있고 몹시 맵기까지 한 매운탕을 가리켜 그렇게 말하는 사람도 있다. 그런가 하면 목욕탕의 뜨거운 열탕에 들어앉아 그러기도 한다. 한국어에 덜 익숙한 사람이 이런 일에 놀라는 일 또한 없지 않다. 그런데 '시원하다'를 사전(국립국어원, 『표준국어대사전』)에서 찾으면 다음과 같은 풀이와 용례를 보게된다.

시원-하다 「형용사」

[1]「1」덥거나 춥지 아니하고 *알맞게 서늘하다*.

¶ 시원한 바람/ 밤공기가 시원하게 느껴졌다.

「2」음식이 차고 산뜻하거나, 뜨거우면서 *속을 후련하게 하는* 점이 있다.

¶ 시원한 김칫국/ 아내는 술 먹은 다음 날에는 시원한 북엇국을 끓여 준다./ 배화채는 만들기가 쉽고 맛이 시원하여 경단과 잘 어울리는 음료이다.

「3」막힌 데가 없이 활짝 트이어 *마음이 후련하다*.

¶ 시원하게 뻗은 고속 도로/ 시원하게 쏟아지는 비/ 마당이 시원하게 넓다./ 앞쪽이 탁 트여서 시원하기 짝이 없다.

「4」말이나 행동이 *활발하고 서글서글하다*.

¶ 시원한 말투/ 시원한 걸음걸이/ 시원하게 대답하다/ 눈을 떠 보니 영미가, 좀 마른 편이지만 그 말대로 눈매가 시원한 여자와 팔을 끼고서 있다.≪최인훈, 광장≫

「5」지저분하던 것이 *깨끗하고 말끔하다*.

¶ 쓰레기장을 시원하게 치워 놓아라.

「6」(('시원하지' 꼴로 '않다', '못하다'의 앞에 쓰여))기대, 희망 따위에 부합하여 *충분히 만족스럽다*.

¶ 일이 돌아가는 모양이 영 시원치 않다./ 지난 가을 추수가 시원치 않았다.

[2] 【…이】

「1」답답한 마음이 풀리어 <u>흐뭇하고 가뿐하다.</u>

¶ 일이 시원하게 끝났다./ 신주같이 위하던 남의 밥줄을 끊어 놨으니 하긴 죽여도 시원치는 못하겠지요.≪김유정, 아기≫

「2」가렵거나 속이 더부룩하던 것이 <u>말끔히 사라져 기분이 좋다.</u>

¶ 언니는 나의 등을 시원하게 긁어 주었다./ 체했던 속이 시원하게 내려갔다.

사전의 풀이와 용례가 구체적으로 보여주듯이 '시원하다'는 말은 매우 다양한 대상에 각기 조금씩 다른 의미로 쓰인다. 촉각, 미각, 시각 등의 감각으로 느낀 것을 표현하는 데도 쓰이고 오관을 넘어서서 마음의 상태를 나타내는 데도 쓰인다.

그렇다면 왜 하나의 말을 여러 대상에 두루 써서 의미를 다양하게 하는가 하는 질문이 가능하다. 그에 대한 답으로 경제원리를 생각하게 된다. 적은 노력으로 많은 효과를 기대해서 그렇다는 뜻이다.

그런데 언어활동의 다양성은 다양하고 깊이 있는 사유의 계기를 만들기도 한다. 속담이 그 대표적인 예인데, 같은 속담이라도 맥락에 따라 각기 다른 것을 지칭하는 다의적 효과를 발휘함이 특징이다.

ⓐ 남의 밥 콩은 커 보인다.
ⓑ 목구멍이 포도청이다.
ⓒ 새우 싸움에 고래 등 터진다.
ⓓ 가는 년이 물 길어다 놓고 갈까.

하나씩 살피면 그 다의적 용법이 쉽사리 이해된다. ⓐ는 밥에 든 콩만이 아니라 떡에도 쓸 수 있고 집에도 쓸 수 있는가 하면 밭이며 곡식에도 두루 쓸 수 있다. ⓑ의 포도청이 지금은 없는 것이지만 한국어를 제1언어로 생활하는 사람이면 경찰이거나 검찰을 쉽사리 떠올릴 정도이므로 그 뜻을 모르는 사람은 없다. ⓒ가 바다 속에 사는 생물종들에 국한된 이야기가 아님은 다들 알고 있고, ⓓ를 꼭 여자에만 한정하여 말하거나 물 긷는 일만 그러하다고 생각하는 사람은 없다.

속담과 비슷하게 여러 대상에 두루 쓰이면서도 교훈적인 뜻은 강하지 않은 표현을 가리켜 '관용어(慣用語)'라고 한다. 다음과 같은 표현이 그 예이다. 가난한 것을 강조해 말할 때 흔히 쓰는 말이 "가랑이가 찢어지게 가난하다."인데 가난은 꼭 가랑이에만 오는 것도 아닐 터인데도 이렇게 표현한다. 습관적으로 으레 그렇게 쓴다고 해서 관용(慣用)이라 한다.

"등 따습고 배부르다."는 것도 편안함을 나타내는 관용어이다. "내 코가 석 자다."는 곤궁한 처지에 있음을 말하는데 어려움이 코에만 머무는 것도 아닐뿐더러 코가 석 자씩이나 늘어나는 사람도 없는데도 이렇게 말한다. 남의 일에 두루 관심이 많아 이 일 저 일 관심을 보이고 나서는 사람을 가리켜 "오지랖이 넓다."고 하고, 어수룩해서 순진하게 시골사람처럼 행동하면 '바지저고리'라고 하는 것도 다 관용이다. 이처럼 속담과 관용어 사이에는 그 표현과 뜻의 쓰임이 다소 차이가 있기는 하다. 그러나 하나의 말로 여러 대상 또는 다양한 맥락에 쓰인다는 점에서는 같다.

다. 모순성 탐구

(1) 모순성 탐구의 시 읽기

'모순(矛盾)'이라는 단어의 뜻부터 생각해 본다. 사전은 '어떤 사실의 앞뒤, 또는 두 사실이 이치상 어긋나서 서로 맞지 않음을 이르는 말'이라고 풀이한다. '모순(矛盾)'이라는 말의 한자가 창과 방패를 가리킨다는 것을 근거로 삼아 어원을 설명하기도 한다. 그러니 이 세상에 모순은 존재할 수 없는 일일 것이며 혹 모순이 생긴다면 그것은 바로잡아야만 할 일일 것으로 생각하게 된다.

논리적으로 생각하면 응당 그래야 맞다. 그런 것을 가리켜 합리적(合理的)이라고도 한다. 그런데 우리 삶의 실상에 비추어 보면 세상은 모순투성이라고 해도 될 정도이다. 그걸 말해 주듯 제목부터가 '모순(矛盾)'을 강조하면서 세상 이치가 그러하지 않음을 탐구해 일러주는 시를 본다.

모순(矛盾)의 흙   오세영

흙이 되기 위하여 흙으로 빚어진
그릇
언제인가 접시는 깨진다.

생애의 영광을 잔치하는
순간에
바싹
깨지는 그릇,
인간은 한 번 죽는다.

물로 반죽되고 불에 그슬려서
비로소 살아 있는 흙,
누구나 인간은
한번쯤 물에 젖고 불에 탄다.

하나의 접시가 되리라.
깨어져서 완성되는
저 절대의 파멸이 있다면,

흙이 되기 위하여
흙으로 빚어진
모순의 그릇.

  흙이 되기 위해서라면 흙인 그대로 있으면 되는데도 굳이 공들여
'빚어졌'으니 그것부터가 모순이다. 더구나 언제인가는 깨지고 마니
그 또한 빚어낸 의도와 모순된다. 한 생애가 성숙하여 가장 빛나는 시
절에 깨지는 그릇인 인간―이 또한 모순이다. '깨어져서 완성되는'
삶은 도자기인 그릇이건 생명체인 인간이건 참으로 모순'스럽다'.
  '흙이 되기 위하여 흙으로 빚어지는' 도자기의 모순에서 '깨어져서
완성되는 저 절대의 파멸이 있는' 인간의 모순을 읽었으리라. 아니 그
반대여도 상관은 없다. 도대체 이런 모순된 이치를 왜 굳이 파헤쳐 들
려주는가? 한마디로 말해 그것이 시의 임무이자 사명인 진리 탐구이
기 때문이다. 삶의 본질이 자연과학의 세계와 같은 합리성보다는 여
름이 곧 겨울일 수도 있는 모순성 위에서 전개됨을 밝히 깨우쳐 주고
자 시를 쓰기 때문이다.
  이 시와는 또 다른 시선으로 세상을 바라본 시를 가지고 모순의 탐

구를 생각해 본다. 다음 시는 1956년 일간신문의 신춘문예에 당선한 시이다. 그러니 시인이 이 시를 썼던 것은 아무리 늦추어 잡더라도 1955년쯤이었을 것이다. 6·25는 1950년에 터져서 3년 동안의 긴 전쟁으로 무수한 사망자와 부상자가 생겼고 나라의 온 국토가 초토화(焦土化)해 버린 2년 뒤가 1955년이다. 그 시기에 휴전선이 우리에게 일으켰을 상념이 어떤 것이었을까를 생각해 본다. 6·25는 달력에 적힌 날짜가 아니다. 온 나라의 산천이 폭발의 굉음으로 뒤덮였던 전쟁의 세월이었다. 그런 정황도 아울러 생각하며 읽으면 이 시를 써서 휴전이라는 명제의 모순을 탐구한 시인의 처절한 목소리가 들리기도 할 것이다.

휴전선(休戰線)　　　　　박봉우

산과 산이 마주 향하고 믿음이 없는 얼굴과 얼굴이 마주 향한 항시 어두움 속에서 꼭 한 번은 천둥 같은 화산이 일어날 것을 알면서 요런 자세로 꽃이 되어야 쓰는가.

저어 서로 응시하는 쌀쌀한 풍경. 아름다운 풍토는 이미 고구려 같은 정신도 신라 같은 이야기도 없는가. 별들이 차지한 하늘은 끝끝내 하나인데…… 우리 무엇에 불안한 얼굴의 의미는 여기에 있었던가,

모든 유혈은 꿈같이 가고 지금도 나무 하나 안심하고 서 있지 못할 광장. 아직도 정맥은 끊어진 채 휴식인가, 야위어 가는 이야기뿐인가.

언제 한 번은 불고야 말 독사의 혀 같은 징그러운 바람이여. 너도 이미 아는 모진 겨우살이를 또 한 번 겪어야 하는가. 아무런 죄도 없이 피어난 꽃은 시방의 자리에서 얼마를 더 살아야 하는가. 아름다운 길은 이뿐인가.

산과 산이 마주 향하고 믿음이 없는 얼굴과 얼굴이 마주 향한 항시 어두움 속에서 꼭 한 번은 천둥 같은 화산이 일어날 것을 알면서 요런 자세로 꽃이 되어야 쓰는가.

이 시가 이처럼 일찍 알려주었던 휴전의 모순성을 우리가 직접 겪으며 살아 온 지 어언 60년쯤이 지났다. 그 60년 동안 전투는 멈췄으되 전쟁은 계속이었다. 그러니 우리는 그동안에 그런 모순을 겪음으로써 그리고 절실하게 익히 알게 되었다. 휴전은 싸움을 쉬는 일이지만 '꼭 한 번은 천둥 같은 화산이 일어날' 일이며, 그러기에 휴전은 곧 전쟁의 다른 이름일 따름이다.

시는 그 모순을 압축하여 제시한다. 휴전선이란 싸움을 쉬는 곳이 아니라 전쟁과 마주 보며 서는 모순의 자리이다. 지난 60년 동안 거기서 무슨 일이 일어났던가를 알고 있는 우리는 이 예언과도 같은 모순의 주문(呪文)을 이미 생활로 겪어 충분히 안다. 그리고 그 일은 '아직도······'이다.

이렇듯 사방을 둘러보면 우리 사는 일 모두가 모순투성이다. 인간을 아주 잘 아는 현인(賢人)들은 '유한한 존재이면서 무한을 꿈꾸는 모순된 존재'가 인간이라고 일찌감치 일러 깨우치기도 했다. 그런가 하면 한 시인은 아내를 사별한 뒤 삼 년 동안의 삶을 이런 모순이라고 노래했다. "아무것도 없으므로 뭔가가 있다/ 뭔가가 있으므로 아무것도 없다"(<아무것도 없으므로>, 김윤성)고. 말은 모순의 표현이지만 아내를 사별해 본 사람이라면 이 모순의 상념으로 하루하루를 버텨 내는 삶을 아마 이해할 수 있을 것이다. 우리 삶은 그래서 모순투성이고 시인은 이처럼 모순의 탐구에 정진하는 선지자이거나 예언자라고 말하고 싶다.

(2) 모순성 탐구와 언어문화 - 반어의 진실성

'반어법(反語法)'은 일상생활에서도 널리 쓰이지만 주로 교실에서 익히는 것이 보통인 용어다. 사전(국립국어원, 『표준국어대사전』)에서는 이렇게 설명한다.

> **반어-법(反語法)** 「명사」
> 「1」『논리』상대편이 틀린 점을 깨우치도록 반대의 결론에 도달하는 질문을 하여 진리로 이끄는 일종의 변증법.
> 「2」『언어』참뜻과는 반대되는 말을 하여 문장의 의미를 강화하는 수사법. 풍자나 위트, 역설 따위가 섞여 나타나는 경우가 많다. 인색하다는 뜻으로 쓴 '참 푸지게도 준다!' 따위이다.

우리가 살피고자 하는 반어법이 「2」에 해당하는 용법임은 누구나 안다. 그리고 일상생활에서도 이처럼 흔히 쓰이는 용어이자 수사법임에도 이를 알기 쉽게 설명하려면 그 순간부터 도리어 어려워지는 경향이 있는 것도 흥미롭다. 아주 쉬운 것을 오히려 어렵게 설명하는 것이 학교라는 것은 우스개삼아 하는 말일 것이다. 그러나 반어법에 관한 설명에서 흔히 서양에서 마련한 문학용어인 '아이러니(irony)'를 만나게 된다.

우리말로는 '반어법'이라고 하는데 생활에서 널리 활용되는 수사법이다. 어린이가 집에서 "너는 왜 그렇게 예쁜 짓만 골라 하지?" 하는 말을 들었다면 엄마가 어쩌면 회초리를 들 수도 있음에 대비해야 한다. 그 정도는 되어야 한국어를 제대로 아는 사람이다. 그리고 아주 흔하게 듣게 되는 "자알 논다!"도 다음 전개될 상황이 매우 걱정스러움을 예고한다는 점도 알아야 한다.

이처럼 반어법은 일상의 어법이다. 그렇다면 이런 표현이 가능하고 나아가 이런 말로 의사의 소통이 가능한 까닭은 무엇일까? 그 근원을 우리는 앞에서 이미 보았다. 앞의 시들이 탐구한 바와 같이 우리의 삶 자체가 모순적이기 때문이다. 그리고 삼라만상이 역시 그러하다. 세상이 그리고 삶 자체가 모순이라는 말은 우리의 합리적 생각과 다르게 느껴진다. 그러나 실상을 살펴 삶과 현실의 모순을 깨달으라고 반어는 일깨운다. 이처럼 모순에 근거한 삶을 생활 속에 확연하게 드러내고 깨닫게 해 주는 것이 반어의 언어문화임을 지적해 둔다.

3

언어 탐구

시며 노래가 말은 말이되 늘 하는 예사로운 말과 똑같은 말일 수는 없다. 짧으면서 간절하게 마음을 울릴 수 있는 말이라야 노래답다. 그러기에 노래는 짧게 그리고 마음을 흔들도록 그러면서 인상 깊은 표현으로 말하고자 한다. 그 하나 하나가 쉬운 일이 아니다. 그래서 시인과 노래하는 사람은 그런 말을 찾아 표현하고자 애쓴다. 그 탐구의 방향은 다양하지만 여기서는 간결성, 율동성, 변화성의 세 방면으로 나누어 살핀다.

가. 간결성 탐구

(1) 간결성 탐구의 시 읽기

간단하고 깔끔하며 짜임새가 있는 것을 '간결(簡潔)하다'고 한다. 보통 때 하는 말에 비해 시는 대체로 짧게 말하는 것만 보더라도 시가 간결성을 아주 중요하게 여김을 알 수 있다. 그런데 말이나 글이 간결하려면 어떻게 해야 하는가? 그 핵심적 방법이 '압축(壓縮)'이다. '압축'이란 말은 '물질 따위에 압력을 가하여 그 부피를 줄임'을 뜻하는 말이다. 그런데 이것이 언어활동에 적용이 되면 '문장 따위를 줄여 짧게 함'을 가리키는 말이 된다. 시가 간결하기 위해 압축을 표현의 기본으로 삼는 것은 그동안의 시에 대한 경험만으로도 익히 안다. 한 예로 다음 시의 간결함에 대하여 함께 생각해 본다.

불국사   박목월

흰 달빛
자하문(紫霞門)

달안개
물소리

대웅전(大雄殿)
큰보살

바람소리
솔소리

범영루(泛影樓)
뜬 그림자

흐는히
젖는데

흰 달빛
자하문

바람소리
물소리

시가 짧게 표현하는 문학 양식임을 익히 아는 사람이 보더라도 이 시는 짧아도 너무 짧다는 느낌을 갖게 만든다. 그런 느낌은 글자의 수 효보다도 으레 있을 법해 보이는 말들조차 과감하게 줄여버린 데서 온다. 그런데도 이렇듯이 짧으니까 길게 말하는 것보다 오히려 더 분명하게 그 모습이 떠오른다는 느낌마저 갖게 된다. 간결한 표현의 효과가 이러하다.

어떻게 압축했는지 살핀다. 이 시에는 문장을 만들 때 반드시 필요하다고 하는 서술어가 딱 한 번만 나온다. 여섯째 연의 '젖는데'뿐이다. 무슨 대상을 구체적으로 그려내자면 필요하게 마련인 수식어라 할 것도 딱 한 번만 나온다. '젖는데'를 꾸미는 같은 연의 '흐는히' 하나다. 시인의 생각을 짐작하게 하는 표현이라고는 범영루(泛影樓)의 그림자가 그 풍경 속에 '흐는히 젖는다'는 느낌 정도가 고작이다. 압축의 극치이고 따라서 간결의 최고 수준이라 할 표현이 된 셈이다. 그렇다면 그렇게 함으로써 얻어낸 결과는 무엇일까?

읽는 사람의 자유롭고도 풍성한 생각과 느낌을 이 시는 불러 일으킨다. 아니 그러기 위해 시인은 자신의 생각을 줄여 사물만 보여 준다. 마치 화폭의 상당 부분이 백지로 남아 있는 산수화 한 폭을 대하는 느낌이다. 그러기에 이 시는 간결미를 통해 상념의 자유화와 풍요화를 구현하였다고 정리하면 될 듯하다.

이번에는 같은 말을 되풀이하되 그 말의 뜻하는 바가 엄청나게 달라짐으로써 그 사이에 줄인 말 또한 엄청남을 마음으로 느끼게 만드는 이색적인 간결 표현을 읽어 본다.

감꽃   김준태

어릴 적엔 떨어지는 감꽃을 셌지
전쟁통엔 죽은 병사들의 머리를 세고
지금은 엄지에 침 발라 돈을 세지
그런데 먼 훗날엔 무엇을 셀까 몰라.

"듣기 좋은 육자배기도 한 번 두 번."이라는 속담이 있어 같은 말을
되풀이하면 누구라도 싫어지게 마련이라는 뜻으로 쓴다. 그만큼 같은
말의 되풀이를 경계한다. 그런데 이 시는 '세다'라는 말을 네 번이나
되풀이했지만 말이 많다거나 지루하다는 느낌이 전혀 없다. 되풀이한
단어 '세다'의 대상이 각기 판이하게 다르면서 그 다름을 통해 돌아보
게 만드는 인생의 모습이며 함축된 뜻이 무척 강렬해 그러하다. 이처
럼 간결은 진한 함축의 또 다른 이름이 되기도 한다.

(2) 간결성 탐구와 언어문화－구호의 효용

일상생활에서 짧은 말로 적확하고 풍부한 뜻을 지녀 효과를 지니는
표현을 가리켜 '촌철살인(寸鐵殺人)'이라는 말도 쓴다. 이렇듯이 일상의
언어생활에서도 간결한 언어표현은 예나 이제나 중요하였다. 그런 예
가 되는 각종 생활표어, 시위대의 구호, 선거 구호 등은 짧고 함축적
인 말로 큰 효과를 발휘하기도 한다. 선거 역사에서는 흔히 다음 선거
구호가 아주 강한 인상을 남긴 예로 거론된다. 무려 60년 전인 1956
년의 제3대 대통령 선거 때 길거리에 나붙었던 선거 구호이다.

　왼쪽의 "못살겠다 갈아보자!!"는 오늘날까지도 기억하는 사람들이 있을 정도로 강렬한 인상을 남겼던 선거구호였다. 오른쪽의 붓글씨 구호는 왼쪽의 야당 구호에 대꾸하는 형식인데 '애국청년'이라 했지만 아마 여당인 자유당 쪽의 대응일 것으로 짐작되었던 구호이다. 그런데 고작 여덟 글자에 지나지 않는 이 간략한 구호가 사람들의 마음에 새겨 놓은 자취는 참으로 컸다고 할 수 있다. 우리나라 선거구호의 선례를 마련한 것이라는 점에서 사회사적인 의미 또한 지니고 있다.

　이 구호가 현실적으로 어느 정도의 효과를 거두었는지는 따로 측정된 바 없는 것으로 보인다. 그렇기는 해도 사람들의 마음속에 낙인처럼 새겨 놓은 감화의 효과는 굳이 설명이 필요하지 않을 정도였다. 고작 여덟 자의 말로 이렇듯이 엄청난 의미를 전달함과 동시에 사람들의 정서적 감응에 엄청난 효과를 거둔 것은 언어문화의 역사에 기록할 수 있을 정도라 할 것이다. 말은 줄일수록 더 깊은 인상을 남긴다는 점을 깨닫게 한 점도 언어문화적 뜻이 깊다.

그 뒤로도 선거 때마다 구호의 제작이 득표에 상당한 영향을 미쳤다는 회상을 많이 보게 된 것도 그런 이유에서일 것이다. 이런 식이다. 1960년의 제4대 대통령 선거 때는 야당인 민주당이 "죽나 사나 결판내자!"라고 한 데 대해 "트집 마라 건설이다!"라고 여당인 자유당은 구호로 대꾸하였다.

선거의 예에 못지않게 실제로 일상생활의 곳곳에서 우리는 간결하게 압축한 표현이 사람들에게 끼치는 감화적 효과에 상당한 영향을 받으면서 살아간다. 사람이 많이 모이는 시장마당에서 물건을 산더미처럼 쌓아놓고 간결한 구호를 빠르게 반복하여 매상의 효과를 거두는 행상인도 있다. 초현대식의 백화점 지하 수퍼에서 지금도 확성기로 짧은 구호를 외치기도 한다. 매출에 효과가 없다면 굳이 그런 일을 하지 않을 것이다. 시위를 하는 군중들도 구호를 외친다. 그 구호는 대개 압축된 언어표현으로 되어 있다. 간결한 언어가 도리어 높은 감화효과를 발휘할 수 있다는 사실은 생활 속에서 수없이 만나는 각종의 구호를 통해 확인할 수 있다.

음성언어로만 간결한 언어활동이 나타나는 것도 아니다. 글로 전달할 때도 압축된 표현의 간결미는 감화효과가 크다는 점을 생활 속에서 얼마든지 확인하게 된다. 예전에도 산에 가면 '산림녹화'의 짤막한 팻말이 짤막하면서도 많은 말을 하며 서 있었고, 길거리에서는 '도시는 선이다'라는 플래카드가 시민들에게 말 없는 지침을 내린 시절도 있었다. '자나 깨나 불조심 꺼진 불도 다시 보자'는 이 방면의 고전에 해당하고 지금도 관공서의 청사에는 으레 그들만이 내세우는 짤막한 구호를 내걸어 시민에게 기억하게 함으로써 감화의 효과를 거두려고 애쓰기도 한다.

이 모두가 간결미를 통한 전달 및 감화 효과를 강화하는 사례들이 이렇듯 짧게 압축한 간결한 언어로 전달과 감화효과를 극대화하는 것은 본질적으로 경제적 본능의 실천이다. 많은 생각을 하며 나날을 살아가되 표현은 간결미에 기대어 함으로써 효과를 거두는 것―그것이 바로 인간의 언어인 것이다.

이런 사회적 구호는 내용에 따라서는 흔히 심리학의 프레임(Frame)이론이 말하는 '마음의 창'(최인철, 2017:23-66)으로 작용하기도 한다. 프레임은 설득 또는 감화는 물론이고 태도 결정의 촉매제로서 큰 효과를 발휘한다. 기업이나 상품 광고는 물론이고 단체나 정당 등도 대체로 구호의 프레임 효과를 겨냥하여 간결한 말로 결정적 인상을 남기려한다. 그러기에 세상에는 이런저런 구호가 넘쳐나게 마련이다.

나. 율동성 탐구

(1) 율동성 탐구의 시 읽기

'율동(律動)'이란 '일정한 규칙을 따라 주기적으로 움직임'을 뜻하는데 예술양식 가운데서는 아마도 무용이 율동의 느낌을 가장 확실하게 느끼도록 해 주는 양식일 것이다. 그런데 말에서도 율동적인 느낌을 느끼게 되는 것은 일차적으로 말이 음성으로 실현되기에 그러하다. 음성은 높고 낮음이며 길고 짧음 등의 요소로 주기적 움직임을 보이는 소리의 덩이를 이루기 때문이다.

이 소리의 덩이를 흔히 '마디'[16]라고 하고 우리말은 두 개의 마디

---

16 음악에서 말하는 '마디'와는 비슷하지만 꼭 같지는 않다. 이를 가리켜 중·고등학교에서는 흔히 '음보(音步)'라고 하는데 이는 영시의 'foot'를 우리말로 옮긴 것이다. 그런데 영어와 우리말의 리듬 실현 요소가 현저하게 다르므로 우리말에는 '음보'가 적절한 용어라기 어렵다. 그러기에 '마디'라는 말로 율격 실현의 단위를 가리키는 말로 써 왔다. 여

가 대응하며 짝을 이룸으로써 율동감을 실현하는 특징이 있다(김대행, 1989:10-25). 앞에서 읽었던 <불국사>(박목월)를 보면 '흰 달빛/ 자하문//' 처럼 두 마디가 짝을 이루기에 율동감을 느끼게 된다. 이어지는 구절도 같다. '달안개/ 물소리// 대웅전/ 큰보살// 바람소리/ 솔소리//'처럼 말마디끼리 둘씩 짝을 이루면 소리내기가 편안하고 안정감이 있다. 이래서 율동감이 형성된다.

현실적인 언어생활의 경험을 통해서도 이 점은 쉽게 확인된다. 예전에는 우리나라 대부분의 골목길에서 어린이들이 이렇게 소리치며 놀이를 했던 기억을 갖고 있다.

앞에 가는/ 도둑놈// 뒤에 가는/ 순겨[엉] 혹은 [수운]경//
영이야/ 노[올]자// 그[의]래/ 나간다//

이런 외침을 소리낼 때 대체로 '순겨[엉]' 혹은 '[수운경]'으로 발음한 기억이 떠오르기도 할 것이다. 그런데 왜 그 부분에서 굳이 그처럼 음절수를 늘여 발음했을까? 그 다음의 '노[올]자'의 음절 추가, 그리고 '그[의]래'의 음절 추가 또한 왜 그렇듯이 음절 수효를 억지로 늘여 가며 소리를 냈을까?

아무도 그렇게 하라고 가르쳐주지 않았음에도 누구나 어느 동네서나 그러했던 것을 기억해 내며 신기하게 느껴지기도 할 것이다. 그 까닭은 단순하다. 간단히 말한다면 발음의 길이를 주위 환경에 맞추어 늘이거나 줄인 결과다. 앞뒤에 있는 말들이 3음절이니 거기 어울리게 2음절인 말을 3음절로 늘여 발음한다. 또 4음절이면 역시 거기에 어

기서는 '마디'라는 용어를 쓰고자 한다.

울리게 늘여 소리를 낸다. 왜? 대응하는 두 마디로 소리의 짝을 맞춤으로써 균형을 이루기 위해 음절을 끼워 넣은 것이다. 그리하여 소리로 대등한 마디를 만들었으니 이를 '두 마디 대응'이라고 한다. 이제 김소월 시 <엄마야 누나야>와 <진달래꽃> 두 편에서 한 구절씩을 골라 '두 마디 대응'의 모습을 살핀다.

엄마야/ 누나야// 강변/ 살자//
나보기가/ 역겨워// 가실/ 때에는// 혹은 [가실 때에/ 는 ≀]//

이 예에서 보듯 말마디의 환경은 원래 말의 음절 수효조차 적절하게 재분할해서 율동감을 조성하도록 소리를 내는 환경을 만들기도 한다. 예컨대 '엄마야∨누나야∨강변 살자'는 눈으로 보기에는 세 덩이의 말마디로 보인다. 그러나 막상 소리내는 것을 보면 '셋째 덩이인 '강변 살자'를 한 덩이로 소리내는 사람이 별로 없다. '엄마야/ 누나야// 강[벼언]/ [사알]자//'처럼 소리를 늘이는 등의 조절을 함으로써 비슷한 길이의 마디가 둘씩 짝을 이루도록 변형하여 소리를 내는 것이 보통이다.[17]

<진달래꽃>의 '가실 때에는' 또한 마찬가지이다. 눈으로 볼 때는 '나보기가/ 역겨워/ 가실 때에는//'의 세 덩이로 보이지만 '가실 때에는'을 위의 예시에서 보듯 어떤 방식으로든 네 덩이로 나누어 읽는 것이 한국어를 제1언어로 생활하는 사람의 읽기이다. 이는 실제 낭독에서 얼마든지 확인 가능하다. 까닭은 두말할 나위 없이 두 마디 대응이 가져오는 소리내기의 안정감 때문으로 설명하면 쉽다.

---

17 그러기에 교실에서 이 시행을 가리켜 3음보라고 가르치는 것은 율독의 사실과 부합하지 않는 잘못된 교수-학습 내용이라고 오래 전부터 지적해 왔다.

실제로 '/'라는 기호로 나눠 보인 데서 소리덩이를 갈라 앞의 보기처럼 소리를 내는 것이 일반적이다. 그러나 이런 소리덩이는 환경에 따라 달라질 수 있어 뒤의 보기처럼 소리를 보다 잘게 더 나누어 발음하는 것도 아주 자연스러운 일이 된다. 이를 좀더 잘게 나누어 '죽나 사나/ 결판내자// ⇨ 죽나/ 사나// 결판/ 내자//'처럼 소리낼 수도 있고, '트집 마라/ 건설이다// ⇨ 트집/ 마라// 건설/ 이다//'와 같이 잘라 읽을 수도 있다. 이러한 설명이 소리를 내어 읽는 시낭독의 실상에 부합하는지 살피기 위해 시 한 편을 낭송해 본다.

낙화(落花) 조지훈

꽃이 지기로서니
바람을 탓하랴

주렴 밖에 성긴 별이
하나둘 스러지고

귀촉도 울음 뒤에
머언 산이 다가서다

촛불을 꺼야 하리
꽃이 지는데

꽃 지는 그림자
뜰에 어리어

하이얀 미닫이가

우런 붉어라.

묻혀서 사는 이의
고운 마음을

아는 이 있을까
저어하노니

꽃이 지는 아침은
울고 싶어라.

이 시를 읽어 그 소리덩이를 정리해 보이면 아마 이렇게 될 것이다.

꽃이/ 지기로서니// 바람을/ 탓하랴//
주렴 밖에/ 성긴 별이// 하나둘/ 스러지고//
귀촉도/ 울음 뒤에// 머언 산이/ 다가서다//
촛불을/ 꺼야 하리// 꽃이/ 지는데//
꽃 지는/ 그림자// 뜰에/ 어리어//
하이얀/ 미닫이가// 우런/ 붉어라//
묻혀서/ 사는 이의// 고운/ 마음을//
아는 이/ 있을까// 저어/ 하노니 (저어하/ 노니)//
꽃이 지는/ 아침은// 울고/ 싶어라//

물론 부분적으로 다르게 소리내어 읽을 방도가 전혀 없는 것은 아
니다. 그렇기는 해도 한국어를 제1언어로 생활하는 사람이라면 대체
로 이와 비슷하게 끊어서 소리를 냄이 두루 확인된다. 그리고 이러한
율독(律讀)에서 확인되는 규칙을 정리하면 '두 마디 대응 연첩'이라는

용어가 적절함을 확연하게 이해하게 된다.

이렇듯이 소리를 내는 데서만 '일정한 주기적 움직임'이라는 율동감의 요소가 실현되는 것은 아니다. 더구나 오늘날은 시건 소설이건 소리내어 글을 읽는 일이 드문 것이 현실이기도 하다. 따라서 소리 대신 눈이나 머리로만 읽게 됨으로써 더욱 주목하게 되는 요소가 의미의 율격이다. 소리로 율동감을 맛보듯 말의 의미로 율동적인 느낌을 구현하는 것이다. 정형시의 규칙성과는 지향하는 바가 다른 자유시에서는 의미의 리듬[18]이 중요한 역할을 한다. 다음 시에서 짝을 이루면서 되풀이되는 말에 주목하며 시행을 따라가 본다.

풀   김수영

풀이 눕는다
비를 몰아오는 동풍에 나부껴
풀은 눕고
드디어 울었다
날이 흐려서 더 울다가
다시 누웠다

풀이 눕는다
바람보다도 더 빨리 눕는다
바람보다도 더 빨리 울고

---

18 '리듬(rhythm)'은 율동(律動)으로 번역하고 주로 음악에서 '음의 장단이나 강약 따위가 반복될 때 그 규칙적인 흐름'을 뜻하는 말로 쓴다. 시에서 리듬이 규칙화한 것을 가리켜서 말할 때는 '율격(律格 metre, meter)'이라 하여 구분하는 것이 보통이다. '리듬'이 일반적인 대상에 두루 쓰는 용어라면 '율격'은 시에서 규칙화한 리듬을 뜻하는 용어로 그 범위가 좁혀진다.

바람보다 먼저 일어난다

날이 흐리고 풀이 눕는다
발목까지
발밑까지 눕는다
바람보다 늦게 누워도
바람보다 먼저 일어나고
바람보다 늦게 울어도
바람보다 먼저 웃는다
날이 흐리고 풀뿌리가 눕는다

말소리의 규칙성 대신 풀의 동작을 율동적으로 들려주는 점에 주목
해 본다. 서로 대응하면서 되풀이하는 풀의 동작에 주목하면 그 리듬
이 드러나 보인다. 연에 따라 구분해서 정리해 보자.

1연 – 눕는다 – 울었다 – 누웠다
2연 – 눕는다 – 울고 – 일어난다
3연 – 눕는다 – 일어나고 – 울어도 – 웃는다 – 눕는다

이렇게 간추려 늘어놓고 들여다보면 이 시가 노래하고자 하는 바가
조금은 선명하게 머리에 그려지기도 한다. 압축하자면 풀은 눕고 – 울
고 – 일어나는 존재라는 점이 핵심이다. 물론 그 과정이 상황에 따라
얼마든지 다양할 수도 있다. 그 점은 마지막 연에서 어지러운 율동감
을 통해 더 심화된다. '눕고 – 울고 – 일어남'인 풀이 '눕고 – 일어나고 –
울고 – 웃고 – 눕는'다.
풀이 이처럼 하는 동작은 모두가 '바람'이 그렇게 만들어내는 동작
이다. 여기에 이르러 생각해 보건대 풀의 삶이나 사람의 삶이나 무어

크게 다르랴! 눕고, 울고, 일어나는 나날—그것이 바로 모든 존재의 삶이라는 뜻이 아닐까. 풀만 그러한가. 우리의 삶 또한 밤과 낮이, 해와 바람이, 그리고 슬픔과 기쁨이 율동적으로 전개되는 과정 아니겠는가!

고전시대 시의 율동미는 주로 음성적 요소를 규칙적으로 되풀이함으로써 구현되었음을 우리는 안다. 그런데 언어의 특성을 바탕으로 그런 요소를 다채롭게 체계화할 수 있었던 서양에서조차도 오늘날에는 사정이 변했다. 시가 낭독과 멀어진 지는 이미 오래기에 근대 자유시 이후에는 시의 율동감을 의미의 율격에서 구하는 경향이 강하게 나타났다. 비록 엄격하게 규칙적이지는 않더라도 소리에서 맛볼 율동감을 그 대신 의미에서 누리게 된 시대인 셈이다.

(2) 율동성 탐구와 언어문화 – 리듬의 효용

우리 시의 율격 자질인 '두 마디 대응'은 단순히 언어형식의 한 유형이라는 정도의 의의를 넘어선다는 점에 주목할 필요가 있다. 두 마디 대응의 율동성은 우리 인체의 생리적 현상에도 긴밀한 영향을 준다. 이렇듯이 말의 리듬이 단순한 언어형식을 넘어서서 삶의 형식으로서 역할을 한다는 점이 중요하다.

그 과정을 따라 살핀다. 먼저 두 마디씩 짝을 이루는 음성 및 의미의 대응은 외형적 규칙이기를 넘어서서 우리의 청각 또는 시각의 자극으로 작용하게 된다. 또한 의미로 이루는 대응은 심리적 자극이 되기도 한다. 이 자극의 핵심은 '짝'인데 우리 몸에 짝으로 작동하는 생리적 활동과 상호작용을 함으로써 부지불식간(不知不識間)에 몸에 생리적 반응이 형성된다.

그 원인을 살핀다. 평소에는 잘 의식하지 못하지만 우리 몸에 작동하는 호흡과 맥박은 각기 짝을 이루며 운동을 지속한다. '들숨/날숨'의 짝인 호흡과 '수축/이완'의 짝인 심장 박동이 그것이다. 여기에 언어의 음성이나 의미의 짝이 자극으로 작용함으로써 우리 몸은 부지불식간에 그 자극에 대해 반응하게 된다. 의식하지 못하는 사이에 생기는 호흡이며 맥박의 신체적 변화가 바로 그 반응 현상이다. 이러한 관계 맺기의 성격에 따라 생리와 심리가 상호작용을 하게도 된다. 자극과 반응이 생리적 흐름과 조화를 이루면 안정되고 평화를 느끼게 된다. 그러나 언어의 율동이 급박하면 생리와 심리의 상태가 흥분된다. 반대로 언어의 율동이 이완되면 마음과 몸도 느슨하게 침잠될 것임은 물론이다.

길거리의 행상이 외치는 소리가 상품의 판매 촉진 효과를 내는 것도 이와 관계가 깊다. 높고 율동적인 고함소리를 듣는 행인이 자기도 모르게 구매 충동을 느끼는 것도 일종의 생리적이거나 심리적인 반응이다. 이와 반대로 자장가가 어린이를 잠들게 만드는 것 또한 결코 우연이거나 무작위적인 일이 아님을 확인하게 해 준다.

그러기에 일상생활에서 율동적인 언어의 구사를 통해 언어의 전달 및 감화 효과를 노리는 일은 매우 흔하다. 우선 가장 흔히 보는 예가 시위대의 율동적 구호일 것이다. 문자로 된 피켓이거나 음성인 외침이거나 대부분 율동적으로 표현함은 익히 보는 일이다. 그러기에 시위대의 이런 언어활동 또한 율동적인 면에서라면 시인 못지않다는 느낌까지 갖게 된다.

우리말의 율동적 효과가 두 마디 대응에 기반을 둔다는 점을 대중 연설에 대입해 효과를 거둔 정치인도 생각난다. 그런 구조로 된 대중 연설이 듣는이에게 강한 심리적 자극을 주게 된다. 그리하여 전하고자 하는 의미를 효과적으로 강화하게 된다. 그런 실제의 예를 정치 연설에 탁월한 솜씨를 보였던 김대중 전대통령의 시국연설(1969년 효창운동장) 한 대목에서 살핀다.

내가 정권을 잡으면 1년 이내 서울 5백50만 시민들이 안심하고 발 뻗고 잘 수 있는 국방태세를 완수할 것입니다.
첫째로 완전히 국민의 지지를 받는 정부가 서기 때문에/ 공산당이 발붙일 데가 없습니다.//
모든 정보기관이 공산당 잡는 데 집중하니까/ 간첩이 얼씬도 못합니다.//
국군을 정치적으로 완전히 중립시키니까/ 오직 대공 전투에만 집중하게 됩니다.//
국제적으로 한국에서 민주주의가 살아나서 신임과 존경을 받게 되니까/ 우리 우방 국가들이 더욱 도와주고 여기에 미군의 철수가 준비됩니다.//

한 문장을 두 덩이로 나눠 서로 대응하도록 말함으로써 높은 전달 효과와 감응 효과를 거두고 있음을 볼 수 있다. 말하자면 율동적 의미의 구현이라고 할 만하다.

물론 오늘날의 생활환경은 이러한 율동미를 구현하는 음성 표현이 점차 드물어지게 만든다고 할 수 있다. 그럼에도 불구하고 음성만이 아니라 의미의 율동으로 구현되는 심리적 효과는 오히려 더 커질 것으로 예상된다. 귀로 듣는 것 못지않게 머릿속을 울리는 효과 또한 강력할 수 있기 때문이다. 따라서 앞으로도 상업광고며 정치구호 등 태도 형성을 겨냥하는 율동적 언어의 효용은 더욱 강조될 수밖에 없을 것이다.

다. 변형성 탐구

(1) 변형성 탐구의 시 읽기

'변형(變形)'이란 모양이나 형태가 달라지게 표현함을 뜻한다. 다음 시의 마지막 행에서 무엇이 어떻게 변형되었는가를 먼저 살핀다.

두메산곬(4)   이용악

소금토리[19] 기웃거리며 돌아오는가
열두 고개 타박타박 당나귀는 돌아오는가
방울소리 방울소리 말방울소리 방울소리

장에 가서 산 소금가마니를 등에 얹고 굽이굽이 고개를 넘어 걸어오는 당나귀의 모습이 아련하게 그려진다. 당나귀 목에 매달려 딸랑거리는 방울소리도 귀에 들리는 듯하다. 그런 모습을 그려내면서 시는 '방울소리'라는 말을 네 번 되풀이한다. 그런데 세 번째에 가서는 '말-'이라는 말을 '방울' 앞에 얹어 표현함으로써 다른 '방울소리'들과는 다르게 변형하여 색다른 느낌을 갖도록 하였다. 아마 의도적인 변형일 것이다.

그런데 면밀하게 따진다면 잘못 표현한 것이라 해야 맞다. 그도 그럴 것이 지금 돌아오는 것은 말이 아니라 당나귀인데 '말방울소리'라니! 그런데 시인이 그걸 깜박해서 이렇게 잘못 말했을까? 그 정도로 건망증이 심한 게 아니라 이 자리에서는 '당나귀-'라 하기보다 '말-'

---

19 '토리'는 이 시인의 고향인 함경도 방언으로 가마니보다 조금 작은 크기로 곡식 등을 담기 위해 짚으로 엮어 짠 가마니처럼 쓰는 도구이다.

이 효과적이기에 그랬을 것이다. 왜 그랬을까? 민요에서 흔히 보는 다음 몇 구절의 표현을 보면 그 까닭이 짐작된다.

- 달아 달아 밝은 달아
- 형님 형님 사촌 형님
- 형님 오네 형님 오네 분고개로 형님 오네

이 예들 모두가 같은 말을 거듭 되풀이하되 세 번째에는 비슷한 크기의 다른 말로 바꿔 쓰고 있다. 말하자면 변형(變形)인데 중요한 것은 크기이다. 그러니 '당나귀방울소리'라고 하면 '말방울소리' 정도의 변화보다 말덩이가 지나치게 커서 어울리지 않는다. 그러기에 '당나귀' 목의 방울이니 응당 '당나귀방울'인데도 말덩이의 크기에 균형을 이루게 되는 '말방울'쪽을 택한 것이다. 기막힌 묘수가 아닌가!

다음 시에서도 이런 식의 변형이 의도적임을 알 수 있다.

해   박두진

해야 솟아라, 해야 솟아라, 말갛게 씻은 얼굴 고운 해야 솟아라. 산 넘어 산 넘어서 어둠을 살라 먹고, 산 넘어서 밤새도록 어둠을 살라 먹고, 이글이글 앳된 얼굴 고운 해야 솟아라.

달밤이 싫어, 달밤이 싫어, 눈물 같은 골짜기에 달밤이 싫어, 아무도 없는 뜰에 달밤이 나는 싫어……

해야, 고운 해야. 늬가 오면 늬가사 오면, 나는 나는 청산이 좋아라. 훨훨훨 깃을 치는 청산이 좋아라. 청산이 있으면 홀로라도 좋아라.

사슴을 따라, 사슴을 따라, 양지로 양지로 사슴을 따라 사슴을 만나면 사슴과 놀고,

칡범을 따라 칡범을 따라 칡범을 만나면 칡범과 놀고…….

해야, 고운 해야. 해야 솟아라. 꿈이 아니래도 너를 만나면, 꽃도 새도 짐승도 한자리 앉아, 워어이 워어이 모두 불러 한자리 앉아 앳되고 고운 날을 누려 보리라.

시라면 보통 짤막한 시행에 말을 압축해 써서 간결미를 지니는 게 일반적 경향임을 우리는 알고 있다. 그런데 이 시는 행의 길이가 사뭇 길어 시라기보다 산문이 아닌가 생각할 정도이다. 그런데 이처럼 긴 시행임에도 몇 군데서 앞의 예들과 같은 표현을 보게 된다. 그래서 이를 의도적인 변형으로 보아 *aaba*형식으로 명명하였다. 그리고 이런 변형의 표현을 여기저기에서 많이 볼 수 있음도 확인(김대행, 1980:86-88)한 바 있다.

여기서 한 걸음 더 나아가 이러한 표현이 특정한 시행의 음성이나 어휘의 수준을 넘어서서 시상의 흐름 수준에서 그런 변형으로 전개되는 모습도 보게 된다. 앞에서 이미 본 바 있는 <국화 옆에서>(서정주)가 그 대표적인 예다. 국화가 자라고 피어나는 과정인 봄 여름 가을의 계절 순서대로 노래한 것이 시 전체의 흐름이다. 그런데 셋째 연에서는 문득 '내 누님'을 내세운다. 계절따라 겪게 마련인 '고난'이 *a*라면 '누님'은 그와는 다른 *b*에 해당한다. 그래서 시의 네 연의 시적 대상을 놓고 보면 *aaba*의 변형을 이루고 있다 할 수 있다.

이렇듯이 시가 노래한 대상 또는 이미지 등 말소리의 수준을 넘어서는 요소에서 *aaba*의 변형을 구사하는 예는 이 밖에도 상당하다. 이

미 앞의 저서에서 밝혔지만, <반딧불>(주요한), <도화>(박목월), <내 마음의 어딘 듯 한 편에>(김영랑), <산유화>(김소월), <진달래꽃>(김소월) 등 많은 시에서 이러한 변형을 확인할 수 있다.

이제 *aaba*와 같은 변형이 갖는 의미를 생각해 본다. 우리는 흔히 균제(均齊)의 미적 효과를 강조한다. 일상에서도 가지런하고 정돈된 것이 마음을 평온하게 한다. 이처럼 정연한 것에서 맛보는 미적 쾌감과는 다르게 그것을 깨뜨리는 변형을 굳이 구사하는 까닭은 무엇일까? 질서를 깨뜨리는 '변형'에서 맛볼 수 있는 미적효과를 '파격'이라는 점에 주목하여 생각해 본다. 다음 글은 수필이지만 이론적 설명 못지 않게 파격의 미를 이해할 수 있게 해 준다.

> 덕수궁 박물관에 청자연적이 하나 있었다. 내가 본 그 연적은 연꽃 모양을 한 것으로, 똑같이 생긴 꽃잎들이 정연히 달려 있었는데, 다만 그중에 꽃잎 하나만이 약간 옆으로 꼬부라졌었다. 이 균형 속에 있는 눈에 거슬리지 않은 파격이 수필인가 한다.
>
> —피천득, 〈수필〉

(2) 변형성 탐구와 언어문화 – 반복의 변형

예전에 농촌지역으로 답사를 가게 되면 이런 변형표현을 예사롭게 구사하는 노인들을 얼마든지 만날 수 있었다. "요즘 어떻게 지내세요?"라는 안부성 질문에 영낙없이 타령조의 가락을 얹은 대답이 나왔다. "말도 마소/ 말도 마소// 이내 살림/ 말도 마소.//" 같은 표현들이다. "전에 계시던 김 할머니께서는요?"하고 다시 물으면 "아주 갔어/ 아주 갔어// 멀고 먼 데/ 아주 갔어.//"든지 짤막하게 줄여 "저기/저기// 앞산/저기//"와 같은 흥얼거림이 매우 손쉽게 나오기도 하였다.

이런 말하기 방식은 *aaba*형의 반복의 변형이 우리말 작시법의 매우 중요한 기본형식 가운데 하나로 인식하게까지 만든다. 실제로 노래의 구절이나 형식에 맞춘다는 의식이 곁들여지게 되면 흔히 하는 표현이 *aaba*형식으로 이루어짐을 얼마든지 확인하게 된다.

이런 형식의 표현을 다양하게 구사하여 표현한 고전시가로 <청산별곡>이 떠오른다. *aaba*로 표현한 연의 짜임을 살피기 쉽게 이어서 표기해 본다.

　　　살어리 <u>살어리랏다</u> 청산에 <u>살어리랏다</u>
　　　머루랑 다래랑 먹고 청산에 <u>살어리랏다</u> — 제1연

　　　가던 새 <u>가던 새 본다</u> 물 아래 <u>가던 새 본다</u>
　　　이끼 묻은 쟁기를 가지고 물 아래 <u>가던 새 본다</u> — 제3연

　　　살어리 <u>살어리랏다</u> 바다에 <u>살어리랏다</u>
　　　나문재 굴조개랑 먹고 바다에 <u>살어리랏다</u> — 제6연

　　　가다가 <u>가다가 들어라</u> 애정지 <u>가다가 들어라</u>
　　　사슴이 짐대에 올라서 해금을 켜거늘 들어라 — 제7연

밑줄로 표시해 보인 핵심어들이 셋째 단위에서만 변화하면서 크고 작은 다양한 범주에 걸쳐 *aaba*의 짜임으로 되어 있음이 절묘하다. *aaba*의 변형구조가 거의 무한할 정도의 다양성을 보일 수 있는 수준의 표현구조로 활용되는 고전적 예라 하겠다.

이런 표현 구조는 민요에서 아주 활발하게 관찰되는 것이어서 변형 구조의 작시법이 널리 활용된 것을 확인할 수 있다. 실제로 내용에 관

계없이 율적 구조로 작시할 때 흔히 사용되는 공식적 표현이었음을 근대로 넘어오던 시기에 작시된 노래들에서 흔히 보기도 한다. 그 한 예로 흔히 개화기라고 일컫는 19세기말 즈음에 신문(『독립신문』, 1896. 5. 16)에 투고된 노래를 먼저 본다.

애국가　　　　　　　　　　　인천 제물포 전경택

　봉축하세 봉축하세 아국 태평 봉축하세
　즐겁도다 즐겁도다 독립 자주 즐겁도다
　꽃 피어라 꽃 피어라 우리 명산 꽃 피어라

　당시 신문에 실린 이 기사는 물론이고 노래와 흡사한 성격을 지닌 진술에서는 아주 흔하게 발견되는 변형양식이어서 『대한매일신보』에 연재되었던 이른바 '사회등' 가사 같은 란에서 흔히 볼 수 있는 표현이기도 했다. 이는 작시법 이전에 언어생활에서 널리 구사했던 변형 표현이었음을 말해 주는 증거도 된다. 강조해 말하고픈 말을 거듭 되풀이 하되 지루하거나 단조로운 느낌을 피하는 파격의 여유를 맛보게 하면서 율동적 효과까지 덧붙임으로써 표현하고자 하는 말뜻을 강조하는 효과까지 거두는 절묘한 변형 표현이라 하겠다.

제3장

소통의
시와 언어문화

사람은 '사회적 동물'이라 한다. 그런데 사람이 그럴 수 있도록 해 주는 것이 바로 언어이다. 다른 동물들은 언어가 없기에 자기 무리끼리만 떼를 지어 어울릴 따름이다. 그러므로 인류의 역사는 곧 소통의 역사라고도 할 수 있다.

그리고 문명사학자는 호모 사피엔스가 만물을 지배할 수 있게 된 힘의 원천이 정보 교환과 협동을 가능하게 해 준 소통(하라리, 2005:46-49)이라고 한다. 이처럼 소통하며 살아가는 인류의 삶에서 시와 노래는 소통을 수행하는 하나의 형식이기도 하였다. 지금도 그러하다.

1

사회적 존재 : 소통하는 삶

사람은 누구나 남과 더불어 살아가며 또 그래야 한다. 이처럼 남과 더불어 살아야 하는 삶에 반드시 필요한 것이 서로의 생각을 주고받는 일―소통이다. 소통은 사회적 삶을 가능하게 해 줌과 동시에 삶의 의미를 보다 고양해 주기도 한다.

가. 인간과 소통

(1) 사회적 삶과 소통

인간이 소통을 할 수 있는 능력을 가지고 있음은 커다란 축복이라고 할 수 있다. 소통 분야의 한 교과서(Adler, 2000:6-7)는 소통의 의의를 다음 몇 가지로 정리해 말한다.

첫째, 소통은 육체적 건강에 꼭 필요하다. 남과 소통을 원활하게 이루지 못하게 되면 우울증을 비롯한 각종 질병을 유발하게 되며 아주 극단적인 경우 죽음에 이르기까지 한다.
둘째, 소통은 자신의 정체성을 분명히 알기 위해 꼭 필요하다. 남과 접촉하는 과정에서 남이 내게 보이는 반응을 통해 자신을 알게 되기 때문이다. 우리는 거울을 보고 자신의 외모를 알 수는 있지만 자신이 어떤 사람인가 하는 내면까지를 알 수 있는 방법은 남과의 소통이 거의 유일하다.

셋째, 사회적 필요성도 강조된다. 생활에서 기쁨을 맛보고 남을 동정하거나 공감하고 동의하거나 하는 등의 정의적 반응이 모두 소통을 통해 이루어진다. 남에 대한 포용, 휴식, 억제 등의 모든 사회적 반응들이 모두 소통으로 가능하다.

넷째, 소통은 생활에 없어서는 안 되는 도구로서의 기능을 가진다. 병원에 가서 자신의 병세를 설명하거나 필요한 것을 구하고 생활에 요긴한 일을 성취하는 것 등이 모두 소통을 통해 이루어진다.

이렇듯이 소통은 생활에 반드시 필요하며 그 대부분이 언어를 통해 이루진다. 이런 관점에서 본다면 시 또한 소통을 위한 언어행위라 할 수 있다. 시는 일차적으로 누구에겐가 하는 말이라고 보아도 무방하다. 홀로 중얼거리는 독백(獨白)으로 된 시도 있겠지만 모든 언어는 대화라는 관점에서 보게 되면 독백 또한 대화임은 물론이다.

그러기에 얼른 보면 남에게 건네는 것처럼 느껴지는 시의 사연이 실은 스스로에게 던지는 질문이 되는 경우도 있다. 굳이 말하자면 독백이라고 할 수 있겠는데 다음 시가 그런 본보기이다.

너에게 묻는다   안도현

연탄재 함부로 차지 마라
너는
누구에게 한 번이라도 뜨거운 사람이었느냐.

이 시가 누군가 남에게 하는 말일 수도 있겠고 반대로 스스로 자신을 깨우치는 독백의 말로 읽을 수도 있다. 자문자답(自問自答)으로 읽으면 더 깊은 뜻을 지닐 것으로 느껴진다.

요즘은 사정이 좀 달라졌지만 예전에는 길거리에 버려진 연탄재를 어디서나 흔히 볼 수 있었다. 그리고 연탄재를 보게 되면 누구든 무심코 발로 차기 쉽다. 이를 두고 자성(自省)을 스스로 촉구하는 사연이라고 생각하면 더 어울리는 소통이 될 듯하다. 이처럼 시는 자기 내면에서 오가는 대화일 수도 있다.

그런데 이 시를 읽으면 그런 자문과 자답을 생각하는 일이 자기도 모르게 이루어진다. 스스로에게 묻고 답하는 일이 세상 모든 사람에게 필요하다고 외치는 말이 되어버리는 셈이다. 그런데다가 이 시는 무척이나 짧기에 읽은 사람들의 가슴을 파고들어 좀체 떠나지를 않는다. 그러기에 더욱 강력한 소통의 느낌을 여기서 맛보게 된다.

(2) 소통의 두 방향

사회적 삶을 가능하게 해 주는 핵심적 요소가 소통이기는 해도 그렇다고 모든 소통이 다 성공적으로 이루어지는 것은 아니다. 실제로는 실패하는 소통도 얼마든지 있는 것이 현실이다. 사회학 관련 교과서(기든스, 2009:123)가 소개하는 예를 본다.

A : 열네 살 짜리 아들이 있어요.
B : 아, 괜찮아요.
A : 개도 한 마리 키워요.
B : 오! 미안합니다.

A가 셋집을 찾는 사람이고 B가 집주인이라는 맥락을 알면 대화의 의미가 대체로 이해된다. 두 사람 사이에 두 차례 오간 대화의 앞과 뒤에서 B는 같은 사람에 대하여 전혀 다른 방향으로 소통을 하고 있음이 분명하다. 어린이가 딸린 사람에게는 긍정적이지만 애완동물을 키우는 사람은 거부한다. 동일한 인물들 간의 소통에서 수용과 거부라는 전혀 다른 상호작용이 이루어진 셈이다.

다른 한편으로 환경적 요인 때문에 소통에 어려움을 겪을 수도 있다. 예컨대 우리 민족사의 치명적 비극인 남북 분단이 그러하다. 남북으로 갈라진 두 세상이 소통을 가로막는 실상은 일일이 드러내 말하기조차 어려울 정도이다. 그러나 시와 노래는 이토록 엄혹한 분단의 장벽도 넘는다.

만일 통일이 온다면 이렇게 왔으면 좋겠다　　　이선관

여보야
이불 같이 덮자
춥다
만일 통일이 온다면
따뜻한 솜이불처럼
왔으면 좋겠다

'왔으면 좋겠다'고 했으니 아직 온 것은 아니고 다만 바람일 따름이겠다. 그렇지만 언젠가는 그럴 수 있으리라는 희망이 깔려 있음을 느낀다. 그러나 다음 시는 이와 다르다. 첫줄의 "꿈에 네가 왔더라"라는 시작부터가 벌써 그것을 짐작하게 만든다.

북에서 온 어머님 편지　　　　김규동

꿈에 네가 왔더라
스물세 살 때 훌쩍 떠난 네가
마흔일곱 살 나그네 되어
네가 왔더라
살아생전에 만나라도 보았으면
허구한 날 근심만 하던 네가 왔더라
너는 울기만 하더라
내 무릎에 머리를 묻고
한마디 말도 없이
어린애처럼 그저 울기만 하더라
목놓아 울기만 하더라
네가 어쩌면 그처럼 여위었느냐
멀고먼 날들을 죽지 않고 살아서
네가 날 찾아 정말 왔더라
너는 내게 말하더라
다신 어머니 곁을 떠나지 않겠노라고
눈물어린 두 눈이
그렇게 말하더라 말하더라.

　이 시인은 함경도 두만강 가의 종성(鍾城) 태생으로 1948년 서울로
내려왔다가 스물세 살 문학청년이 팔십노인으로 숨이 다할 때까지 어
머니께 다시 가지 못하였다. 그랬다는 사연까지 세세히 알지 못하더
라도 우리는 이 시에 담긴 마음을 알고도 남는다. '꿈에 어쩌고……'
하는 말은 현실에서는 절대 안 된다는 말을 달리 하는 것임도 익히 안
다. "꿈마다 너를 찾아 삼팔선을 탄한다."(<가거라 삼팔선>, 남인수 노래,
이부풍 작사)는 대중가요는 이 방면의 대표격이라 하겠다.

그래서 이 시는 이룰 수 없는 꿈의 그 기막힌 마음을 어머니의 목소리로 바꾸어 저 자신에게 이렇게 소통한다. 소통했으되 실제로 달라진 것은 아무것도 없다. 그러니 여전히 어둡고 캄캄할 따름이다. 그러나 기막힌 마음의 내면적 소통만은 되었으리라. 시와 노래의 힘이겠다.

소통이 이처럼 밝음과 어두움의 두 갈래 방향으로 전개되는 것이 우리의 삶이다. 누구라도 밝고 성공적인 소통을 기대하지만 삶의 현실은 그 일을 어렵게 하는 경우가 얼마든지 있다. 이럴 때 시와 노래는 상상으로라도 그 어두움을 밝음으로 바꾸는 훌륭한 수단이 되기도 한다.

나. 시와 소통

(1) 소통의 시쓰기

시인은 도대체 왜 시를 쓰는 것일까를 함께 생각하면서 다음 시를 읽어 본다. 시의 내용으로 보아 80년대의 한국 사회를 향해 쓴 시일 것으로 보인다. 무엇을 소통하고 싶어서 쓴 시일까에 생각을 모아 본다.

상행(上行)   김광규

가을 연기 자욱한 저녁 들판으로
상행 열차를 타고 평택을 지나갈 때
흔들리는 차창에서 너는
문득 낯선 얼굴을 발견할지도 모른다.
그것이 너의 모습이라고 생각지 말아 다오.
오징어를 씹으며 화투판을 벌이는
낯익은 얼굴들이 네 곁에 있지 않느냐.
황혼 속에 고함치는 원색의 지붕들과

잠자리처럼 파들거리는 TV 안테나들
흥미 있는 주간지를 보며
고개를 끄덕여 다오.
농약으로 질식한 풀벌레의 울음 같은
심야방송이 잠든 뒤의 전파 소리 같은
듣기 힘든 소리에 귀 기울이지 말아 다오.
확성기마다 울려 나오는 힘찬 노래와
고속도로를 달려가는 자동차 소리 얼마나 경쾌하냐
예부터 인생은 여행에 비유되었으니
맥주나 콜라를 마시며
즐거운 여행을 해 다오.
되도록 생각을 하지 말아 다오.
놀라울 때는 다만
'아!'라고 말해 다오.
보다 긴 말을 하고 싶으면 침묵해 다오.
침묵이 어색할 때는
오랫동안 가문 날씨에 관하여
아르헨티나의 축구 경기에 관하여
성장하는 GNP와 증권 시세에 관하여
이야기해 다오.
너를 위하여
나를 위하여

이 시는 '너'라는 사람을 지정하여 말하고 있다. 그런 점에서 이 시
는 일종의 대화일 수 있으므로 소통을 위한 시라고 생각하고 말 수도
있겠다. 그렇긴 해도 내용으로 보건대 소통하지 말라는 소통을 하고
있는 역설이 느껴진다. '말아 다오'를 되풀이하여 말하는 데서 그런
암시를 받는다. '생각지 말'고 '귀 기울이지 말'고 '침묵해' 다오. 그

리고 침묵이 어색하거든 날씨며 축구 혹은 증권 시세나 이야기하라니 진실이나 진심에 대해서는 결코 소통하지 말라는 소통으로 느껴진다.

이처럼 진심이며 진실을 드러내놓고 소통할 수 없는 상황도 있다. 그런 혹독한 사회 환경이 있기도 했음을 우리는 지난날 피부에 닿는 현실로 경험한 바가 있다. 그렇듯 드러내기 어려운 상황이기에 감추어 두거나 아니면 내밀하게 말해야 할 내용이 있을 수밖에 없었다. 그것을 시인은 굳이 시로 썼다. 추상 같은 권력이 눈을 부릅뜬 시대에 왜 이런 것을 시로 썼을까? 왜 이런 것을 굳이 노래하여 소통하고자 했을까?

이런 의문을 근거로 삼아 시인은 왜 시를 쓰는가에 대한 우리 나름의 생각을 정리해 본다. 이런 사연을 말하기에 조심스러웠던 시대적 상황, 그리고 그것을 어겼을 때 뒤따를지도 모르는 보복―이런 것들을 충분히 예상할 수 있는데도 굳이 시를 쓰는 마음을 이해하는 데는 두루 알고 있는 <임금님 귀는 당나귀 귀>[20]라는 설화를 떠올려 생각하는 것이 적절할 듯하다.

이렇게 보면 모든 시인은 임금님 귀가 당나귀 귀처럼 생겼음을 말하지 않고는 배기기 어려웠던 바로 그 복두장이의 후예들이다. 그 복두장이가 찾아가 외친 대숲이 그 말을 전했고 그래서 대숲을 베어내고 산수유나무를 심었더니 거기서도 또 그 소리가 들렸다고 한다. 대숲과 산수유는 바로 소통의 경로인 세상을 가리키는 다른 말일 것이다. 이래서 시인은 세상에 대고 '소통하는 자'이다. 북두장이가 했듯

---

20 『삼국유사』 권2 <제48 경문대왕>조에 실려 전하는 이야기. 신라 경문왕의 머리를 다듬던 복두장이 이야기는 널리 알려져 있다. 더구나 이 설화와 거의 같은 내용이 그리스-로마신화에도 역시 있어 세계적으로 모두 그런 생각을 했음을 짐작하게 해 준다. 그 생각의 핵심이 바로 '소통'일 것이다.

이 대숲에 대고 노래하는 자가 바로 시인이다. 아니 모든 시인은 그 복두장이의 현대적 화신일는지도 모른다.

(2) 소통의 두 빛깔

다음에 보는 두 편의 시는 어린 시절의 기억을 그것도 부모님의 기억을 회상하여 우리에게 들려준다. 부모님이란 누구에게나 다 소중하고 특히 어린 시절의 부모님은 마음의 한복판에 흔들림 없이 자리를 잡을 정도로 강력하고 대단하게 마련이다. 그런데 그 부모님이며 가족을 기억하는 빛깔도 다 같지만은 않기에 기억되는 일들의 성격에 차이가 있게 마련이다. 세상을 보는 눈도 사람마다 다르듯이 부모님을 두고 소통하는 생각 역시 길이 다를 수 있음을 보기로 한다.

성탄제(聖誕祭)　　　　　　　김종길

어두운 방 안엔
바알간 숯불이 피고,

외로이 늙으신 할머니가
애처로이 잦아 가는 어린 목숨을 지키고 계시었다.

이윽고 눈 속을
아버지가 약(藥)을 가지고 돌아오시었다.

아 아버지가 눈을 헤치고 따 오신
그 붉은 산수유 열매—

나는 한 마리 어린 짐승,

젊은 아버지의 서느런 옷자락에
열로 상기한 볼을 말없이 부비는 것이었다.

이따금 뒷문을 눈이 치고 있었다.
그날 밤이 어쩌면 성탄제의 밤이었는지도 모른다.

어느새 나도
그때의 아버지만큼 나이를 먹었다.

옛것이란 찾아볼 길 없는
성탄제 가까운 도시에는
이제 반가운 그 옛날의 것이 내리는데,

서러운 서른 살 나의 이마에
불현듯 아버지의 서느런 옷자락을 느끼는 것은,

눈 속에 따 오신 산수유 붉은 알알이
아직도 내 혈액 속에 녹아 흐르는 까닭일까.

　'서느런 옷자락'과 '산수유 붉은 알알'은 기억하는 사람의 뇌리에만
있을 수 있는 것이리라. 그러나 산수유를 기억하지 못하는 사람이 있
다면 달리 떠올릴 수 있는 것이 얼마든지 있다. 홍시 하나, 석류 한
개, 고약 한 장, 침 놓는 의원…… 등 그 내용은 사람마다 달라도 '기
억'의 이름으로 아름답게 회상할 수 있다.
　또한 그 기억은 결코 혼자의 것이 아니라 가족 모두의 것이 되기도
한다. 그렇게 해서 아버지와 아들은 핏줄을 나눈 가족인 것이고, 그
자리에 계셨던 할머니까지 사랑이라는 이름으로 기억된다. 이처럼 가

족이란 같은 기억을 가진 사람들이고 그래서 가족들 사이에는 틈이 없다. 그런데 다음 시에 나오는 어머니에 대한 기억은 좀 다르다. 다 같은 가족 이야기이기는 하지만 가슴이 더워 오는 따뜻함과는 다소의 거리가 있는 기억의 회상이다.

엄마 걱정   기형도

열무 삼십 단을 이고
시장에 간 우리 엄마
안 오시네, 해는 시든 지 오래
나는 찬밥처럼 방에 담겨
아무리 천천히 숙제를 해도
엄마 안 오시네, 배춧잎 같은 발소리 타박타박
안 들리네, 어둡고 무서워
금간 창틈으로 고요히 빗소리
빈방에 혼자 엎드려 훌쩍거리던

아주 먼 옛날
지금도 내 눈시울을 뜨겁게 하는
그 시절, 내 유년의 윗목

누구나 다 느끼겠지만 이 시의 핵심어는 끝 연에 나오는 유년의 '윗목'일 것이다. 핵심어라는 말을 쓴 까닭은 이 한마디에 이 시가 말하고자 하는 모든 것이 압축적으로 담겨 있어서다. 이를 '아랫목'이라고 바꾸려면 기억의 내용이 전혀 달라야 할 것이다. 이 시 전편을 꿰어 휘감고 있는 빛깔은 '안 오시네'와 '안 들리네'의 빛깔이다. 있음의 반대인 '부재(不在)'이고 그래서 모든 기억을 관통하는 중심된 생각은 제목이 말해 주듯 '걱정'이다. 산수유의 붉은 열매처럼 선명하고 황홀하기까지 한 빛깔로 남은 기억이 아니라 찬밥이며 금간 문틈으로 들리던 빗소리로 남아 있는 어두운 기억이다. 불안하고 을씨년스럽고 안타깝게 느껴진다. 그래서 <성탄제>의 풍경과 사뭇 다르며 앞에서 함께 읽은 <상행>(김광규)에 가깝다는 느낌이다.

두 시가 소통하고자 하는 기억의 차이는 이쯤이면 분명해진 셈이다. 이 차이를 본보기로 삼아 우리는 소통의 두 세계를 추정할 수 있다. 하나는 행복하고 넉넉하며 평화로움과 어울리는 사연이다. <성탄제>에 담긴 기억이 그러하다. 그리고 다른 하나는 고통스럽게 불행감으로 나아가는 기억이다. <엄마 걱정>의 기억이다.

전자를 양성이라고 한다면 후자는 음성이라고 할 수 있다. 누구나 밝고 평화롭고 넉넉한 기억이나 생각을 선호함은 두말할 나위조차 없을 것이다. 그러기에 소통 또한 그런 마음으로 이루어지기를 바라게 마련이다. 그렇기는 해도 우리 삶의 실상이 보여주듯 우리의 나날이 행복으로만 이어질 수 없음은 물론이다. 그러니 생각 또한 밝음만으로 가득할 수 없는 노릇이다.

이렇듯 소통의 두 세계와 빛깔이 각기 그 나름의 가치를 지님을 전제하면서 크게 두 가지로 소통의 범주를 나누어 살핀다. 하나는 같음을 바탕으로 이루어지는 소통이다. 그래서 목표며 과정의 같음을 지향하는 소통을 '공동체적 소통'이라 명명한다. 한편 그와 달리 사람들은 저마다 다른 존재이면서 함께 살아가기 위해서는 차이를 인정하는 바탕 위에서 소통이 이루어져야 한다. 이를 '감정이입적 소통'으로 나누어 살핀다.

2

공동체적 소통

'공동체(共同體)'란 동질성을 전제로 소통 단위가 형성됨을 강조하기 위한 용어다. 공동체에서는 같은 말, 같은 생각, 같은 생활 등의 공통성이 소통의 기반을 이룬다. 예컨대 누군가가 하는 말을 듣고 '그랬지, 맞아!'라고 말하게 된다면 공동체적 소통이 훌륭하게 이루어진 것이다. 이처럼 공동체적 소통은 사회 구성원들 사이에 공유하거나 공감하고 있는 사연들을 기반으로 이루어짐이 보통이다.

이러한 소통은 기본적으로 같은 느낌을 바탕으로 이루어지게 되므로 공감(共感)이라고 해도 무방할 것이다. 따라서 그 유형을 공감 요소의 시간적 위상에 따라 과거, 현재, 미래로 나누어 생각할 수 있다. 이런 구분에 따라 과거의 일을 중심으로 소통하는 기억공동체, 현재의 삶을 소통하는 생활공동체, 그리고 미래와 관계되는 세계의 소통을 운명공동체라고 명명하여 갈라 살핀다.

가. 기억공동체적 소통

(1) 기억공동체적 소통의 시 읽기

같은 기억을 지닌 사람 사이에는 소통이 쉽게 마련이다. 생활 주변에서 흔히 볼 수 있는 대표적인 예가 남자들의 군대 경험 이야기일 것이다. 동석한 여성이 있다면 그 화제에 질겁할는지도 모르지만 그에 상관없이 남자끼리의 군대이야기는 한도 끝도 없이 전개되는 것이 보통이다. 그런 일이 가능하고 또 흔한 까닭이 바로 같은 기억의 힘이다.

물론 이 말고도 같은 기억을 지닌 사람들의 공동체는 여러 가지가 있을 수 있다. 우리 사회에서는 '○○동지회'니 '○○향우회' 혹은 '○○교우회' 같은 것을 그 대표적인 것으로 말하기도 한다. 그러나 공동의 기억을 불러일으켜 공감하게 해 주는 대표격의 화제는 아마도 '고향'이리라. 다음 시는 그 대표격이라 할 수 있다.

향수(鄕愁)   정지용

넓은 벌 동쪽 끝으로
옛이야기 지줄대는 실개천이 휘돌아 나가고,
얼룩빼기 황소가
해설피 금빛 게으른 울음을 우는 곳,

― 그곳이 차마 꿈엔들 잊힐 리야.

질화로에 재가 식어지면
비인 밭에 밤바람 소리 말을 달리고,
엷은 졸음에 겨운 늙으신 아버지가
팔베개를 돋아 고이시는 곳,

— 그곳이 차마 꿈엔들 잊힐 리야.

흙에서 자란 내 마음
파아란 하늘빛이 그리워
함부로 쏜 화살을 찾으러
풀섶 이슬에 함추름 휘적시던 곳,

— 그곳이 차마 꿈엔들 잊힐 리야.

전설 바다에 춤추는 밤물결 같은
검은 귀밑머리 날리는 어린 누이와
아무렇지도 않고 예쁠 것도 없는
사철 발 벗은 아내가
따가운 햇살을 등에 지고 이삭 줍던 곳,

— 그곳이 차마 꿈엔들 잊힐 리야.

하늘에는 석근 별
알 수도 없는 모래성으로 발을 옮기고,
서리까마귀 우지짖고 지나가는 초라한 지붕,
흐릿한 불빛에 돌아앉아 도란도란거리는 곳,

— 그곳이 차마 꿈엔들 잊힐 리야.

　기억공동체가 공유한 공통된 기억의 재료로 고향만큼 화제가 풍성
한 것도 드물 것이다. 더구나 산업사회로 생활의 양식이 변화하면서
거의 대부분이 고향을 떠나 타지에서 생활하게 된 우리 현대사에서
고향이 갖는 공감도며 그에 대한 그리움의 강도는 무척 높을 수밖에

없다. 명절 때면 고속도로며 뱃길을 가득하게 메우는 그 엄청난 행렬을 보라!

이 시는 고향의 기억을 소통하는 데 매우 훌륭한 장치를 하고 있다. 소박하고 편안한 논밭의 풍경, 작고 어두웠던 집, 들에서 키우던 꿈……. 이 시는 그 농업중심사회의 기억을 불러내어 공감하도록 만든다. 이렇듯 공유된 기억을 드러내어 소통하므로 정겨움을 느끼게 된다.

고향 못지않은 기억공동체로 가족 또한 중요하다. 시간적으로 긴 세월을 같이 생활하는 것이 가족이고 단순한 형식을 넘어서서 사랑이며 미움과 같은 인정이 끈끈하게 얽혀 있기에 가족에 관련된 기억은 더 강렬하고 풍성하게 마련이다. 다음 시는 그런 가족의 공동체적 기억을 소통한다.

봉선화   김상옥

비 오자 장독간에 봉선화 반만 벌어
해마다 피는 꽃을 나만 두고 볼 것인가
세세한 사연을 적어 누님께로 보내자

누님이 편지 보며 하마 울까 웃으실까
눈앞에 삼삼이는 고향집을 그리시고
손톱에 꽃물 들이던 그날 생각하시리

양지에 마주 앉아 실로 찬찬 매어 주던
하얀 손 가락 가락이 연붉은 그 손톱을
지금은 꿈속에 본 듯 힘줄만이 서누나

이 시를 두고 손톱에 봉선화물을 들여 보았는지를 굳이 묻는 것은 그다지 어울리지 않는 질문이다. 혹은 그런 누나가 정말로 있었는지를 따지는 것도 적절하지 않다. 이 누님은 형님이라도 좋고 아저씨라도 상관이 없다. 혈족이라고 할 정도의 가까운 가족 구성원 정도면 충분히 공감의 대상이 될 수 있다. 함께 생활했던 기억만 가지고 있으면 충분하다.

같은 기억을 가지고 있다는 사실은 그 관계가 가족이 아니라도 따뜻한 인연으로 생각하게 만들어 준다. 오래 함께 생활했던 친구며 이웃 등이 모두 그런 기억의 대상이다. 그 밖에 학교를 함께 다녔던 친구까지도 모두 함께 지니고 있는 기억이 있다면 언제고 공동체적 구성원으로 느끼게 마련이다. 이 모두가 친근감의 환기를 통한 동질감의 확인 과정이라 할 수 있다. 그러기에 정겨움의 소통이 된다.

(2) 기억공동체적 소통과 언어문화 – 지리·역사의 기억

앞에서 읽은 정지용의 <향수>가 시인의 창작품이어서 시론의 대상이 될 수 있는 것이라면 다음 노래의 가사도 시론의 대상이 될 수 있겠는지 생각해 본다. 둘 다 고향이라는 기억공동체의 공감을 촉구하였고 그 의도대로 노래방에서 많이 불리고 있기도 하다.

고향 무정   오기택 노래, 김운하 작사

구름도 울고 넘는
울고 넘는 저 산 아래
그 옛날 내가 살던
고향이 있었건만
지금은 어느 누가 살고 있는지

지금은 어느 누가 살고 있는지
산골짝엔 물이 마르고
기름진 문전옥답
잡초에 묻혀 있네

새들도 집을 찾는
집을 찾는 저 산 아래
그 옛날 내가 살던
고향이 있었건만
지금은 어느 누가 살고 있는지
지금은 어느 누가 살고 있는지
바다에는 배만 떠 있고
어부들 노랫소리
멎은 지 오래일세

이 노래 가사가 대부분의 사람들로 하여금 고향을 생각하게 만드는 것은 사실이다. 특히 산업사회로 변모한 한국 사회이기에 고향이 이 노래에 그려진 것과 비슷하게 변해버린 곳이 상당함도 실상과 방불해서 친근감을 준다. 1966년에 나온 노래인데 지금도 여전히 많이들 노래하니 그 기간으로 보더라도 이 노래는 기억공동체적 공감을 바탕으로 오늘에 이르도록 그 오랜 수명을 누린 셈이다. 더구나 이 노래의 공감도는 북쪽에서 월남해 온 피란민 사이에서 더욱 강렬함도 주목할 만하다. 특히 '지금은 어느 누가 살고 있는지'에 이르면 그 공감이 절정에 이르는 것도 더러 보았다. 이로 어림해 보더라도 기억공동체의 공감을 바탕으로 하는 소통의 효과는 매우 강렬함을 확인할 수 있다.

이러한 기억공동체적 소통의 근거와 관련하여 대중가요에 등장하는 고유명사가 친근감이며 동질성을 환기하는 데 큰 역할을 한다는 점 또한 주목할 만하다. 특정 지명에 얽힌 지리·역사적 사실이 공통된 기억으로 작용함으로써 소통 효과를 높이는 점도 흥미롭다. 다음이 그런 예 가운데 하나이다.

이별의 부산정거장　　　　　남인수 노래, 유호 작시

　보슬비가 소리도 없이 이별 슬픈 부산정거장
　잘 가세요 잘 있어요 눈물의 기적이 운다
　한 많은 피난살이 설움도 많아
　그래도 잊지 못할 판잣집이여
　경상도 사투리에 아가씨가 슬피 우네
　이별의 부산정거장

노래가 크게 유행하게 만드는 힘은 여러 가지여서 한두 가지의 요인으로 한정해 인기 비결을 쉽사리 특정하기는 어려울 것이다. 그러나 이 노래에 등장하는 '부산정거장'은 6·25전쟁이라는 역사적 배경으로서 사람들로 하여금 매우 구체적인 기억을 불러일으키게 만든다. 물론 사람마다 전쟁 경험은 다를 수 있으므로 그 기억하는 내용이 꼭 같을 리는 없다. 그러나 전쟁이라는 엄청난 사건의 기억을 환기함으로써 노래를 통한 공동체적 기억이 소통 효과를 발휘하게 된다.

고유명사 특히 지명이 지닌 이런 공감의 힘 때문에 대중가요 가운데 지명으로 된 것이 많고 그런 노래가 대체로 오래도록 대중의 사랑을 받는 것임을 짐작할 수 있다. '부산항'이며 '목포' 그리고 '대전' 등 지명이 가사로 들어간 노래들이 대개 그러하다. 이런 것들은 기억공동체적 소통의 힘이 얼마나 강력한가를 입증하는 예라 하겠다.

기억공동체의 소통 능력과 관련하여 우리 사회가 기억하고 있는 다

음 노래는 근래 우리 사회사의 굴곡과 더불어 매우 인상적인 노래가
되고 말았다.

임을 위한 행진곡
백기완 원작, 황석영 작사

사랑도 명예도 이름도 남김없이
한평생 나가자던 뜨거운 맹세
동지는 간 데 없고 깃발만 나부껴
새날이 올 때까지 흔들리지 말자
세월은 흘러가도 산천은 안다
깨어나서 외치는 뜨거운 함성
앞서서 나가니 산 자여 따르라
앞서서 나가니 산 자여 따르라

80년대 이후 대학가에서 자주 들을 수 있었던 그리고 지금은 잊혀
도 무방할 정도의 세월이 흘러간 '옛날'의 노래이다. 그런데 21세기도
한참을 지난 요즘 우리 사회에서 뜨거운 관심거리의 노래가 되고 말
았다. 그것이 정치적으로 어떤 의미를 갖는가는 이 자리의 관심사가
아니다. 그런데 수많은 사람이 그것도 거대한 행렬을 이루어서 어떤
목적을 위해 불렀던 노래라면 여기에 '언어문화'란 말 말고 달리 붙일
용어가 있을까?

지금까지 기억공동체적 소통의 문제가 한 사회의 삶과 관련하여 살
펴더라도 매우 중요한 요소일 수 있음을 확인하였다. 이와 관련하여
이른바 '고전(古典)'에 대한 우리 사회의 문화적 과제와 그 공동체적 기
억의 역할의 중요성에 대하여 생각해 본다. 초·중·고등학교의 국어
교과서가 국정으로 발행되는 시절에는 온 국민이 같은 글을 읽으며

성장하였다. 그러기에 누구나 다 같이 환기해 낼 수 있는 자료가 되기도 하였다. 그러나 검인정으로 자율화한 이후에는 함께 읽는다고 할 만한 글이 없다.

그런데 함께 읽고 다 같이 기억할 수 있는 글이 없다는 사실은 이 사회의 기억공동체적 바탕에 의한 문화적 소통이 어려워짐을 뜻한다. 교과서가 국정이 아닌 상황에서는 청소년과 온국민이 꼭 읽어야 할 필독의 고전 목록이 작성되어야 한다. 그 일은 누가 하더라도 해야 할 일이다.

나. 생활공동체적 소통

(1) 생활공동체적 소통의 시 읽기

함께 더불어 살아가는 존재들 사이에는 남모를 심리적 유대의 강물이 흐르게 마련이다. 그것을 보통 '정(情)'이라고 한다. 서로가 서로를 어떻게 부르든지에 관계없이 같은 삶을 살아가는 이들끼리는 서로 정겹다. 더불어 살아가노라면 비슷하거나 같은 생각을 함께 더 깊게 지니게 되기도 한다. 삶이 곧 생각이고 생각이 삶을 결정하는 것이기도 하므로. 그래서 생각이 같음을 나타내는 동지(同志)라는 말로 서로를 부르기도 한다.

저문 강에 삽을 씻고   정희성

흐르는 것이 물뿐이랴
우리가 저와 같아서
강변에 나가 삽을 씻으며

거기 슬픔도 퍼다 버린다
일이 끝나 저물어
스스로 깊어 가는 강을 보며
쭈그려 앉아 담배나 피우고
나는 돌아갈 뿐이다
삽자루에 맡긴 한 생애가
이렇게 저물고, 저물어서
샛강바닥 썩은 물에
달이 뜨는구나
우리가 저와 같아서
흐르는 물에 삽을 씻고
먹을 것 없는 사람들의 마을로
다시 어두워 돌아가야 한다

별 어려움 없이 읽히는 이 시가 말하고자 하는 바는 시 첫머리의 "흐르는 것이 물뿐이랴"에 집약되어 있는 셈이다. 바로 그 다음에 '우리가 저와 같아서'라는 시행이 뒤를 받쳐 주고 있어 모두가 비슷하고 함께라는 생각이 쉬사리 읽힌다. 참으로 그러하다. 흐르는 것이 물뿐은 아니다. 우리의 인생부터가 그러하다. 시간도 기억도 모두가 흘러서 가고 그리하여 사라지고 만다. 그러기에 우리의 삶은 늘 거기 있어 함께 바라보는 물처럼 함께이되 실은 그렇게 흘러서 가기만 한다. 우리 모두가 같다. 그러하니 같은 삶을 사는 동지라는 생각을 하게 됨은 자연스럽다.

한 생애를 삽자루에 맡겨 저녁마다 강에 나가 삽을 씻는 삶. 슬픔을 퍼다 버리듯 삽을 씻는 나날의 삶. 그리고는 다시 어두운 마을로 돌아가기를 되풀이하는 고단한 삶. 그렇게 우리는 모두 살아가고 있구나. 이렇듯 같은 삶을 살아가는 동지적 공감이 있기에 이 시는 되풀이되는 고단함을 서로 주고받는 시로도 읽힌다.

생활공동체가 같은 삶을 근거로 이루어지는 것임을 확연하게 알게
해 주는 다음 시를 읽는 것도 흥미롭다.

농무(農舞)   신경림

징이 울린다 막이 내렸다
오동나무에 전등이 매어달린 가설무대
구경꾼이 돌아가고 난 텅 빈 운동장
우리는 분이 얼룩진 얼굴로
학교 앞 소줏집에 몰려 술을 마신다
답답하고 고달프게 사는 것이 원통하다
꽹과리를 앞장세워 장거리로 나서면
따라붙어 악을 쓰는 건 조무래기들뿐
처녀애들은 기름집 담벽에 붙어 서서
철없이 킬킬대는구나
보름달은 밝아 어떤 녀석은
꺽정이처럼 울부짖고 또 어떤 녀석은
서림이처럼 해해대지만 이까짓
산구석에 처박혀 발버둥친들 무엇 하랴
비료값도 안 나오는 농사 따위야
아예 여편네에게나 맡겨 두고
쇠전을 거쳐 도수장 앞에 와 돌 때
우리는 점점 신명이 난다.
한 다리를 들고 날라리를 불꺼나
고갯짓을 하고 어깨를 흔들꺼나

이 시가 그려내는 생활공동체는 첫 줄 "막이 내렸다"라는 한마디에
모두 집약되어 있다고 보아도 된다. 모든 것이 끝났다는 뜻이다. '끝

났다'는 말은 대체로 어두움과 연합하는 느낌을 불러온다. 시행을 따라가면서 더욱 구체적으로 느끼게 되지만 "구경꾼도 돌아갔다, '답답하고 고달프게 사는 것이 원통하다"는 데 이르면 삶의 팍팍함이 가슴을 때리기도 한다. '꺽정이처럼 울부짖'거나 '발버둥치'거나 모두 '도수장' 앞의 춤 같은 막막한 삶을 함께 느끼게 된다. 그런 느낌을 강렬하게 풍겨 주는 '도수장'은 소의 명을 끊는 곳. 참으로 어두운 빛깔로 칠해진 공동체의 삶이 보인다.

그도 그럴 것이 농무(農舞)는 원래 농사를 마치고 기쁨에 겨워 추는 놀이다. 그러니 흥겹고 신이 나야 한다. 그러나 '농무'라는 제목을 달았으면서도 징이 울리고 막이 내린 다음으로부터 사연을 시작하는 것부터가 심상치 않은 느낌을 불러일으킨다. 그러기에 그런 삶을 아는 사람끼리라면 마음이 이미 통하게 된다. 그 뒤에 이어지는 상황은 아무런 희망이며 기대가 더 이상 남아 있지 않은 농촌의 삶을 돌아가며 보여준다. 말하자면 한마디로 그 무엇도 해 볼 일이 없는 생활공동체의 삶을 상징한다. 그런 삶의 울분이 "답답하고 고달프게 사는 것이 원통하다"라는 행에 집약되어 있음을 느낀다.

결국 소통이란 아는 사람끼리 혹은 같은 처지의 사람끼리 나누는 푸념일 따름이다. 그러하니 시건 말이건 같은 처지이거나 그것을 아는 사람이라야 공감에 이를 수 있다.

(2) 생활공동체적 소통과 언어문화 - '우리 마누라'와 문법

조선시대 고시조의 종장 첫머리가 '우리도'라는 말로 시작되는 것이 상당수에 이른다. 그 대표격으로 이른바 <하여가(何如歌)>를 들 수 있을 것이다. 뒷날 조선 태종임금이 된 이방원(李芳遠)이 정몽주의 변절을 촉구하면서 "우리도 이같이 얽어져 백년까지 누리리라"라고 했다는 노래다. 고려에 대한 충신으로서의 의리를 꺾지 않는 정몽주에게 새 조선의 건국에 협력을 권한 노래다. 그러니까 이방원과 정몽주는 정치적 노선이 전혀 다른 처지였고 나중에는 정몽주를 살해하기까지 하였으니 정치적으로 적임이 분명하였다. 그런 정치적 적에게 '우리'라는 말로 함께하기를 권한 노래가 바로 <하여가>이다. 이 예는 물론이거니와 이 노래 말고도 '우리'라는 말로 종장을 시작한 시조만도 3백여 수가 넘을 정도로 많다. 그러고 보면 우리말에서 '우리'라는 말은 참 쉽게 그리고 많이 써 왔음이 분명하다.

그런가 하면 일상생활에서 흔히 쓰는 '우리 마누라'라는 표현이 문법에 맞는 것인가를 둘러싸고 논의가 광범위하게 이루어지기도 하였다. 이 문제는 오래 전부터 관심사가 되기도 하였으며 철학 분야에서는 지금도 이 문제가 거듭거듭 논의되고 있는 것으로 보인다.[21] 이에 대한 논의의 시작은 '우리 마누라'라는 표현이 문법적으로 잘못된 말이 아닌가 하는 데서부터 비롯되었다. 어떻게 마누라가 '우리의' 마누라일 수 있느냐는 의문이다. 우리 자신을 얕보기 좋아하는 시각에서는 '나'나 '우리'나 그저 '대강 해 두는' 특성을 보인 것이라고 낮추어 보는 근거로 삼기조차 한다. 그런가 하면 이는 서양의 언어중심적 사유와는 차이가 있는 집단주의 성향에서 나온 것으로 보는 견해(김혜숙, 2014:42)도 있다.

사용하는 언어의 차이는 형이상학, 인식론, 가치론에 있어서의 차이를 만들어내는 근본적 계기를 형성한다. 언어적 개념의 형성이나 문법적 구조는 사유 구조와 세계관을 보여주는 중요한 지표를 구성하기 때문이다.

---

21 정대현(2009)이 거듭된 논의를 폈으며 이에 대해 철학자들의 논의가 있었던 사실은 논문에 밝혀져 있다. 그 밖에도 심리학, 문화학 등의 분야에서 이 문제에 대해 조명을 하였고 필자 또한 국어교육의 시각으로 이 문제를 살핀 바 있다.

한국어에서는 주어가 생략되는 경우가 많고, '나'로 표현해야 하는 경우에도 '우리'로 표현하는 경우가 많다. 심지어 '나의 남편' 혹은 '나의 마누라'가 되어야 하는 경우에도 '우리 남편', '우리 마누라'와 같은 식으로 표현된다. 이러한 언어적 용법은 한국인의 집단주의 성향을 반영하는 것으로 이야기되기도 한다.

이처럼 '우리 마누라'를 사유 구조와 세계관의 차이가 빚어낸 표현으로 보는 관점도 있다. 그런가 하면 사전(국립국어원, 『표준국어대사전』)에서는 이런 용법에 대하여 다음과 같이 설명한다.

「3」((일부 명사 앞에 쓰여)) 말하는 이가 자기보다 높지 아니한 사람을 상대하여 어떤 대상이 자기와 친밀한 관계임을 나타낼 때 쓰는 말.

이렇듯 친밀한 관계에 있는 대상에 두루 쓰기도 하는 표현이므로 '우리 아버지, 우리 형, 우리 집, 우리 학교, 우리 나라, 우리 회사, 우리 학교……' 등 이런 표현을 쓸 수 있는 범위는 상당히 넓을 듯도 하다. 이뿐만이 아니고 실제로 생활에서 '우리'라는 말이 매우 넓게 쓰임을 얼마든지 확인할 수도 있다. 널리 알려진 <우리 애인은 올드미스>(최희준 노래, 손석우 작사)를 비롯해서 대중가요에서만도 얼른 다음과 같은 표현을 떠올릴 수 있다.

- 우리 마을 살기 좋은 곳-<우리 마을>, 한명숙 노래, 손석우 작사
- 누가 우리 순일 본 사람 없소-<우리 순이>, 송대관 노래, 진남성 작사
- 천둥산 박달재를 울고 넘는 우리 님아-<울고 넘는 박달재>, 박재홍 노래, 반야월 작사

이 정도면 '우리'라는 말이 사람은 물론이고 그 밖의 어떤 것이건 친숙한 대상이면 두루 쓰이는 표현임을 확인할 수 있다.[22] 그렇다면 왜 '나' 대신에 '우리'를 써서 어떤 대상들을 나타내는지는 설명이 필요한 과제가 되는데 여기서는 그 답을 우리가 시에서 살펴 온 생활공동체 형성의 표현이라는 데서 찾을 수 있을 것으로 해 두고자 한다. 그것이 애인이건 마누라건 혹은 마을이건 학교이건 모두가 다 생활공동체를 이루는 구성요소이고 그것이 나와 합쳐져야만 비로소 생활공동체로 성립한다.

그러므로 언제나 '나'와 '마누라'는 '우리'로 함께 존재한다는 생각의 표현이어서 소유물을 뜻하는 것이 아니라 나와 더불어 함께 존재하는 '나+마누라'라는 공동체를 형성하여 가리키는 생각의 반영이라고 이해하려 한다.

이런 관점에서 더 좀 살핀다. 단 두 형제 사이에도 '우리 형님'이고 '우리 동생'이라고 말한다. 외아들인데도 '우리 아버지'라 한다. 따라서 '우리'는 주어가 복수라는 뜻이 아니라 '대상+나'로 한데 합친 것임을 뜻하는 복수 표현으로 보고자 한다. 그런 관점에서 '우리'라는 완벽에 가까운 생활공동체가 이루어진다. 절묘하지 아니한가!

---

22 이처럼 '나'라고 해야 할 맥락에서 '우리'를 두루 쓰는 경향인데 비슷한 맥락이면서도 굳이 '나'를 쓴 부분이 있어 특이하게 느껴지는 경우도 없지 않다. "저 산길을 돌아서 가면 내 고향이다"―<내 고향으로 마차는 간다>, 명국환 노래, 유노환 작사, '꿈길 속에 달려간 내 고향 내 집에는'―<전선야곡>, 신세영 노래, 유호 작사, '찔레꽃 붉게 피는 남쪽나라 내 고향'―<찔레꽃>, 백난아 노래, 김영일 작사, '그 옛날 내가 살던 고향이 있건마는'―<고향 무정>, 오기택 노래, 무인도 작사 등에서 그런 표현을 보게 되는데 왜 그렇게 달리 표현했는지는 좀 더 생각해 볼 문제이겠다.

다. 운명공동체적 소통

(1) 운명공동체적 소통의 시 읽기

다음 시는 매우 특이한 관계에 있는 사람끼리의 대화라 할 수 있다. 지난 날 자신에게 총부리를 겨누고 생명을 다투었던 적군의 묘지 앞에서 느끼는 참 야릇한 감회를 시로 쓴 것인데 '적' 그리고 '죽음'의 두 가지에 대한 생각이 엇갈린다. 말하자면 '산 자'가 '죽은 자'에게 건네는 대화이기도 한데 이 시에 담긴 생각은 다소 특이하다.

한때는 자신에게 총부리를 겨누었던 자의 무덤이고 그가 죽어 여기 묻히지 않았다면 반대로 내가 저기 누워 있을 수도 있겠다는 생각도 떠오를 법하다. 그러나 달리 생각할 수도 있겠다. 그리고 이 시는 달리 생각했다. 죽어 묻혀 있는 적군이나 살아 있는 나나 다 같은 인간이다. 그러기에 종국에는 인간으로서의 삶을 마치는 날이 오게 될 것이고 그렇게 되면 저나 나나 죽음이라는 다 같은 길을 가게 될 터이므로 인간으로서의 운명공동체이다. 그런 생각에 귀를 기울여 본다.

> **초토(焦土)의 시**　　　　　　　　구상
> ― 적군 묘지 앞에서 ―
>
> 오호, 여기 줄지어 누웠는 넋들은
> 눈도 감지 못하였겠구나.
>
> 어제까지 너희의 목숨을 겨눠
> 방아쇠를 당기던 우리의 그 손으로
> 썩어 문드러진 살덩이와 뼈를 추려
> 그래도 양지 바른 두메를 골라
> 고이 파묻어 떼마저 입혔거니

죽음은 이렇듯 미움보다도 사랑보다도
더욱 신비로운 것이로다.

이곳서 나와 너희의 넋들이
돌아가야 할 고향 땅은 삼십 리면
가로막히고
무주공산(無主空山)의 적막만이
천만 근 나의 가슴을 억누르는데

살아서는 너희가 나와
미움으로 맺혔건만
이제는 오히려 너희의
풀지 못한 원한이 나의
바람 속에 깃들어 있도다.

손에 닿을 듯한 봄 하늘에
구름은 무심히도
북으로 흘러가고,
어디서 울려오는 포성(砲聲) 몇 발
나는 그만 이 은원(恩怨)의 무덤 앞에
목 놓아 버린다.

　생각해 보면 이 세상에 생명 있는 모든 존재는 언젠가 그 생을 마치게 되어 있다는 점에서 운명공동체의 일원임이 분명하다. 그 빠름과 느림의 엇갈림만이 서로 다를 따름이지 우리는 누구나 그 작은 시차 위에서 흘러가고 있다는 것도 사실이다. 더구나 삶과 죽음의 길 또한 크게 달라 보이지만 실은 같은 손바닥의 앞뒤처럼 서로 붙어 있는 것이기도 하다. 다만 삶이 죽음을 보지 못할 따름이며 이는 누구라도 그러하므로. 그래서 우리는 모두 다 같은 운명을 지니고 살아가는 운명공동체의 일원임을 재인식하게 된다.

이번에는 전혀 다른 시각에서 우리 모두가 운명공동체임을 깨닫게 하는 시 한 편을 읽는다.

귀천(歸天)　　　　　　　　천상병

나 하늘로 돌아가리라
새벽빛 와 닿으면 스러지는
이슬 더불어 손에 손을 잡고,

나 하늘로 돌아가리라
노을빛 함께 단 둘이서
기슭에서 놀다가 구름 손짓하면은,

나 하늘로 돌아가리라
아름다운 이 세상 소풍 끝내는 날,
가서 아름다웠다고 말하리라……

엄격하게 갈라 말한다면 이 시가 말하는 내용은 일종의 유서(遺書)와도 같다고 할 것이다. 물론 삶에 대한 생각이 전혀 없는 것은 아니라고 하겠지만 궁극적으로는 죽어 이리저리 하겠다는 내용이 핵심을 이루고 있다. 살아 있는 사람은 죽음을 만난 적이 없기도 하므로 삶만을 말하는 것이라는 점에서 본다면 이 시가 죽음에 대해 하는 말은 유독 별다르게 느껴진다.

그렇다. 사람은 삶을 말하는 존재이지 죽음을 말하며 살아가는 존재는 아니다. 그러기에 일상적인 상황에서라면 이렇듯 죽음을 입에 올려 말하는 것은 경망스럽거나 불길하다는 핀잔을 듣기 십상이다. 그런데 이 시에 대해서는 그렇게 말하는 사람을 보기 어렵다. 오히려 대부분의 감상자가 이 시의 '밝음'을 기리고 받든다(신경림, 2006:110, 정끝별, 2008:52-53, 이숭원, 2008:439-441).

이 시인이 겪었던 억울하고 가혹한 시련이 얼마나 지독한 것이었는가를 알고 있기에 이런 상쾌함에 경탄을 보낼 수밖에 없는 측면도 있기는 하다. 그걸 생각하면 그 지경을 겪고도 이런 생각일 수 있는 그 마음은 도대체 어떤 경지이면 가능한 것일까를 생각하게 된다. 그러기에 이 세상에 소풍을 왔노라고 하는 그 경쾌한 생각부터가 아름답다고 예찬한다. 그렇지만 누구의 인생이건 아침 이슬이나 저녁노을처럼 이내 사라질 것이다. 이 시가 그것들과 벗을 한다는 생각을 노래한 것은 언젠가는 떠나야 할 인간의 운명을 충분히 암시하고 있다는 점에서 고개를 끄덕이게 만든다. 그러하다. 이 짤막한 시가 주는 감동은 바로 너와 내가 같다는 공감에서 온다.

(2) 운명공동체적 소통과 언어문화 - '동무'와 '동지'

'동무'와 '동지'는 비슷해 보이는 말이지만 쓰임새와 느낌은 같지 않다. 물론 '동무'는 순우리말이지만 '동지(同志)'는 한자어라서 어감부터가 다르기도 하다. 그런데 두 말의 쓰임새가 어떻게 다른가는 국어사전(국립국어원, 『표준국어대사전』)이 잘 설명해 준다.

동무01 「명사」
「1」늘 친하게 어울리는 사람.
「2」어떤 일을 짝이 되어 함께 하는 사람.
「3」『광업』한 덕대 아래에서 광석을 파는 일꾼.

「4」『북한어』혁명을 위하여 함께 싸우는 사람을 친근하게 이르는 말.
「5」『북한어』일반적으로 남을 친근하게 부르는 말.

동지05 (同志)「명사」
「1」목적이나 뜻이 서로 같음. 또는 그런 사람. ≒사우06(社友)「3」.
¶ 동지가 되다/ 동지를 만나다/ 자네의 동지가 몇 사람이나 되는가?/
과거에는 적이었던 포로들이 지금은 자기편을 등지고 우리의 동지로
변해 버렸다.≪홍성원, 육이오≫
「2」『북한어』이름 아래 쓰여 존경과 흠모의 정을 나타내는 말.

'북한어'로 설명되어 있는 사항에 주목하여 생각해 본다. 우리 언어
문화에서 '북한'이라는 말 자체가 주는 어감이며 의미는 결코 단순하
지 않다. 한때는 북한어라는 것이 단지 북한에서 쓰이는 말이라는 사
실을 넘어서서 매우 큰 문화적 힘을 발휘한 적도 있다. 1970-80년대
에는 특히 대학생들 사이에서 북한어의 사용이 통일의식의 고취와도
맞먹는 일이라고까지 생각하는 기미조차 있었음을 기억한다.

그럼에도 남한에서는 오랜 기간 '동무'라는 말을 쓸 수가 없었다.
이념적 색채가 매우 강하게 배어 있었기 때문이다. 그래서 '동무'로
되어 있던 것을 '친구'거나 그 비슷한 말로 바꾸어야 할 정도의 제약
까지도 있었다. 그러한 사회적 상황 때문에 '동무'가 오히려 '동지'의
「1」항과 같은 뜻을 지니게 된 것도 사실이다. 그래서 '동무'라는 말은
'동무'의 「4」에 한정하는 뜻으로만 좁혀진 결과 남한에서는 쓰기 어려
운 단어가 된 셈이다.

북한에서 '동무'가 이런 강한 이데올로기적인 함축을 지니면서도 「5」
와 같은 용법을 지니게 되어버림으로써 남한의 언어환경에서는 혼란
스러운 단어가 되어버린 셈이다. 북한어에서 '혁명을 위한 투쟁'이라

는 강경한 의지가 '친근함'으로 희석되는 변화를 보이고 말았기 때문이다. 이러한 용법 변화의 사례를 '위키백과'는 다음과 같이 비교해 보인다.

"대장 동무 함께 가자요!" (×)
"대장 동지 함께 가자요!" (○)

"위원장 동무 제가 아침에 아파서 좀 늦었시다." (×)
"위원장 동지 제가 아침에 아파서 좀 늦었시다." (○)

"동무(손윗사람) 인차(서둘러) 가겠습니다." (×)
"아바이 인차 가겠습니다." (○)

사람마다 그 삶의 구체적 실상이 조금씩 다름에도 불구하고 운명공동체라고 말할 수 있게 만드는 것은 더불어 함께 살면서 같은 목표를 향해 나아가야 하기 때문이다. 그런 점에서 우리 모두는 '동무'이자 '동지'일 것이다. 그런데도 사회적으로 굴곡이 많은 단어인 '동무'라는 말은 남과 북에서 그 의미가 서로 다르게 사용됨으로써 그 의미며 용법까지 변화해버렸다. 그러나 '동무'가 사람과 사람 사이에서 운명공동체를 지칭하거나 환기하는 데 매우 효과적인 단어라는 점만은 남북을 불문하고 같다고 할 수 있다.

3

공감적 소통

　우리 모두가 '같음'을 전제로 함으로써 이루어지는 소통이 공동체적 소통이라면 공감(共感, empathy)[23]을 통한 소통은 우리 각자가 서로 '다름'을 전제로 할 때 중심적인 과제가 된다. 생각해 보면 모든 인간은 각기 다른 개체로 태어나 저마다의 목표를 성취하고자 살아가는 존재이다. 그러므로 하나부터 열까지가 다 다르다고 할 수 있다. 이런 다름을 뜻하는 용어가 독자성 또는 이질성이다. 공감은 그처럼 서로 다른 존재 사이에 같은 생각과 유대(紐帶)를 형성하는 심리적 노력이라 할 수 있다.

　비슷한 뜻을 지닌 동정(同情, sympathy)과 비교해서 간명하게 보여주는 다음 설명(Suzanne, 2007:5)이 그 차이까지 알기 쉽게 구분해 준다.

23　영어 'empathy'의 번역어로 '감정이입(感情移入)'과 '공감(共感)'이 함께 쓰여 왔다. 같은 말의 번역어이지만 뜻은 많이 다르게 느껴진다. 영어 'empathy'가 독일어의 'einfühlung'에서 온 말로 'feeling into'의 뜻임을 생각하면 이 용어는 '이입(移入)'이라는 움직임에 초점이 놓임을 알 수 있다. 따라서 '공감'이라는 용어를 쓰더라도 이러한 '동적(動的)' 요소에 중점을 두는 시각이 필요해 보인다. 그래서 마음의 움직임을 강조하기 위해 '감정이입'을 고집해 왔다. 그러나 근래 들어 부쩍 '공감'이라는 용어가 널리 쓰이는 데다 마음의 기제 못지않게 지표 또한 중요할 수 있음에 동의해 '공감'을 용어로 쓴다.

공감(共感) Empathy	동정(同情) Sympathy
네가 느낀 바를 나도 느낀다. (I feel what you feel.)	네 느낌에 대해 나도 같은 생각이야. (I feel a supportive emotion about your feelings.)
너의 고통을 나도 느껴. (I feel your pain.)	네가 고통을 받아서 불쌍하게 생각해. (I feel pity for your pain.)

이 비교에서 보듯 공감은 다른 사람으로부터 전달되는 감정적 정보를 정확하게 감지하고 의식적으로 이해하는 등의 '마음을 씀'을 뜻한다. 그러기에 '감정이입'에 가장 가까운 우리말 표현이라면 '역지사지(易地思之)'를 들 수 있다. 처지를 바꾸어 생각하면 남의 마음 상태를 알 수 있다는 뜻이다.

이렇듯 공감은 대상의 감정 상태에 대하여 관심을 갖고 이해하는 것이지 대상과 꼭 같은 감정으로 빠져드는 것과는 다르다. 또한 연민(憐憫)처럼 애석해하는 감정 상태가 되는 동정과도 역시 그만한 거리가 있음은 물론이다. 그러기에 공감을 달리 표현하여 '관심' 혹은 '인정'이라고 바꾸어 말하기도 한다.

결과적으로 상대방과 같은 느낌 또는 같은 생각에 이르게 됨을 공감이라고 하지만 그 경로는 여러 가지로 다를 수 있다. 여기서는 그것을 동병상련(同病相憐), 이심전심(以心傳心), 관계형성(關係形成)의 세 유형으로 나누어 살핀다.

가. 동병상련(同病相憐)의 공감

(1) 동병상련적 공감의 시 읽기

누군가가 자동차 문을 닫다가 차문에 손가락을 찧는 것을 보게 되면 그 일이 마치 내게 일어난 것처럼 움찔하는 것을 느낀다. 왜 그런가? 답을 알고 있다면 우리 뇌에 있다는 거울신경(mirror neuron)의 존재며 역할에 대해 이미 알고 있음을 뜻한다.

산부인과의 신생아실에서 아기들이 일제히 울어대는 일이 생기는 이유도 거울신경의 작동으로 설명한다. 한 아기가 울면 다른 아기들의 뇌에 있는 거울신경이 자극됨으로써 울음을 본떠 따라 울어 그렇다고 한다. 이처럼 영장류의 뇌에 있는 거울신경은 남을 모방하거나 남에 대하여 의식하는 기능을 지니고 있어서 어떤 행동을 보고 따라 할 수 있다. 또 그래서 생기는 느낌까지도 본받을 수 있다.

거울신경은 빠르면 생후 1시간부터도 모방을 시작할 수 있을 정도로 태어나자마자 신속하게 기능을 발휘한다고 한다. 그러기에 거울신경은 인간적 특징을 지니게 만드는 매우 중요한 기관인 셈이다. 다음 시에서 받게 되는 느낌을 단서로 거울신경의 작용과 관련지어 생각해 본다.

노숙 김사인

헌 신문지 같은 옷가지들 벗기고
눅눅한 요 위에 너를 날것으로 뉘고 내려다본다
생기 잃고 옹이진 손과 발이며
가는 팔다리 갈비뼈 자리들이 지쳐 보이는구나
미안하다
너를 부려 먹이를 얻고
여자를 안아 집을 이루었으나
남은 것은 진땀과 악몽의 길뿐이다.
또다시 낯선 땅 후미진 구석에

순한 너를 뉘였으니

어찌하랴

좋은 날도 아주 없지는 않았다만

네 노고의 헐한 삯마저 치를 길 아득하다

차라리 이대로 너를 재워둔 채

가만히 떠날까도 싶어 묻는다

어떤가 몸이여

이 시인이 노숙자일 리는 만무하므로 그 노숙자의 마음이 되어 그 몸에게 건네는 말로 생각해 낸 것이리라. 그렇다면 이 시인의 머릿속 거울신경이 노숙자의 마음을 읽고 모방하여 건네는 말이다. 시인은 왜 노숙자의 생각을 본받아 옮기는 것일까? 그 답은 이것이다. 공감(共感) — 그렇다. 바로 이것이 동병상련(同病相憐)을 거치는 공감이다.

장소가 어딘지는 알 길이 없으되 어디가 됐건 누추한 바닥이겠다. 거기 지치고 남루한 몸과 행색으로 늘어지듯이 누워 있는 노숙자의 몸. 마음은 그것을 보고 있다. 그러면서 이렇게 저렇게 떠오른 생각들을 정리한 말들이다. 마음이 제 몸을 향해 건네는 말에서 그 한 생애가 보인다. 과거가 없는 사람이 있을 수 없으므로 지난 세월이 모두 마음에서 되살아나고 있음을 본다. 지금의 처지가 기막히기도 할 것이며 앞날의 전망은 더욱 어두울 따름일 것이다.

이처럼 그 모든 것을 생각해 내는 것은 물론 시인의 거울신경으로 노숙자를 비추어낸 동병상련의 공감이다. 마치 이미 판이 끝나 쓸어 버린 바둑을 다시 판 위에 차근차근 복기(復碁)하듯 혹은 앞으로 둘 수를 미리 놓아 보듯 머릿속 거울신경으로 그 마음과 세월을 모두 읽어 낸다. 시인 자신이 그러한 것은 아니지만 그 몸 주인의 마음이 되어 그 병을 함께 앓는 듯한 동병상련으로 대신 뇌까린 말들이다.

"차라리 이대로 너를 재워둔 채/ 가만히 떠날까도 싶어 묻는다/ 어떤가 몸이여" 정녕 저 노숙자는 날마다 그런 생각을 하리라. 시인은 그 노숙자의 몸과 마음이 지난날부터 지금에 이르도록 그렇게 두어 왔고 앞으로 그렇듯 두게 될 것이 틀림없는 바둑판을 읽는다. 마치 같은 병을 앓는 환자[同病]의 신음처럼. 그리고는 노숙자의 마음이 되어 몸에게 묻는다. "어떤가 몸이여"는 그러므로 자문자답(自問自答). 답은 독자 각자의 몫이다. 시인의 답이 있겠지만 독자의 몫도 있어야 진정한 상련(相憐)이 되리라. 이런 걸 가리켜 '그의 신발을 신고(in his shoes) 생각하기'라고 한다. 그래서 동병상련은 바로 역지사지(易地思之)를 통해 가능한 소통이다.

그러나 동병상련이 꼭 역지사지의 방향으로만 전개되는 것도 아니다. '내 신발을 신고(in my shoes)', 말하자면 나를 기준으로 내 관점에서 바라봄으로써 어떤 대상에 대한 공감 상태에 이르기도 한다. 대상을 바라보되 거기서 자기 모습을 비추어 보게 되니 이는 대상이 거울이 되어 나를 비추는 거울보기(mirroring)이다. 한 예를 본다.

낙화   이형기

가야 할 때가 언제인가를
분명히 알고 가는 이의
뒷모습은 얼마나 아름다운가.

봄 한 철
격정을 인내한 나의 사랑은 지고 있다.

분분한 낙화……

결별이 이룩하는 축복에 싸여
지금은 가야 할 때.

무성한 녹음과 그리고
머지않아 열매 맺는
가을을 향하여
나의 청춘은 꽃답게 죽는다.

헤어지자
셈세한 손길을 흔들며
하롱하롱 꽃잎이 지는 어느 날

나의 사랑, 나의 결별,
샘터에 물 고이듯 성숙하는
내 영혼의 슬픈 눈.

그려 본다. 늦은 봄의 어느 날. 하롱하롱 지는 꽃잎이 어쩌면 온 천지에 눈처럼 흩날리는 광경이겠다. 바라보는 시선은 그 꽃잎의 군무(群舞)를 향한다. 자, 이제 그 광경이며 바라보는 마음이며를 자유롭게 오가며 생각해 보자. 그리고 이 시선이 보고 생각한 바를 뒤따라 본다. 꽃잎이 분분(紛紛)하다 했으니 아마도 천지가 꽃잎으로 가득하리. 그리고 땅 위에도 흩뿌려진 꽃잎이 눈처럼 싸여 있겠지. 무슨 생각이라도 가능하리라. 눈에 들어오는 꽃잎 어지러이 흩날리는 광경이 워낙 현란할 터이므로.

그런데 그런 생각을 하면서 시행을 읽는 순간 이 시인이 바라보는 게 꽃잎인가 아니면 자신인가 하는 놀라움에 소스라치게 된다. '가야 할 때가 언제인가를 알고 가는 것'은 사람인가 꽃잎인가? 여기서부터 흔들린다. 그 위에 '나의 청춘'이 '꽃답게 죽는다'고 한 말은 이 시가 떨어지는 꽃잎 이야기나 하고 있는 것이 아님을 확연하게 깨닫게 해 준다.

그러하다. 이 시는 낙화를 바라보되 거기 떠올라 비치는 자신을 보고 있음이 분명하다. 우리는 이런 시선을 가리켜 '삼라만상에서 나를 보기'라고 할 수 있다. 바라보는 대상이 그저 무심한 사물로 거기 있음에 그치지 않고 나의 일부가 되는 모양새다. 혹은 나에게 넌지시 말을 건네고 사라지기도 한다. 대상이 객(客)이고 내가 주(主)라고 한다면 주객의 상호침투라고나 해야 할 정도로 서로 넘나든다.

이것이 바로 '거울보기(mirroring)'이다. 우리는 어떤 대상을 바라보고 생각에 잠기면서 삼라만상을 바라본다고 생각한다. 그러나 실은 삼라만상이 우리에게 이리저리 생각하라고 생각의 내용까지 일러주고 있는지도 모른다. 그러나 그런다고 해도 대상이 일으키는 생각은 사람마다 다르게 마련임은 물론이다. 흔히 '제 눈의 안경'이라는 말은 세상이 '보는 대로 보이는' 법임을 뜻하는 말이다.

거울보기의 실상이 이러하므로 그런 눈으로 보고 쓰는 글은 대상을 보되 대상에서 자신을 본 것임을 드러낸다. 자기가 보고 싶은 것만 보고 자기가 생각할 만하다고 여긴 것만 본다. 그래서 자기가 생각한 대로 느끼고 그 뜻 또한 자기 식으로 정리하여 말한다. 그래서 대상을 보되 실은 자기 모습을 보는 것이다. 대상과 나는 서로 다른 개체이되 이런 이치로 공감적 소통이 된다.

(2) 동병상련적 공감과 언어문화 – 주 – 객(主客) 대응

삼라만상이 서로 관계 속에 존재한다는 사실을 바탕으로 시야를 좀 더 확대할 수도 있겠다. 삼라만상을 의미 있게 인식하는 일은 삼라만상 그 자체를 분명하게 아는 데서 한 차원 높은 수준의 의의로 발전한다. 삼라만상의 의미를 읽음으로써 거기서 나를 알게 됨―이른바 대상을 통한 '나'의 인식이다. 대상에서 나와 같은 점을 보아 알거나 반대로 나와 다른 점을 보아 깨닫는 일은 그 대상의 참된 본질과 의미를 새롭게 발견하도록 해 준다. 이런 동병상련적 공감으로 이루어진 노래의 대표적인 본보기로 <정선아라리>를 본다.

> 삼각산 중토리 비 오나마나
> 어린 가장 품안에 잠 자나 마나
>
> 이웃집 서방님은 군도칼 차는데
> 우리집 저 문딩이 정지칼 차네

<정선아라리>가 활발하게 불리는 정선 지역에 가면 그 고장 사람들은 거의 시인이라 해도 좋을 정도의 즉흥적인 작시 능력을 지니고 있음을 언제 어디서든지 확인하게 된다. 이와 비슷한 노랫말을 현장에서 그 때 그 때 상황에 맞게 작시해 내는 솜씨가 그러하다. 그 작시의 원리는 퍽 단순하다. 어떤 대상이든지 그것의 특징과 나[주체] 사이에 닮은 점이거나 아니면 반대인 점을 핵심어로 삼아 생각을 내놓는 것이 그 요체이다.

이를 다른 말로 '주―객(主客) 대응'의 방식(김대행, 1980:93-111)이라고도 한다. '주(主)'는 화자이고 '객(客)'은 대상이다. 대부분의 민요는 생활 속의 사물이거나 아니면 쉽게 대할 수 있어 친숙한 자연물 또는 자연 변화를 객으로 삼아 시상을 얻어낸다. 대상을 나와 대응시켜 비교·대조함으로써 관계를 맺어 인식(認識)하고 그것을 말로 드러내는

작시법이다. 사물을 인식하거나 설명하는 아주 좋은 방법이 비교·대조의 방법임은 잘 알려져 있다. 일상생활에서도 아주 흔하게 사용함이 그 증거다.

그러나 이를 표현 방식의 차원으로만 한정하지 말고 좀더 깊은 데 눈을 주어 그 인식론적 의의까지 살필 필요가 있다. <정선아라리>(김시업, 2003:214, 233)의 노랫말을 두엇 더 덧붙여 이해를 돕고자 한다.

국화두 한철 매화두나 한철
우리두 요만 시절이 또 한 때로구나

남의 집의 낭군은 자동차 기차를 타는데
우리 집의 저 멍텅구리는 콩밭골로 가누나

꼼꼼히 살피면 보는 시선에 따라 '나'를 인식하는 방향도 달라짐이 드러난다. 이 세상 삼라만상을 있는 대로 보라는 말을 흔히들 하지만 실은 '보는 대로 있다'는 명제를 뒷받침하는 언어문화 활동이다. 물론 이것이 우리만이 지닌 문화적 특징인 것은 아니다. 세계 어느 문화권을 막론하고 공감적 발상을 모태로 해서 이루어지는 언어문화는 기본적으로 주-객의 대응으로 시상을 얻어내는 것이 가장 근원적이고 일반적인 작법이다. 이런 방식이 바로 동병상련적 공감으로 소통하는 방식이기 때문이다.

나. 이심전심(以心傳心)의 공감

(1) 이심전심적 공감의 시 읽기

'이심전심(以心傳心)'의 뜻부터 새겨 본다. 사전은 '마음과 마음으로 서로 뜻이 통함'이라고 풀이하고 불교에서 온 말이라고 덧붙인다. 실은 일상에서도 이 말은 많이 쓰는데 그렇기는 해도 그 뜻은 물론이거니와 이심전심의 경지를 경험해 보기는 결코 쉬운 일이 아니다. 이 세상에는 그야말로 천차만별의 온갖 잡다하고 이질적인 것들로 가득한데 아무리 예사로운 것이라도 서로 다른 존재 사이에 마음이 통하게 되기가 쉬울 까닭은 없다.

그러기에 마음과 마음으로 서로의 생각이 오고가 같은 마음이 되는 세상은 누구라도 바람직한 일로 여기고 그렇게 되고자 한다. 그러나 그 일이 결코 쉬울 수는 없음은 물론이다. 이심전심이 이루어지려면 먼저 서로 알아야 하고 나아가 이해함은 물론 같은 경지를 이루어야 한다. 그래서 이 일은 사람과 사람 사이에 이루어지는 공감의 높은 수준일 수밖에 없다. 알고 이해하는 일이 쉬울 까닭은 없다. 더구나 말에 의지하지도 않으면서. 그러니 알고 이해한다는 것은 마음의 껴안음 혹은 하나됨이 된다. 그래서 공감(共感)이다.

그런 모습을 그려낸 시를 한 편 읽는다.

묵화(墨畵)   김종삼

물 먹는 소 목덜미에
할머니 손이 얹혀졌다.
이 하루도
함께 지났다고,

서로 발잔등이 부었다고,
서로 적막하다고.

'이심전심'이라고 했으니 자질구레한 말을 삼가는 쪽이 오히려 시의 이해를 도울는지도 모르겠다. 그저 그냥 읽고 그 정경을 떠올려만 보더라도 오가는 마음들이 짐작된다. 할머니 마음, 소의 마음 그리고 '적막'이라는 아주 짧막한 단어 — 이 정도면 됐다 싶기도 하다. 덧붙일 말이 더는 필요 없어 보이기도 한다.

그래도 덧붙여 본다. '묵화'라는 제목 또한 절묘하다. 거무스레한 먹빛 — 짙고 옅은 차이밖에 없는 검은색만으로 그린 그림이 묵화다. 그걸 머리에 떠올리면 이 광경이 전개되는 저녁 시간이며 외양간이며 할머니 모습이 선하게 보인다. 그 거무스레한 정경을 그려낸 묵화가 말해 주는 삶 — 그 고단함과 적막함을 더 말하지 않더라도 충분히 짐작이 가고도 남는다.

이처럼 생각하기에 이르렀다면 시와 독자 사이에도 이심전심이 충분하게 이루어진 셈이다. 그래 자칫하면 우리의 화제를 놓칠 수도 있다. 그러기에 다시 분명히 해 둔다. 우리가 함께 이해에 도달하고자 하는 '이심전심'이 그러니까 말이 없이 마음을 다 전하고 또 이해하는 것이 공감적인 소통의 방법으로 매우 훌륭하다는 점이다. 두 차례나 쓰인 '서로'라는 말이 이심전심을 더 깊고 그윽하게 이끄는 듯도 싶다.

이 할머니와 소는 이심전심으로 충분히 서로의 마음을 소통했을 듯하다. 그래서 고단하되 마음만은 편안하게 밤을 맞이할 수 있을 것으로 보인다. 이런 이심전심적 소통을 위해서 그러한 것인지 시행도 몹시 짧다. 그러면서도 여기에 더 덧붙일 말은 없을 것으로 보인다. 덧붙이면 뱀에 발을 그려 넣는 꼴이 되고 말 것이다.

이심전심으로 읽으면 더 잘 이해가 될 만한 시를 한 편 더 올린다.

상사화(相思花)　　　　　　　　구재기

내 너를 사랑하는 것은
너와는 전혀 무관한 일이다

지나는 바람과 마주하여
나뭇잎 하나 흔들리고
네 보이지 않는 모습에
내 가슴 온통 흔들리어
네 또한 흔들리리라는 착각에
오늘도 나는 너를 생각할 뿐

정말로 내가 널 사랑하는 것은
내 가슴 속의 날 지우는 일이다

상사화는 다 아다시피 한여름의 더위가 사라지는 9월쯤에 피는 꽃이다. 한 뿌리에서 자라는 꽃나무이되 잎은 영원히 꽃을 보지 못하고 꽃은 영원히 잎을 보지 못한다. 말 그대로 '영원히'다. 그러기에 잎과 꽃이 할 수 있는 일은 마음속으로 그리워하는 일일 뿐이다. 그래서 이름도 '서로 그린다'는 뜻의 '상사화(相思花)'다. 이 시는 그토록 안타깝게 그리는 마음을 아프게 노래한다. 생각하고 그리워할 일밖에 더는 할 수 있는 일이 달리 없다. 그러기에 이 생각에서 벗어나려면 "내 가슴속의 나를 지워야 한다"는 생각에 이른다. 그러나 생각해 보자. 내 가슴속의 '나'를 지우는 일은 내가 이 세상에서 사라지거나 해야만 가능할 일이다.

서로 만날 길도 없으면서 사랑하지 않을 방법이 달리 없는 것이 상사화다. 그러기에 상사화야말로 이심전심의 삶을 가장 분명하게 실천하는 꽃이라는 역설도 가능해진다. 그렇다! 이심전심은 이렇듯이 만나지도 보지도 못하면서도 가능하다. 그리워하고 마음으로만 기억하고 끝내 손을 잡아볼 수도 쓰다듬을 수도 없는 사랑. 그토록 가혹한 사랑이 실은 모든 사랑의 진정한 이심전심하는 참모습임을 이 시는 다시 한 번 일깨운다.

(2) 이심전심적 공감과 언어문화 – '경기하여(景幾何如)'의 어법

노래로도 만들어져서 널리 불리는 시 한 편을 읽는다. 이 노래를 부르는 가수의 나직하고 굵은 목소리에 얹혀 이별에 띄워 보내는 사연은 참으로 간절한 느낌을 준다. 시와 노래가 본디 하나라는 생각을 더욱 분명하게 갖도록 도와주기도 하는 노래이다.

이별 노래   정호승, 이동원 노래

떠나는 그대
조금만 더 늦게 떠나준다면
그대 떠난 뒤에도 내 그대를
사랑하기에 아직 늦지 않으리

그대 떠나는 곳
내 먼저 떠나가서
나는 그대 뒷모습에 깔리는
노을이 되리니

옷깃을 여미고 어둠 속에서
사람의 집들이 어두워지면
내 그대 위해 노래하는
별이 되리니

떠나는 그대
조금만 더 늦게 떠나준다면
그대 떠난 뒤에도 내 그대를
사랑하기에 아직 늦지 않으리

그대 떠나도 오히려 사랑하기에 아직 늦지 않다니 참으로 오묘한 마음의 말소리를 듣는다. 그러면서도 사람의 마음이 그럴 수도 있구나 하는 깨달음을 가지게 되니 노래로 세상의 이치를 배우기도 함을 생각하며 놀라게 된다. 그러면서 사람은 이별할 때 가장 아름다운 사랑의 마음을 가지게 되는지도 모르겠다는 생각에 이르게 된다. 이별이 사랑을 깊게 한다니, 참 말 그대로 모순이다. 이러니 비극이 어디 따로 있으랴. 사랑 그 자체가 곧 비극인 것을.

고전시가 가운데도 그런 이별의 마음이 담긴 노래들이 더러 보인다. 어림잡아 대략 2천 년 전의 노래다.

공무도하가(公無渡河歌)   백수광부(白首狂夫)의 처

公無渡河	임이여 물을 건너지 마오.
公竟渡河	임은 결국 물을 건너시네.
墮河而死	빠져 죽고 말았으니,
當(將)奈公何	돌아간(장차) 당신 어이 하잔 말고!

그런데 노랫말이 들여다볼수록 의아스럽다. 생각해 보자. "당신 어이 하잔 말고!"라니! 사랑하는 임이 첨벙첨벙 강물에 들더니 빠져 죽고 말았다. 그러니 강물에 빠져 죽은 임은 이제 이 세상에 없다. 이미 죽었으므로. 하긴 아직 강물에 떠내려가지는 않았기에 그렇게 노래했는지는 모르겠다. 하지만 설령 그렇더라도 "돌아간(장차) 당신 어이하잔 말고"라고 하거나 혹은 괄호 안의 그것처럼 "장차 당신 어이하잔 말고"라고 울부짖는 건 좀 야릇하다. 죽은 임은 이미 말을 들을 수도 없고 어떤 반응을 할 수도 없지 않은가?

경험에 비추어 혹은 다른 경우로 미루어 생각해 본다. 이런 상황에서는 누구나가 일단 목놓아 탄식하리라. 그 한탄의 사설이야 저마다 다양하겠지만 대개 "난 어쩌라고!"라고 하지 않을까 싶다. 죽은 사람은 이미 죽었고 슬픔이며 뒷일의 처리며 그리고 내가 살아갈 일이며가 다 산 사람의 몫일 따름이니까. 그런데 이 노래는 '돌아간(장차) 당신 어이 할꼬'[當(將)奈公何]라고 기록하고 있다. 그래서 더욱 그러하지만 이 구절을 우리말로 옮기기란 정말 쉽지 않다.

'나'[我]라는 표현이 들어 있지 않은 것이 더욱 특이하다. 그 대신 "당신[公] 어이 하잔 말고!"라고 부르짖는다. 이미 죽었는데……. 이상하지 않은가? 달리 보면 어색해 보이기조차 한다. 왜 이런 식으로 말했을까? 한자로 옮길 때 잘못해서 그런 걸까? 그러나 그렇지 않다고 해야 할 단서를 일상의 언어표현에서 확인할 수 있을 듯도 하다.

매우 충격적인 사태에 접했을 때의 일상언어 표현은 대체로 "어떡해!"가 대표적이다. 주어가 '나'인지 '너'라야 하는지는 어딜 봐도 알 수 없다. 지역적 방언의 특성에 따라서 그 표현이 "어쩌?"(중부), "우야꼬?"(영남), "어찌까?"(호남), "어떵?"(제주) 등 다양할 수는 있다. 이처럼 다양한 방언적 차이에도 불구하고 질문과 위안의 초점은 동일해 보인다. 그 일을 겪는 당사자인 '나'보다 그 일 자체에 질문이며 탄식의 초점이 모아진다.

물론 우리말은 흔히 주어를 생략하기도 하기에 그 주체를 정확하게 가릴 수 없어 그런 것인지도 모른다. 그래서 그 말이 향하는 방향이 애매한 것처럼 느끼게 되는 것으로 볼 수도 있다. 그렇지만 그 일을 겪는 사람보다는 그 일 자체에 대한 영탄이 의문형 표현의 핵을 이룸으로써 이심전심적 공감을 일으키는 것임을 다음 예(이문구, <공산토월(空山吐月)>)로 보완할 수 있게 된다.

> 기차가 떠난 시간은 오후 4시경이었다. 화차간의 짐들이 대강 자리를 잡자 석공은 파랑새 한 대를 피워 물며 지게 멜빵을 벗어 뉘었다.
> "이것, 원체 섭섭형께 말두 안 나오는디…… *원찌헌다*, 이냥 이렇게 떠버리니 *원칙허여*……"
> 그는 아쉬움을 못 이겨 부쩌지 못하고 있었다. 기적 소리가 길게 울려 퍼지자 석공은 내 어깨를 자기 품으로 얼싸안듯 당겨가며 약간 더듬거리는 어조로 말했다.
> "부디 성공해서 옛말허며 살으야 되어. 원제던지 편지 허구. 한 번이나 내려오게 되면 내 집버텀 들르야 허네…… 기별 자주 허구. 몸 성이 잘 올러가게……"
> 나는 가슴이 미어졌으므로 무슨 말 한마디 입 밖에 낼 수가 없었다.

강렬한 지방 사투리여서 정감이 짙게 묻어나는 소설의 한 대목이다. 굳이 표준어로 바꾸면 '어떡해' 정도로 표현하면 되겠다. 그렇지만 방언의 어조와 어우러지면서 질문이 아니라 강렬하고 진한 공감적 소통을 느끼게 되는데 그 요체는 '너'나 '나'가 아닌 '모두'가 함께 그 일에 대한 대처가 막막함을 토로한 것으로 읽힌다.

이제 여기서 한 걸음 더 나아가 그러한 이심전심적 공감을 불러일으키는 표현이 오랜 시대를 거쳐 오는 동안 풍미하면서 양식화까지 이루었음을 살피기로 한다. 고려시대에 시작된 것으로 기록되었지만 조선시대까지 널리 향유된 고전시가 양식이 바로 경기체가(景幾體歌)인데 그 양식의 특징을 요즘말로 옮긴다면 "어때"로 압축할 수 있다. 그 양식의 대표격이라 할 <한림별곡(翰林別曲)> 가운데 일부인 제4장만 본다.

한림별곡(翰林別曲)　　　　　　　　한림제유(翰林諸儒)

황금주(黃金酒) 백자주(柏子酒) 송주(松酒) 예주(醴酒)
죽엽주(竹葉酒) 이화주(梨花酒) 오가피주(五加皮酒)
앵무잔(鸚鵡盞) 호박배(琥珀盃)에 가득 부어
위 권상(勸上)ㅅ경(景) 그 어떠하니이꼬
유령(劉伶) 도잠(陶潛) 양선옹(兩仙翁)의 유령(劉伶) 도잠(陶潛) 양선옹(兩仙翁)의
위 취(醉)한 경(景) 그 어떠하니이꼬

경기체가는 한자투성이여서 오늘날 현대국어의 언어 감각으로 보면 친근감조차 느끼기 어려운 양식이다. 그럼에도 불구하고 조선시대까지 대단히 널리 유행했다는 기록이 있다.[24] 그처럼 널리 그리고 오랜 세월에 걸쳐 향유될 수 있었던 경기체가의 핵심적 자질은 무엇이었을까? 그 시가양식의 명칭으로 사용된 '경기하여(景幾何如)'라는 말에서

---

24 퇴계(退溪) 이황이 이 노래를 몹시 못마땅하게 여겨 '거만하고 방탕스럽다[矜豪放蕩]'고 비난한 것으로 더 유명하다. 이런 비난은 역설적으로 당시 이 노래가 널리 유행하여 즐겨 불렸다는 추정의 증거로 삼을 만하다고 본다.

그 비밀의 열쇠를 찾을 수 있으리라는 생각이다.

앞에서 '어쩌지?'로 압축되는 표현이 공감적 소통을 나타내는 전형적인 표현이라는 점을 살폈다. 이를 바탕으로 추리한다면 '경기하여(景幾何如)'라는 후렴구가 노래하는 사람과 듣는 사람 사이의 공감적 다리를 놓았을 것으로 볼 수 있다. 말하자면 마음에서 마음으로 넘겨주는 이른바 이심전심의 요청이자 권유인 셈이다. 단적으로 말해 자기 느낌을 굳이 드러내 말하는 대신 상대에게 "그 경치 어때?"라고 물음으로써 상대방 즉 '남'의 의중을 중시하는 이른바 배려적 소통의 의도를 드러내는 것으로 느껴진다는 뜻이다.

이런 짐작은 오늘날 이런 저런 대중연설에서도 두루 확인이 가능하다. 예컨대 말하는 사람이 어떤 내용을 강조하면서 자기 생각을 압축하여 던져 놓고는 "나는 ……한데, 여러분 어떻게 생각하십니까?"라고 하여 공감을 이끌어내는 말하기 방식25에서 그런 용법의 흔적을 확인할 수 있다. 이 용법의 효용이 공감적 소통에 근거하여 발휘되는 것임은 두말할 나위가 없는 사실이다.

---

25 대중연설의 귀재(鬼才)라고 해야 할 정도로 탁월했던 김대중(金大中) 대통령이 이런 어법으로 선거 연설을 자주 하는 것을 들은 바 있다. 그 뒤로 정치가들이 이런 표현방식을 많이 본떠 사용했던 것으로 기억하고 있다. 그런데 조선초기 『월인천강지곡(月印千江之曲)』에서도 질문하는 형식으로 말끝을 맺음으로써 말하고자 하는 뜻을 더욱 강조하는 용법이 보여 흥미롭다. 이로 미루어 '어찌'형으로 표현한 의문형 어법은 매우 광범하게 활용된 이심전심적 표현이라고까지 말할 수 있을 듯하다. "외외(巍巍) 석가불(釋迦佛) 무량무변(無量無邊) 공덕(功德)을 겁겁(劫劫)에 어이 다 사뢰리―1장// 천룡(天龍)이 좇고 화향(花香)이 내리니 그날 장엄(莊嚴)을 다 사뢰리이까/ 마른 나무에 열매 열며 마른 내에 샘이 나니 그날 상서(祥瑞)를 다 사뢰리이까―127장.

다. 관계형성(關係形成)의 공감

(1) 관계형성적 공감의 시 읽기

'관계형성(關係形成)'이란 본시 무관했던 사물들 사이에 새로이 관계를 지워 놓음을 뜻한다. 본디 무관했던 남녀가 사랑과 결혼으로 맺어지면 한 몸[夫婦一心同體]이 되고 한 가정이 이루어지듯 사람이며 사물을 막론하고 관계가 형성되면 공감이 기반을 이루는 공동체가 됨은 당연한 이치다. 이제 사회적 삶에서 관계형성적 소통의 모습이 어떠해야 할 것인지 그리고 그러한 소통의 의의가 어디까지에 이를 수 있는지 살피고자 한다. 먼저 관계 형성을 곧바로 화제로 삼아 노래한 다음 시는 이 방면의 대표작이라고 할 만하다.

꽃
　　　　　　　　　　　　　　　　　　김춘수

내가 그의 이름을 불러 주기 전에는
그는 다만
하나의 몸짓에 지나지 않았다.

내가 그의 이름을 불러 주었을 때
그는 나에게로 와서
꽃이 되었다.

내가 그의 이름을 불러 준 것처럼
나의 이 빛깔과 향기에 알맞은
누가 나의 이름을 불러다오.
그에게로 가서 나도
그의 꽃이 되고 싶다.

우리들은 모두
무엇이 되고 싶다.
너는 나에게 나는 너에게
잊혀지지 않는 하나의 눈짓이 되고 싶다.

자기만 생각하며 살아가기 쉽고 또 자기가 누구인지조차 모르는 것이 더 편하다고 생각하는 익명(匿名)과 타인의 사회에서 관계형성을 노래한 이 시는 현대의 사회적 삶의 모습에 비추어 볼 때 더욱 중요한 의의를 갖는다. 사물이건 사람이건 세상의 삼라만상이 그저 단순한 있음('다만 하나의 몸짓')을 넘어서서 서로에게 의미 있는 관계('꽃, 눈짓')가 되기를, 그래서 더불어 함께 살아가는 존재이기를 바라는 간절한 마음이 손에 잡힐 정도로 따뜻하고 정겹게 느껴진다. 또 그래야만 이 세상은 살 만한 곳일 수 있음을 생각하게 된다.

'나'와 '그'로 불리는 모든 것, 말하자면 삼라만상이 서로가 서로에게 의미를 지닌다면 그 세상은 마음과 마음이 마치 하나의 강물처럼 통하고 흘러넘치는 소통의 장일 수도 있으리라. 그렇게 해서 만들어 내는 빛이자 정이 바로 사랑이다. 애당초의 무의미에서 '잊혀지지 않는 무엇'에까지 이르게 된 공감이 곧 사랑의 마음이다. 그러기에 사랑이야말로 서로 달랐던 서로가 하나가 되기에 이르는 소통이리라. 그 모두를 포함하는 소통이자 그런 소통의 바탕이 바로 끈끈한 관계를 형성함으로써 가능함은 물론이다.

생각해 보면 이 세상 삼라만상은 그 어느 것 하나 무의미한 것이 없다. 심지어 세상에서 사라져 지금은 없는 것조차도 깊고 질긴 인연 속에서 관계를 지니기도 한다. 다만 관계가 없다고 생각하기에 저마다 각각이고 별개일 따름이다. 세상이 얼마나 끈끈하게 관계로 얽혀 있는가를 생각하게 해 주는 시를 함께 읽는다.

유리창에 이마를 대고 　　　　　이가림

유리창에 이마를 대고
모래알 같은 이름 하나 불러 본다
기어이 끊어낼 수 없는 죄의 탯줄을
깊은 땅에 묻고 돌아선 날의
막막한 벌판 끝에 열리는 밤
내가 일천 번도 더 입맞춘 별이 있음을
이 지상의 사람들은 모르리라
날마다 잃었다가 되찾는 눈동자
먼 부재의 저편에서 오는 빛이기에
끝내 아무도 볼 수 없으리라
어디서 이 투명한 이슬은 오는가
얼굴을 가리우는 차가운 입김
유리창에 이마를 대고
물방울 같은 이름 하나 불러본다

　이 시는 시행을 뒤따라가며 굳이 이러고저러고 되풀이할 필요조차
없어 보인다. 그저 시의 구절들을 빌어 삼라만상의 모든 만물이 얼마
나 깊은 인연 속에 있는가를 함께 생각할 기회로 삼고 싶다. '먼 부재
의 저편에서 오는 빛'이라고 하였다. 지상에서 사라지고 없지만 그 없
음을 뚫고 '날마다 되찾는 눈동자'라고도 하였다.
　간절하게 사랑해서 도저히 잃을 수 없는 존재를 잃었기에 가눌 길
없을 정도로 쓰라린 아픔. 어디 이 시처럼 잃어버린 눈동자만 그러하
랴. 삼라만상이 모두 하나로 얽혀 돌아가는 인연 속의 존재인 것을.

그러기에 이런 별을 생각하면서 하늘의 별을 보고 노래한 인연을 연상하게도 된다. "저렇게 많은 별 중에서/ 별 하나가 나를 내려다본 다./ 이렇게 많은 사람 중에서/ 그 별 하나를 쳐다본다."(<저녁에>, 김광섭)가 그러하다. 이 세상 모든 것은 별과 나처럼 모두 인연 속에 있다. 다만 다 손잡아 입맞추기가 어려우므로 멀리 있거나 무관한 것으로 느낄 따름이다. 그러기에 <저녁에>라는 시가 계속하여 던져주는 이런 질문은 당연해진다. "이렇게 정다운/ 너 하나 나 하나는/ 어디서 무엇이 되어/ 다시 만나랴." 맞다. 우리는 어디선가 무엇이 되어 다시 만나게 될 것이다. 세상 모든 것은 관계 속에 있음을 시가 새삼스레 일러준다. 그렇듯이 관계형성은 모름지기 삶의 당위임이 분명하다.

(2) 관계형성적 공감과 언어문화 – 시조의 ORM 구조

다음 노래는 오래 전에 만들어진 유행가로 잘 아다시피 지금도 널리 불린다. 이 노래가 그만한 인기를 얻을 수 있었던 요소야 다양하리라. 그렇긴 해도 부엉새며 가랑잎처럼 본시 무심하게 마련인 자연물까지 한데 묶어 공감 속에 있는 존재로 묶어낸 솜씨가 절묘해서 인기의 큰 요인이 된 것이 아닌가 싶기도 하다. 말하자면 삼라만상의 관계형성적 공감을 통한 소통인 셈이다.

비 내리는 고모령　　　　　현인 노래, 유호 작사

　　어머님의 손을 놓고 떠나올 때엔
　　부엉새도 울었다오 나도 울었소
　　가랑잎이 휘날리는 산마루턱을
　　넘어오던 그날 밤이 그리웁구나

이 노래를 부르거나 듣다가 문득 생각하면 이 세상 삼라만상 가운데 우리와 무관한 것은 도대체 무엇이 있겠는가 하는 깨달음에 이르게도 된다. 부엉새가 운다면 그건 배가 고프든지 아니면 놀랬든지 제 사정 때문에 우는 것이고, 가랑잎이 휘날린다면 그거야 뭐 가을이라서 그렇다고 해 버릴 수도 있다. 하지만 그래버리면 세상은 이른바 사막과 무엇이 다를까? 생각을 바꿔 삼라만상 모두가 다 지구라는 행성에서 함께 살아가는 운명공동체의 일원이거나 생활공동체의 구성원인 것으로 생각해 보자! 세상은 문득 정겹고 살 만한 곳으로 느껴지지 않는가. 이 노래가 불러일으키는 것은 바로 이런 관계형성적 공감이리라.

이제 삼라만상이 주체인 '나'와 관계를 형성함으로써 비로소 의미를 지니게 된다는 사고방식이 시조 형식의 원리로 작동하고 있음을 살필 차례이다. 먼저 다음 시조에 등장하는 대상물인 강물, 달빛, 낚시, 고기 등의 관계가 서로 어떠하며 또 노래하는 주체인 '나'와 그것들의 관계는 또 어떠한가에 주목하면서 읽어 본다.

추강에 밤이 드니   월산대군

추강(秋江)에 밤이 드니 물결이 차노매라
낚시 들이치니 고기 아니 무노매라
무심한 달빛만 싣고 빈 배 저어 오노라

초장은 '추강(秋江)'이 핵심어다. 계절은 가을이고 시간은 밤이다. 가을 밤이니 강물은 물론 썰렁하겠다. 그런데 가을, 밤, 그리고 강물— 이것들은 서로 무슨 관계일까? 아무 관계가 있어 보이지 않는다. 강물도 그냥 강물이고 '나'는 그냥 나다. 말하자면 천지에 널린 모든 것은

각기 별개의 것이다. 제 각각 저대로 따로 따로 각기 있을 따름이다.

이제 종장을 먼저 본다. '달빛'이며 '빈 배'가 등장하는데 각기 따로 있는 것이 아니라 '달빛이 빈 배에 가득'하다고 했다. '나'는 그 '달빛 가득한 빈 배를 저어 온'다. '달빛' 그리고 '배(강물' 또 그 위의 '나' — 이렇게 모두가 한 폭의 그림 속으로 들어와 한데 뭉쳐진다. 말하자면 모두 한데 묶여 한 덩어리인 조화를 이룬다.

추강, 밤, 차가움 — 이렇듯 제각각이던 것들이 어떻게 해서 종장에서 하나로 묶이게 되었는가? 그 질문에 대한 답이 중장이다. '고기 아니 무는 낚시'가 '나'로 하여금 배에 달빛을 싣고 저어 오게 한다고 하였다. 말하자면 초장에서는 제각각이던 사물인데 중장이 그것들의 관계를 맺어주는 계기가 되고, 종장에서는 모두를 하나로 뭉뚱그려 한 덩어리로 만들어 낸 셈이다.

여기서 우리가 주목할 것은 본시 무관했던 것이 <비 내리는 고모령>의 부엉새며 가랑잎처럼 '나'도 울 듯이 이 시조의 종장에서는 모든 것이 '나'와 하나가 된다는 점이다. 시조는 관계를 형성하는 모습을 초→중→종장의 세 단계를 거쳐서 보여준다. 바로 이것이 시조의 핵심적인 기제(機制)이다. 시조 3장의 이러한 관계를 좀더 확연하게 이해하기 위해 시조 한 수를 더 살핀다.

이화에 월백하고   이조년

이화(梨花)에 월백(月白)하고 은한(銀漢)이 삼경(三更)인 제
일지춘심(一枝春心)을 자규(子規)야 알랴마는
다정(多情)도 병(病)인양 하여 잠 못 들어 하노라

이 시조 초−중−종장의 구조 또한 앞의 시조와 같은 구조로 짜여 있다. 초장은 배꽃, 달빛, 은하수, 깊은 밤이 제 각각 독립된 자연물로 있다. 그런데 종장은 문득 '다정함이 병이 되어 잠 못 이루는 나'로 모든 것이 뭉뚱그려진다.

그러면 도대체 무엇이 모든 것을 한데 묶어 주는가? 다름 아닌 중장의 '일지춘심(一枝春心)'이다. 자규조차 알지 못하는 설레는 '봄바람'—무언지 모르게 자꾸만 생각으로 이어가게 만드는 그 '춘심', 밤새워 우는 자규조차도 알지 못할 까닭 모를 봄밤의 설렘—바로 이 마음이 그 제각각인 모든 것을 한데 묶어 버린다. 그래서 끝내는 다정이 병이 되어 잠을 이루지 못하는 밤이 되고 만다. 이렇듯이 사람을 흔들리게 휩싸 도는 '일지춘심'이 아니라면 이 시조는 그저 과수원의 어느 봄날 불침번(不寢番) 근무일지의 수준을 벗어나기 어려웠으리라.

두 시조의 단계적 전개에 따라 이루어지는 관계형성의 구조를 표로 만들어 간결하게 정리해 본다.

장	ORM	'추강에 밤이 드니~'	'이화에 월백하고~'
초장	대상(Object)	물결 차가운 가을밤의 강	배꽃·달빛·은하수의 하얀 깊은 밤
중장	관계(Relation)	고기도 물지 않는 낚시질	싱숭생숭일 수밖에 없는 일지춘심(一枝春心)
종장	의미(Meaning)	달빛만 가득한 배 젓는 나	정에 겨워 잠 못 이루는 나

시조가 세계에 유례가 드물 정도로 간결한 형식이라는 점은 누구나 알지만 초−중−종장의 관계가 이러하여 삼라만상이 '나'와 조화를 이루도록 생각을 이끌어가는 형식이라는 점에 대해서는 주목한 바 없었다. 그러나 시조 3장은 그저 셋으로 된 초−중−종장이 차근차근 연

결되는 형식이 아니다. 초장에서 제시한 사물들을 중장이 뭉뚱그려 관계를 형성하고 이렇듯 유기적 관계를 이룬다. 그리하여 종장에서는 모든 것이 '나'와 조화를 이루는 구조로 되어 있다. '나'는 말하자면 삼라만상을 바라보는 주체인데 그저 바라보기만 하는 것이 아니라 그 사물들과 관계를 맺음으로써 대상들에 의미를 부여하는 역할을 한다.

시조의 종장에서 삼라만상이 '나'와 조화를 이룬다는 것을 달리 말하면 삼라만상이 내게 던져주는 의미(Meaning)가 종장에 담긴다는 뜻도 된다. 따라서 각장의 의미와 기능을 구체적으로 명명한다면 초장은 대상(Object)의 제시이고 중장은 관계(Relation)의 형성 그리고 종장은 의미(Meaning)의 부여와 해명이라고 정리해 말할 수 있다.

이러한 구조를 압축하여 정리해 기호로 나타낸다면 O(bject)-R(elation)-M(eaning)의 짜임으로 정리하여 보일 수 있다. 이렇듯이 시조의 구조 원리를 'ORM 구조'(김대행, 2000:121-143)로 명명한 것은 단순한 구조의 분석을 넘어서는 의의가 있다. 시조 양식이 삼라만상과 주체의 관계 형성을 지향하고 나아가 관계 형성적 공감[26]을 핵심적 지표로 삼는 양식이라는 점이 중요하다.

---

26 이렇게 말하면 시는 다 그런 것이 아닌가 하는 반문이 있을 수도 있겠다. 그러나 유명한 중국의 한시 한 수를 예로 들어 살핀다. "千山鳥飛絶(산이면 산 모두 다 나는 새들 그치고)/ 萬徑人蹤滅(길이면 길 어디나 사람 자취 끊겼네)/ 孤舟簑笠翁(외로운 조각배에 삿갓 쓴 저 노인)/ 獨釣寒江雪(홀로 차갑게 눈 덮인 강에 낚시 담그네)―유종원(柳宗元), <강설(江雪)>" 이 시는 많은 사람이 평했듯이 격조가 매우 높고 우아함이 사실이다. 그렇기는 해도 시조의 초-중-종장이 보여주는 것처럼 삼라만상이 '나'와 조화를 이루는 ORM 양식의 관계 형성과는 관계가 없어 보인다. 시의 경지가 매우 격조 높은 한 폭의 그림 같기는 해도 그 의미는 바라보는 각자의 몫으로 둘지언정 '나'와 관련지어 의미를 부여하는 것과 다르다는 뜻이다. 이에 반해 시조의 종장은 거기 등장하는 사물들이 <비 내리는 고모령>의 '부엉새'나 '가랑잎'처럼 '나'와 관계를 맺음으로써 그 의미를 드러내는 구조라는 특성에 차이가 있다.

이처럼 우리 삶과 일체를 이룬다는 관점에서 본다면 시조의 양식은 단지 한 시대를 풍미했던 형식적 틀이라는 차원을 넘어선다. 나아가 우리 삶의 방식이 그러했음을 형식으로 구조화하여 드러내 주는 문화적 양식이라고도 볼 수 있다. 그러기에 시조는 '우리'와 우리를 둘러싼 삼라만상인 '대상들'을 유기적인 관계로 바라보는 인식론적 특질의 표상이 된다.

제4장

꿈꾸기의
시와 언어문화

누구나 사람다운 삶을 누리고자 한다. 그러기에 사람다운 존재가 되려면 무슨 일을 어떻게 해야 할까도 늘 궁리하게 마련이다. 이렇듯 사람마다 저다운 삶을 위해 '실현하고 싶은 희망이나 이상'을 꿈이라 한다. 그래서 사람은 끊임없이 꿈꾸는 존재이기도 하다.

저마다 꿈꾸는 저다운 삶은 자기 자신이 살아가는 이유를 실제로 실현하는 실천이기도 하다. 이처럼 저다운 삶을 꿈꾸고 실천하는 일을 '실존(實存)'이라고도 한다. 그러기에 시를 읽고 쓰는 일은 실존을 위한 언어활동이기도 하다.

1

실존적 존재 : 꿈꾸는 인간

가. 인간과 꿈꾸기

사람은 누구든지 언제나 무엇인가를 꿈꾼다. 그리고 그 꿈을 이루어 내고자 노력한다. 그래서 꿈은 다만 꿈에 머물지 않고 삶을 추동하게 만드는 동력이 되기도 한다.

(1) 삶과 현실

삶의 현실은 매우 다양한 모습으로 우리 앞에 전개된다. 그리고 사람은 누구나 그 현실을 기쁘고 만족스럽게 감당함으로써 행복에 이르게 되는 삶을 바란다. 그렇지만 실제로 겪게 되는 삶의 현실은 언제나 아쉽고 모자라며 그래서 '오늘'은 항상 불만투성이인 것이 보통이다. 이러한 모습을 그대로 드러내 생각하게 해 주는 시 한 편을 읽는다.

새들도 세상을 뜨는구나　　　황지우

영화가 시작하기 전에 우리는
일제히 일어나 애국가를 경청한다

삼천리 화려 강산의
을숙도에서 일정한 군(群)을 이루며
갈대숲을 이륙하는 흰 새떼들이
자기들끼리 끼룩거리면서
자기들끼리 낄낄대면서
일렬 이열 삼열 횡대로 자기들의 세상을
이 세상에서 떼어 매고
이 세상 밖 어디론가 날아간다
우리도 우리들끼리
낄낄대면서
깔쭉대면서
우리의 대열을 이루며
한 세상 떼어 메고
이 세상 밖 어디론가 날아갔으면
하는데 대한 사람 대한으로
길이 보전하세로
각각 자기 자리에 앉는다
주저앉는다

　오래 된 옛날의 기억이 떠오른다. 극장에서 영화 시작 전에 보여주던 <애국가>의 화면이 그러하였다. 온 하늘을 가득히 뒤덮으며 날아가는 새떼들을 보면서 사람들은 문득 그런 생각을 하기도 했다. '저 새들처럼 이 세상 밖 어디론가 날아갔으면' 하는 소망이 가슴 저 밑바닥에서 치밀어 올라옴을 느끼곤 했다. 왜? 이유는 단순하다. 늘 그렇게 생각해 왔기 때문이다. 언제거나 현실은 그런 생각을 하게 만든다. 할 수만 있다면 그렇게 늘 벗어나고 싶음—이를 바꿔 하는 말 가운데 하나가 '꿈'이다.

이 시가 발표되던 당시가 몇 년도쯤이며 그 때 시인이 살던 세상이 어떠했으며……. 이런 것들은 굳이 묻지 않아도 된다. 하긴 지금도 텔레비전 방송이 끝나거나 시작할 때 이런 장면을 포함하는 <애국가> 화면을 볼 수도 있긴 하다. 그러니 이 시가 특정한 시기와 관계가 없어도 좋다. 바로 오늘의 이야기라도 좋고 혹은 내일이나 모레 그럴 것이라고 해도 무방하다. 이유는? 사람은 언제나 이런 꿈을 품고 사는 존재이기 때문이다.

(2) 실존의 모습

먼저 꿈꾸기가 왜 실존의 문제인가를 살피기 위해 '실존'의 뜻풀이 (국립국어원, 『표준국어대사전』)를 먼저 본다.

> 실존(實存) 「명사」
> 「1」실제로 존재함. 또는 그런 존재.
> 「2」『철학』사물의 본질이 아닌, 그 사물이 존재하는 그 자체. 스콜라철학에서는 가능적 존재인 본질에 대하여 현실적 존재를 뜻한다.
> 「3」『철학』실존철학에서, 개별자로서 자기의 존재를 자각적으로 물으면서 존재하는 인간의 주체적인 상태.

실존철학이 설명하듯 사람은 누구든 "나는 누구인가?" 혹은 질문을 바꾸어 "나는 왜 사는가?"를 끝없이 묻고 그에 따라 자신의 삶을 기획하고 수행하는 존재이다. 그러므로 이 질문은 '나다움'을 실현하는 목표와 실행의 방법에 대한 물음이기도 한데 그에 답하는 길이 바로 저마다의 꿈꾸기이다. 무엇을 해야 하며 어떻게 하면 그 무엇을 이룰 수 있겠는지를 끊임없이 생각하면서 기획하는 일―바로 이것이 '꿈꾸기'이다.

사람은 누구나 저 자신의 삶을 사는 존재이고 그리고 생은 누구에게나 단 한 번뿐일 따름이다. 따라서 이 꿈꾸기의 방향에 따라 생의 길도 결정되고 꿈꾸기의 깊이에 따라 삶의 질도 결정되며 나아가 생의 성패 또한 이 꿈꾸기의 차이에 따라 갈리게 마련이다. 그러기에 만약 꿈꾸지 않는 존재가 있다면 그것은 이미 사람이기를 포기해서 그러하다는 말도 가능하다.

이처럼 자기다운 꿈을 지니고 그것을 실현하고자 노력하는 삶을 가리켜 '실존(實存)'이라 한다. 따라서 저마다 저답게 이 세상에 온 이유를 실천하려고 노력하는 데서 그 존재의 실존이 실현된다. 그러기에 그런 것이 억압되면 더더욱 그 욕구는 강해지게 마련이다. 그런 마음을 보여주는 시 한 편을 읽는다.

바다와 나비   김기림

아무도 그에게 수심(水深)을 일러 준 일이 없기에
흰나비는 도무지 바다가 무섭지 않다.

청(靑)무우밭인가 해서 내려갔다가는
어린 날개가 물결에 절어서
공주처럼 지쳐서 돌아온다.

삼월달 바다가 꽃이 피지 않아서 서글픈
나비 허리에 새파란 초생달이 시리다.

우리 모두는 이 시의 '나비'와도 같은 존재일 듯하다. 그렇다. 아무도 우리에게 '바다의 깊이'를 일러주지는 않는다. 그래서 꿈을 좇아 두려움 하나 없이 '청무우밭'이라 생각하며 거센 파도 몰아치는 바다로 내려간다. 하지만 꿈은 그러해도 현실은 늘 '날개가 물결에 절듯' 꿈에 좌절을 안긴다. 그래서 삶의 모습은 푸른 하늘의 초생달처럼 시리디 시린 나비의 그림이 된다.

이 시를 두고 현실에 좌절하는 젊은 인텔리들의 상징이라고 풀이하는 것은 그래서 아마 맞는 말일 것이다. 그러나 조금만 눈을 크게 떠보면 언제 어디서건 꿈은 늘 파도에 부딪혀 절어버리는 나비의 날개와 같은 모습이 된다. 골디온신전의 기둥에 묶인 매듭을 푸는 대신 단칼로 잘라버린 청년대왕 알렉산더의 패기도 결국은 나래를 접고 젊디젊은 생을 마감해야 했다. 이것이다. 모든 인간은 꿈을 꾸기에 살아갈 수도 있고 또 그래서 좌절하며 살아간다. 그래도 포기하지 않고 다시 꿈꾸기 — 이것이 바로 인간 실존의 모습일 것이다.

나. 시와 꿈꾸기

(1) 꿈꾸기와 시 쓰기

시인에게 "시는 왜 쓰는가?"라고 물으면 그 답의 종류가 어쩌면 무한에 가까울는지 모르겠다. 이 세상의 모든 삶의 이유가 다 시를 쓰는 이유일 수도 있을 것이기에. 그렇지만 그 이유들을 묶고 묶어 뭉뚱그리면 대체로 꿈꾸기 위해 시를 쓴다는 데로 모아지리라. 이렇듯이 그 결과가 무엇이건 간에 시는 바라고 꿈꾸는 바를 노래하는 것이 보통이다. 그렇게 읽히는 시 한 편을 본다.

봄　　　　　　　　　　　　　　　　　　이성부

　　　기다리지 않아도 오고
　　　기다림마저 잃었을 때에도 너는 온다.
　　　어디 뻘밭 구석이거나
　　　썩은 물웅덩이 같은 데를 기웃거리다가
　　　한눈 좀 팔고, 싸움도 한판 하고,
　　　지쳐 나자빠져 있다가
　　　다급한 사연 듣고 달려간 바람이
　　　흔들어 깨우면
　　　눈 부비며 너는 더디게 온다.
　　　더디게 더디게 마침내 올 것이 온다.
　　　너를 보면 눈부셔
　　　일어나 맞이할 수가 없다.
　　　입을 열어 외치지만 소리는 굳어
　　　나는 아무것도 미리 알릴 수가 없다.
　　　가까스로 두 팔을 벌려 껴안아 보는
　　　너, 먼 데서 이기고 돌아온 사람아.

　이 시의 '너'가 무엇이겠는가 물으면 사람마다 얼마든지 달리 답할 수도 있다. 지난날 엄혹했던 사회적 삶이 계속되던 시절에는 정치적인 봄을 기대하는 꿈 이야기로 생각하기도 했다. 얼마든지 그럴 수 있다. 그러나 그냥 제목대로 봄이라는 계절을 반기고 있다고 이해해도 그만이다. 혹은 제목을 굳이 바꿔 '기다림'이라고 하자는 제안도 가능할 것이다. 아니면 『토정비결(土亭秘訣)』의 한 구절에 나오는 '삼년 대한(大旱) 가문 날에 단 비'가 내리는 것 같은 식의 행운이 전개되기를 기대하는 노래라 해도 좋을 것이다.

그러나 살다 보면 꿈을 꾸기조차 어려운 환경이며 세상을 더러 만나게도 된다. 그런 삶의 모습을 확인하는 기회도 삼을 겸 실로 처절한 꿈을 꾸는 시 한 편을 읽는다. 우리 삶의 구렁텅이가 어디까지 깊어질 수 있는지 생각도 해 보는 기회로 삼을 겸해서다.

노동의 새벽   박노해

전쟁 같은 밤일을 마치고 난
새벽 쓰린 가슴 위로
차거운 소주를 붓는다
아
이러다간 오래 못 가지
이러다간 끝내 못 가지

설은 세 그릇 짬밥으로
기름투성이 체력전을
전력을 다 짜내어 바둥치는
이 전쟁 같은 노동일을
오래 못 가도
끝내 못 가도
어쩔 수 없지

탈출할 수만 있다면,
진이 빠져, 허깨비 같은
스물아홉의 내 운명을 날아 빠질 수만 있다면
아 그러나
어쩔 수 없지 어쩔 수 없지
죽음이 아니라면 어쩔 수 없지

이 질긴 목숨을,
가난의 멍에를,
이 운명을 어쩔 수 없지

늘어쳐진 육신에
또다시 다가올 내일의 노동을 위하여
새벽 쓰린 가슴 위로
차거운 소주를 붓는다
소주보다 독한 깡다구를 오기를
분노와 슬픔을 붓는다

어쩔 수 없는 이 절망의 벽을
기어코 깨뜨려 솟구칠
거칠은 땀방울, 피눈물 속에
새근새근 숨 쉬며 자라는
우리들의 사랑
우리들의 분노
우리들의 희망과 단결을 위해
새벽 쓰린 가슴 위로
차거운 소주잔을
돌리며 돌리며 붓는다
노동자의 햇새벽이
솟아오를 때까지

이 시가 말하는 것과 같은 삶을 견뎌내야만 했던 시대의 기억을 우
리가 지난날의 현실로 지니고 있었음은 역사적 비극이었다. 또 이토
록 그늘져 어둡고 누추한 삶을 이어가야 했던 사람들이 실제로 있었
던 현실도 또한 부끄러운 일이었다. 누구에게나 인간답게 자신의 삶

을 꿈꿀 희망조차 보이지 않던 시절 — 우리는 그 시절을 금수(禽獸)와 다를 바 없는 오로지 생리적인 욕망과 안전의 욕구만으로 버텼음을 기억한다. 슬펐고 절망스러웠다.

이 시에 그려진 삶은 그 시대적 삶의 저 깊은 구렁에 갇혀 있어 보인다. 그런데도 이 시는 '노동자의 햇새벽이 솟아오를 때까지'라는 꿈을 꾸며 '소주를 붓는'다. 언젠가는 그런 꿈이 이루어지기를 다시 또 꿈꾸며 소주를 붓는 까닭은 간단하다. 사람이기 때문이다. 그런 꿈을 꾸기에 사람이고 사람이기에 꿈을 꾸면서 살아간다. 시인은 그처럼 어두운 음지에 한 가닥의 빛이라도 보내는 증언 아니면 예언이 되기를 희망하며 시로 꿈을 꾼다.

(2) 꿈꾸기의 두 국면

어느 정도 닮을 수는 있어도 생김새가 똑같은 사람이 없듯 사람마다 지닌 꿈 또한 똑같을 리 없기에 꿈은 천인천색(千人千色)일 수밖에 없다. 그러하니 사람들이 지닌 꿈꾸기의 실상이며 유형을 다 드러내거나 묶어 보이기는 어려운 일이다. 그래서 생각과 말의 두 국면으로 나누어 꿈꾸기의 실상을 살핀다.

꿈은 가슴에 품는 생각이 되어 마음속에 담기게 된다. 하지만 머릿속에 그리는 꿈이라도 그 간절함은 말이 되고 노래가 되어 가슴에 심어진다. 이처럼 생각과 말 그 둘은 본디 하나의 근원에서 나오기는 하였으되 실제로 그 꿈을 그리고 추구하는 활동은 사뭇 다르다. 먼저 머릿속으로 꿈을 그리는 시의 예를 본다.

그날이 오면   심훈

그날이 오면, 그날이 오면은
삼각산이 일어나 더덩실 춤이라도 추고
한강 물이 뒤집혀 용솟음칠 그날이,
이 목숨이 끊기기 전에 와 주기만 할 양이면,
나는 밤하늘에 나는 까마귀와 같이
종로의 인경을 머리로 들이받아 울리오리다.
두개골은 깨어져 산산조각이 나도
기뻐서 죽사오매 오히려 무슨 한이 남으오리까

그날이 와서 오오 그날이 와서
육조(六曹) 앞 넓은 길을 울며 뛰며 뒹굴어도
그래도 넘치는 기쁨에 가슴이 미어질 듯하거든
드는 칼로 이 몸의 가죽이라도 벗겨서
커다란 북을 만들어 들쳐 메고는
여러분의 행렬에 앞장을 서오리다.
우렁찬 그 소리를 한 번이라도 듣기만 하면
그 자리에 꺼꾸러져도 눈을 감겠소이다.

이 시는 분명 '그날'이 오기를 꿈꾸고 있다. '그날'이 어떤 날인가
는 이 시를 쓴 시인이 생존했던 시대와 그 역사적 상황을 분명하게 알
기에 충분히 추정할 수 있다. 두말할 것 없이 일제의 강점 상태에서
해방되는 날이 오기를 간절하게 꿈꾸는 시이다. 그 꿈이 얼마나 간절
한지 어떤 가혹한 벌이거나 상황이 닥치더라도 무릅쓰겠다고 했다.
혹은 또 그 이상의 처절한 괴로움을 겪게 된다 하더라도 그 꿈만은 꼭
실현이 되기를 기원하기도 한다. 하지만 아쉽게도 이 시를 쓴 시인은
그토록 간절하게 꿈꾸던 그날이 오기도 전에 세상을 하직하고 말았

다. 안타깝지만 꿈과 현실의 거리는 언제나 이러하였다.

이 시는 기어이 실현을 보지도 못한 꿈을 이처럼 강렬한 말로 표현하였다. 그러나 그렇기는 해도 이것은 시일 따름이다. 시임을 굳이 지적함은 현실 속의 언어가 아니라는 말이다. 실제가 아니라 머릿속에서 오가는 생각으로 이런 결연한 각오를 다진 것이다. 그렇다. 이건 '각오'이지 말은 아니다. 그러므로 '꿈꾸기'에 해당한다.

그러기에 이러한 꿈의 시를 이해하려면 그 꿈이 생각하는 바를 귀담아 들어야 한다. 어떤 조건에서 무엇을 꿈꾸었는지, 그 색깔이며 크기는 어떠한지, 그 총체적 실상을 이해해야 사람의 이해로까지 나아갈 수 있을 것이다. 이른바 꿈꾸기의 '구조'이다.

꿈을 말로 외치기도 한다. 마음에 심어 둔 꿈을 말로 표현하여 실현하기도 하고, 꿈을 말하는 그 자체로 어느 만큼의 성취감을 맛볼 수도 있다. 또한 꿈을 언어로 드러내어 노래함으로써 현실로 만들기도 한다. 그렇듯이 꿈을 실천하는 말의 시를 읽는다.

타는 목마름으로　　　　　　　　　김지하

　　신새벽 뒷골목에
　　네 이름을 쓴다 민주주의여
　　내 머리는 너를 잊은 지 오래
　　내 발길은 너를 잊은 지 너무도 너무도 오래
　　오직 한 가닥 있어
　　타는 가슴속 목마름의 기억이
　　네 이름을 남몰래 쓴다 민주주의여

　　아직 동트지 않은 뒷골목의 어딘가

발자국 소리 호루락 소리 문 두드리는 소리
외마디 길고 긴 누군가의 비명 소리
신음 소리 통곡 소리 탄식 소리 그 속에 내 가슴팍 속에
깊이깊이 새겨지는 네 이름 위에
네 이름의 외로운 눈부심 위에
살아오는 삶의 아픔
살아오는 저 푸르른 자유의 추억
되살아오는 끌려가던 벗들의 피 묻은 얼굴
떨리는 손 떨리는 가슴
떨리는 치떨리는 노여움으로 나무판자에
백묵으로 서툰 솜씨로
쓴다

숨죽여 흐느끼며
네 이름을 남몰래 쓴다.
타는 목마름으로
타는 목마름으로
민주주의여 만세

　이 시는 간절하게 그리는 '민주주의'를 향해 건네는 부르짖음 같은
말이다. 절절하게 꿈꾸는 바는 맨 마지막 줄에 담겨 있다. 이렇듯이
꿈을 노래로 드러내는 데는 '어떻게'라는 방법의 문제가 중요해진다.
말하기에 따라 꿈은 실현될 수도 있고 그러지 못할 수도 있다. 이 '어
떻게'가 바로 꿈꾸기의 '어법(語法)'이다.
　이제 꿈꾸기의 시를 살피는 두 국면을 '구조'와 '어법'으로 나누어
살핀다. 꿈꾸기의 '구조'는 무엇을 왜 꿈꾸는가 하는 마음의 이해에
초점을 맞추고. '어법'은 '어떻게'의 방법에 주목한다.

2

꿈꾸기의 구조

꿈을 꿀 수 있기에 사람이고 꿈의 내용에 따라 삶의 모습도 달라지므로 꿈은 모든 개인의 몫이라고도 하겠다. 그렇기는 해도 무슨 일이건 그럴 수 있을 조건과 계기가 마련되어야 한다. 그러하니 무엇을 꿈꾸며 또 무엇이 사람으로 하여금 꿈을 꾸게 만들며 어떤 상황이 어떤 꿈을 꾸게 만드는가를 생각해 본다. 이것이 꿈꾸기의 '구조'이다. 이를 건너편 바라보기, '만약에'로 가상하기, 창과 방패 아우르기의 세 방향으로 나누어 살핀다.

가. 건너편 바라보기

삶이며 현실을 생각하거나 말할 때 '이쪽/저쪽'을 나누어 생각하는 게 보통이다. 이쪽과 저쪽의 사이에는 흔히 강물이 가로막고 흐른다는 가상적인 생각도 담겨 있는 듯하다. 삶이 이루어지는 곳인 '여기'는 강의 '이쪽'[此岸]이라 하고 그 반대인 저쪽을 흔히 '건너편'[彼岸]이라 한다. 이쪽이 현실이라면 저쪽은 꿈의 세계라고 생각하는 것이 일반적이다.

(1) 건너편 바라보기의 시 읽기

누구든지 사람의 마음속에는 늘 '건너편'이 있다. 현실을 벗어난 저 건너 언덕에는 현실의 삶과는 다른 무언가가 있으리라고 생각하는 것도 일반적이다. 누구에게나 현실은 고되고 힘들기에 그 반대편인 저쪽에 눈을 던지고 기대도 걸어 본다. 그렇지만 '건너편'이란 지금 발을 디딘 현실이 아니라는 점에서 꿈이 분명하다.

건너편을 바라보는 생각이 꿈꾸기의 대표적인 기틀이 됨을 아주 쉽게 보여주는 시가 있다. 짤막하면서도 유명해서 이해도 쉬운 김소월의 <엄마야 누나야>이다. '엄마야 누나야 강변 살자/ 뜰에는 반짝이는 금모래빛/ 뒷문 밖에는 갈잎의 노래/ 엄마야 누나야 강변 살자' 흔히들 이 시를 목가적(牧歌的)인 전원(田園)의 아름다움을 노래한 시라고 하는데 그 말은 맞다. 그러나 그렇게만 생각하고 말면 엉뚱한 오해에 이르기 쉬운 함정이 있음에 주목할 필요가 있다.

이 시를 두고 곧바로 목가적인 전원에서 지내는 사람을 연상하는 데서부터 오해가 시작된다. 이 말이 실제의 상황이라 한다면 이 시에서 '강변의 삶'을 강조하는 사람이 과연 누구이겠는가 생각해 본다. 어디서 사는 사람이기에 이런 꿈을 꾸게 될까? 그러하다. 강변에 거처를 둔 사람이라면 대체로 이런 생각을 하지 않는다. 강변에서 지냈으면 하는 희망은 도회지에 사는 사람이나 떠올리고 꿈꾸게 마련이다. 강변이 도회지의 '건너편'임은 말할 것도 없다. 그래서 이처럼 건너편을 그리는 것을 가리켜 '피안(彼岸)의 꿈'이라고도 한다.

이번에는 좀더 다른 시각으로 건너편을 생각하는 꿈꾸기의 시를 읽는다.

또 다른 고향(故鄕)   윤동주

고향에 돌아온 날 밤에
내 백골이 따라와 한방에 누웠다.

어둔 방은 우주로 통하고
하늘에선가 소리처럼 바람이 불어온다.

어둠 속에서 곱게 풍화작용하는
백골을 들여다보며
눈물지는 것이 내가 우는 것이냐
백골이 우는 것이냐
아름다운 혼이 우는 것이냐

지조 높은 개는
밤을 새워 어둠을 짖는다.

어둠을 짖는 개는
나를 쫓는 것일 게다.

가자 가자
쫓기우는 사람처럼 가자
백골 몰래
아름다운 또 다른 고향에 가자.

　이 시가 말하고자 하는 바를 한마디로 압축한 말이 바로 제목 '또
다른 고향'이다. 그렇다. 이 시는 지금 찾아 돌아와 있는 현실의 고향
이 아닌 또 다른 고향을 그리는 꿈의 노래인 셈이다. 생각해 본다. 누

구나 편안함을 느끼게 마련인 고향에 돌아와서 이 고향 아닌 또 다른 고향으로 가고자 한다면 거기는 지금의 '나'가 아닌 '아름다운 혼'이 있는 곳임이 분명하다. 그러니까 정신적으로 건너편이다. 이 시가 수준 높은 지성의 꿈으로 읽히는 것도 정신적 아름다움에 속하는 지적인 꿈을 드러내어 노래했기 때문이다.

이처럼 건너편을 마음속으로 꿈꾸는 것은 사람이기에 필연적이라할 수도 있다. 그게 사람의 본성이기도 하므로. 그래서 동서고금을 막론하고 '저 건너' 혹은 '저 너머'를 그리는 문학적 꿈은 이루 헤아릴수가 없을 정도이다. "산 너머 남촌에는 누가 살길래/ 해마다 봄바람이 남으로 오네"(<산너머 남촌에는>, 김동환)이라든가 "산 너머 저쪽에는/ 누가 사나?// 뻐꾸기 영 우에서/ 한나절 울음 운다"(<산너머 저쪽>, 정지용)에서 보듯 산 너머처럼 보이지 않는 세계를 그리는 것이 꿈의 보편적 시작이다.

사람은 언제 어디서나 다 같은 모양이다. 저 건너편을 꿈의 촉발로 생각하는 일이 매우 보편적임을 증명해주는 외국의 시도 기억에 남아있다. 아일랜드 출신의 시인으로 노벨상을 받기도 했던 예이츠(Yeats, W. B.)가 쓴 <이니스프리호도(湖島)>라는 제목의 시는 한때 고등학교 국어책에까지 실려 사랑받기도 했다. '나 이제 일어나 가리/ 이니스프리로 가리/ 호숫가에 철썩이는 낮은 물결 소리 들리나니/ 한길 위에 서 있을 때나 잿빛 포도(鋪道) 위에 서 있을 때면/ 내 마음 깊숙이 그 물결 소리 들리네'라고 끝을 맺는 그 시는 그 섬이 마치 천국이라도 되는 것처럼 아름답게 묘사하였다. 꿈꾸기니까. 그러면서 그 섬이 '저 건너'이고 '이쪽' 혹은 '여기'는 '잿빛 포도' 위임을 분명하게 밝히고 있다. 실상이 이러하니 건너편을 꿈꾸는 시선은 만국(萬國) 또는 만인(萬人) 공통의 꿈꾸기라고 해도 무방하겠다.

(2) 건너편 바라보기와 언어문화-'저 건너' 꿈꾸기

서양의 예까지 살폈지만 옛날의 노래에서도 얼마든지 그런 꿈꾸기
를 확인할 수 있다. 고금을 가리지 않고 사람은 늘 너나 없이 피안(彼
岸)을 꿈꾸었던 증거라 하겠다.

풍파에 놀란 사공   장만

풍파(風波)에 놀란 사공(沙工) 배 팔아 말을 사니
구절양장(九折羊腸)이 물도곤 어려워라
이 후(後)란 배도 말도 말고 밭갈기만 하리라

이 시조가 꿈꾼 바에 대한 설명은 누구나 익히 아는 것이어서 덧붙
이는 일조차 오히려 부질없어 보인다. 이렇듯 사람이란 늘 자기와는
다른 쪽에 있는 것에 눈을 두게 마련임을 재삼 확인하게도 된다. 옛날
에도 그러하였음을 아주 분명하게 들려주는 것이 고려 때 노래 <청산
별곡(靑山別曲)>[27]이 아닌가 한다.

청산별곡(靑山別曲)   지은이 모름

살어리 살어리랏다 청산(靑山)에 살어리랏다
머루랑 다래랑 먹고 청산(靑山)에 살어리랏다
얄리얄리얄랑셩얄라리얄라[28]

---

27 <청산별곡>의 노랫말 가운데 일부는 앞(106쪽)에서 이미 본 바 있다. 그러나 부분 부
   분만 보았기에 전편을 다 살피기 위해 여기 다시 싣는다.
28 첫 연의 여음(餘音)만 드러내어 보이고 나머지는 생략한다.

울어라 울어라 새여 자고 일어 울어라 새여
너보다 시름 많은 나도 자고 일어 우니노라

가던 새 가던 새 본다 물 아래 가던 새 본다
이끼 묻은 장글란 가지고 물 아래 가던 새 본다

이렁공 저렁공 하여 낮으란 지내왔건마는
올 이도 갈 이도 없는 밤을랑 또 어찌 하리오

어디라 던지던 돌코 누리라 맞추던 돌코
미워할 이도 사랑할 이도 없이 맞아서 우니노라

살어리 살어리랏다 바다에 살어리랏다
나문재 구조개랑 먹고 바다에 살어리랏다

가다가 가다가 들어라 에정지 가다가 들어라
사슴이 짐대에 올라서 해금(奚琴)을 켜거늘 들어라

가더니 배부른 독에 설진 강술을 빚어라
조롱곳 누룩이 매워 잡사오니 내 어찌하리이꼬

　　<청산별곡>의 노랫말 중에는 아직도 제대로 그 뜻을 정확하게 헤
아리지 못하는 말이 더러 있어서 다소 아리송한 대목도 없지 않다. 그
렇기는 해도 담긴 꿈의 모습은 <엄마야 누나야> 혹은 <산너머 남촌
에는> 그리고 <산너머 저쪽>과 아무 차이가 없다. 앞에서 살핀 <또
다른 고향>과도 생각이 크게 다르지 않은 실존적 꿈을 노래한 것임이
쉽게 이해된다.
　　노래의 순서대로 따라가면서 노래를 형성해 낸 꿈의 기틀을 살핀

다. 노래의 제목 <청산별곡(靑山別曲)>의 '청산'부터가 저기 저쪽일 터이니 아주 적절해 보인다. 청산(靑山)의 이쪽은 어지러운 티끌세상일 것이다. 자, 저어기 저 청산에 가서 산다(1연)고 생각하자. 그런데 웬일인가? 거기면 그만일 줄 알았는데 아니다. 새의 울음이 외롭다(2연). 외로우니 3연의 새는 다시 어디론가 간다. 그렇게 하니 낮이야 그런대로 견디겠다. 하지만 아무도 오지 않는 밤은 또 어쩌란 말인가?(4연) 낙원이리라고 찾은 곳에서 거기엔 더한 고통이 있음을 발견한다. 미움도 사랑도 멀리했는데 돌을 맞다니!(5연) 이런 고통 속에 살아야 한다면 청산도 결코 낙원은 아니리. '배 팔아 말을 산 사공'처럼 이제 청산의 저 건너편인 바다를 향한다.(6연) 여기서 다시 시선은 삶의 저 건너에나 있을 놀이의 위안29으로 달려가고 만다.(7연) 그러나 놀이 또한 '이쪽'이 되는 순간 저 건너를 꿈꾸는 자리로 뒤바뀌고 만다. 그렇다! 결국은 최후의 위안이라고나 할 도취, '술'이다.(8연)

이 노래를 이런 식으로 읽는 것에 완강하게 반대를 한다 해도 상관하지 않겠다. 말이란 듣기에 따라 달라지듯 노래도 듣는 맥락에 따라 얼마든지 달라져야 마땅하기 때문이다. 말을 한 가지 뜻으로만 들으라고 하는 것은 억지라는 생각에는 동의할 것이다.

'저 건너'를 꿈꾸는 노래로 보기에 <청산별곡>을 두고 고려시대 무신(武臣)의 집권이니 죽림칠현(竹林七賢)이니 하는 말이 오가는 데는 동의하기 어렵다. 훗날 악보로 공간(公刊)까지 될 정도로 널리 알려진 노래가 죽림칠현과 같은 비밀결사 비슷한 사람들의 사연을 노래했으리

---

29 "사슴이 장대에 올라서 해금을 켠다"는 구절은 지금도 분명하게 짐작하기 어렵다. 그러나 그것이 광대와 같은 유흥패의 놀이이건 아니면 성적 상징이건 간에 '일'로부터 '놀이'의 세계로 눈이 옮아간 것만은 분명하다고 본다.

라는 가정은 현실적이라고 하기 어렵다. 그러니 <청산별곡>을 아주 강력한 꿈의 노래로 보는 것이 오히려 사람의 마음이 흘러가는 실상에 맞는 시각이라고 본다.

이런 꿈꾸기가 아주 보편적이기에 오늘날도 "저 건너편 강 언덕에 아름다운 낙원 있네."(<저 건너편 강 언덕에> — 통합찬송가 226장)라는 찬송가를 많은 사람이 친숙하게 느끼는 것이며 <요단강 건너가 만나리>(505장)라는 찬송을 뜻 깊게 노래하게도 된다. 이 모두가 건너편 바라보기의 본성에 뿌리를 내린 모습이겠다. 실상이 이러하므로 건너편 바라보기는 사람의 사람다움을 드러내는 징표라고까지 보아도 된다.

그렇지만 저 건너를 바라보는 시선이 언제나 긍정적이고 바람직한 것만은 아닌 데서 인간의 한계와 허점도 드러난다. "사촌이 땅을 샀나, 배를 왜 앓아."라는 속담이 그 방면의 대표격인데 건너편이 나의 꿈만을 부추기는 것이 아니라 시샘이나 미움까지도 일으키게 됨을 보여준다. 그뿐인가. 인간의 못된 심사를 드러내는 속담은 더 있다. "자식은 내 자식이 커 보이고 벼는 남의 벼가 커 보인다."가 그러하고 "남의 짐이 가벼워 보인다."는 것도 같은 종류의 마음을 담고 있는 속담이다. 삶에서 바라보는 건너편이 언제나 긍정적 꿈의 계기로만 작용하는 것은 아님을 생각하게 해 준다.

나. '만약에'로 꿈꾸기

눈앞에 전개되는 지금 당장의 일을 우리는 현실이라 하고 그 현실을 꾸려 나가는 일을 일러 삶이라고 한다. 이처럼 삶은 곧 지금 '여기'의 '이것'으로 이루어진다고 할 수 있다. 그기에 삶의 시선은 늘 현재 눈앞에 전개되는 일을 향하게 마련이다. 그래서 삶은 '오늘'을 사는 일이라고도 말한다.

그러나 '가상(假想)'이라 해서 시선이나 생각이 꼭 눈앞의 현실에만
놓이는 것은 아니다. 더러는 지나간 일을 회상하기도 하고 앞으로 다
가올 일을 미리 예상해 보기도 한다. 때로는 당장 눈앞에서 부딪히는
일들을 보면서도 그 일이 아닌 다른 무언가를 생각할 수도 있다.

(1) '만약에'로 꿈꾸기의 시 읽기

머릿속의 생각만으로 가정할 때 떠올리는 말이 '만약에……'다. 어
제 있었던 그 일이 어제 그처럼이 아니라 "만약에 이랬더라면?" 혹은
지금 이렇지 않고 "만약에 이런다면?" 또는 앞으로 이 일이 "만약에
이렇게 된다면?" 등으로 다양한 가정(假定)에 빠질 수 있다. 이런 꿈꾸
기를 가리켜 다른 말로 가상(假想)의 꿈이라 하자.

'만약에'라는 가정법이 생각으로 가능하기 때문에 우리는 꿈을 꿀
수 있다. '만약에'는 무한한 상상을 가능하게 해 주는 광활한 천지이
기도 하기 때문에. 시며 노래 또한 이런 가정을 앞세워 얼마든지 상상
의 나래를 펼 수 있다.

한계령을 위한 연가   문정희

한겨울 못 잊을 사람하고
한계령쯤을 넘다가
뜻밖의 폭설을 만나고 싶다.
뉴스는 다투어 수십 년 만의 풍요를 알리고
자동차들은 뒤뚱거리며
제 구멍들을 찾아가느라 법석이지만
한계령의 한계에 못 이긴 척 기꺼이 묶였으면.

오오, 눈부신 고립
사방이 온통 흰 것뿐인 동화의 나라에
발이 아니라 운명이 묶였으면.

이윽고 날이 어두워지면 풍요는
조금씩 공포로 변하고, 현실은
두려움의 색채를 드리우기 시작하지만
헬리콥터가 나타났을 때에도
나는 결코 손을 흔들지는 않으리.
헬리콥터가 눈 속에 갇힌 야생조들과
짐승들을 위해 골고루 먹이를 뿌릴 때에도……

시퍼렇게 살아 있는 젊은 심장을 향해
까아만 포탄을 뿌려 대던 헬리콥터들이
고라니나 꿩들의 일용할 양식을 위해
자비롭게 골고루 먹이를 뿌릴 때에도
나는 결코 옷자락을 보이지 않으리.

아름다운 한계령에 기꺼이 묶여
난생처음 짧은 축복에 몸 둘 바를 모르리.

  이 시가 들려주듯 사람은 누구나 '만약에'를 앞세워 꿈을 꾼다. '만약에'는 과거, 현재, 미래 그 어느 시간의 일이거나 그것을 생각하는 사람을 무한한 가능성 속으로 밀어 넣는다. 그 가능성의 구상과 검토가 바로 꿈꾸기라 할 수 있고 우리 삶은 어쩌면 이런 가정적 상상을 통해 기획되고 실천되는 것인지도 모른다. 이 시처럼 '눈부신 고립'을 꿈꾸는 가정법이 그러하다. 이럴 때 가정은 단지 만약이라기보다 간절한 소망의 다른 표현일 것이다.

이런 전제를 두고 이제 다음 시가 어떤 가정적 상상을 하고 있는가를 살피며 읽기로 한다. 이 시는 흔히 말하듯 '너무'[30] 유명해서 이미 익히 알고 있는 이상으로 더는 생각하려 들지조차 않을 수도 있는 시일지도 모른다. 그래서 옛날 학생 시절에 기억한 대로 '이별의 정한'이 주제라고 덮어놓고 확신하기도 한다. 그러나 이 시가 무슨 가정적 상상을 하는지 살피며 다시 읽기로 한다.

진달래꽃　　　　　　　　　김소월

나 보기가 역겨워
가실 때에는
말없이 고이 보내 드리오리다

영변(寧邊)에 약산(藥山)
진달래꽃
아름 따다 가실 길에 뿌리오리다

가시는 걸음걸음
놓인 그 꽃을
사뿐히 즈려밟고 가시옵소서

나 보기가 역겨워
가실 때에는
죽어도 아니 눈물 흘리오리다

---

30 '너무'는 분명 잘못된 표현이지만 세상이 하도 널리 쓰니 도리어 어울려(?) 보인다.

이 시의 주제를 정말로 '이별의 정한'이라 하고 말아버려도 될까? 말하자면 이 시가 노래하는 바가 '이별하며 느끼는 한스러운 정'이라는 건데 그 말이 사실이려면 이런 사연을 늘어놓는 사람은 지금 이별을 하고 있어야 맞다. 과연 그러한지 우리 함께 상상과 현실을 넘나들며 생각해 본다. 실제로 사랑하는 사람이 "당신 싫어!"라고 외면하며 가는데 정말로 이 시처럼 말하며 보낼 수는 있을까? 진정 그럴 수 있는 사람이 이 세상에 과연 몇이나 될까? 진정으로 사랑했다면 누구라도 그러기는 어려울 것이다.

혹 이렇게 보내는 태도가 바로 한국적인 미(美)라고 하는 사람도 있는 모양이다. 그러니 무릇 본받아 그렇게 행동해야 한다는 식의 협박조차 은근히 깔려 있는 느낌까지 든다. 다른 나라 사람에게서 보기 어려운 '한(恨)'의 정서라고 이름까지 붙이기도 한다. 한 많은 삶이 도대체 무슨 자랑이기에? 물론 그럴 수도 있고 그런 사람이 있을는지도 모른다. 그러나 그런 일반화에 흔쾌히 동의하기는 어렵다. 슬픔을 감추고 참는 것이 정말로 우리 민족의 정서였을까? 이는 정말 입증할 수 있는 주장인가? 이런 반문이 꼬리를 물고 이어지다가 생각은 다른 쪽으로 나아가게 마련이다. ―이 시를 그동안 우리가 잘못 읽어 온 것은 아닌가?[31]

이제 이 시를 정밀하게 읽고자 한다. 특히 첫 줄의 표현이 그러하다. '나보기가 역겨워 **가실 때에는**'이라는 표현을 다른 말로 바꾸어 어떤 때 이런 말로 표현하는가 생각해 본다.

---

[31] 요즘은 이 시가 '가정어법'이라는 점을 강조하여 해설하는 것이 일반적인 듯하다. 그런데도 각종 참고서는 여전히 '이별의 정한'이 이 시의 주제라고 한다. 참고서가 그러하니 학생들은 그렇게 배우고, 그러니 온 국민이 그렇게 기억한다.

- 학교 갈 때에는 숙제 한 거 하나도 빠뜨리지 말거라.
- 너 내일도 지각을 했을 때에는 종아리 맞을 각오를 해야 해.

얼마든지 예를 들 수 있지만 이 정도 예만으로도 충분하겠다. 예로 보인 문장에서 '―ㄹ 때에는'으로 표현한 행동들은 아직 실제로 일어나지는 않은 일이다. 말하자면 '앞으로 일어날지도 모르는 일'이지 실제로 일어난 것은 아니다. 이처럼 '앞으로 일어날지도 모르는 일'을 생각하는 것을 가리켜 '가상(假想)'이라고 한다. 바로 이것이다. 가상은 지금 이 순간의 일도 확실하게 결정된 일도 아닌 그냥 '만약에'로 시작되는 생각일 따름이다.

그러고 보면 이 시가 생각한 '나 보기가 역겨워'는 '만약에'로 표현해야 할 가상이다. 한 번 떠올려 보자. 이토록이나 사랑하는 사람인데 만약에 내가 싫다고 떠난다면? 물론 그런 일은 절대로 없다. 그렇지만 이토록 사랑하는 사람이 만에 하나 그런다면? 그런 일이 기어이 벌어지고야 만다면? ― 이 모두가 가상이다.

'만약에'로 이어간 생각의 끝에 이런 마음도 되어 본다. 난데없는 벼락이 치기도 하고 땅이 무너지는 지진도 있는 것이 세상이니 가상이지만 그런 일이 생길 때를 생각해 본다. 그래 그런 일이 생겼다고 하자. 그러면 어떻게 할까? 내 마음을 정리해 본다. 이 또한 가상이다.

나는 이렇게 생각하게 되리라. 이처럼 사랑스러운 사람의 마음에 어찌 작은 상처라도 낼 수가 있으랴! 내가 싫다고 떠난다 해도 나는 이 사람에게 그리는 못한다. 그러니 시에서 떠올리듯 '말없이', '꽃을 뿌려', '아니 눈물'……. 이렇듯이 내가 할 수 있는 가장 아름다운 모습으로 이 사람을 보내드리리. 그러나 이 모두가 오직 그렇게 할 수 있으리라고 생각해 본 가상일 따름이다. 그래서 이 시를 영어로 번역할 때는 'when'이나 'if'로 문장을 시작하는 것이 일반적이다. 이를 설명하는 영문법 용어 또한 우리가 잘 알고 있듯이 '가정법'이다.

그렇다면 이제 이렇게 물어야 한다. 왜 그러는 걸까? 왜 사랑에 열중하는 사람이 '엉뚱하게' 이별을 생각하는가? 실제로 그런 일이 있는가? — 이에 대한 답으로는 <새들도 세상을 뜨는구나> 그리고 <엄마야 누나야>는 물론이고 <풍파에 놀란 사공> 그리고 <청산별곡>에서 읽은 꿈꾸기의 구조를 다시 확인하면 된다.

바로 이처럼 건너편을 바라보며 꿈을 꾸는 존재 — 이것이 사람의 참모습임을 그동안 겪어온 삶의 경험만 가지고도 우리는 충분히 안다. 행복할 때는 반대쪽의 불행을 생각하며 마음을 다잡고 불행에 빠져서도 희망을 바라보며 죽음의 유혹을 이겨내는 것이 바로 삶의 실상이 아니던가? 가난할 때 풍요를 생각지 못한다면 그리고 행복할 때 불행에 대비하지 못한다면 우리가 어찌 인간이겠는가?

김소월의 <먼 후일> 또한 '만약에'로 꾸는 꿈의 노래다. 사랑의 작별 — 마치 하늘이 무너지는 듯한 절망을 이겨 내는 힘을 어디서 얻을 수 있었던가 생각해 본다. <먼 후일>은 이별의 상처에 흐르는 피를 닦아 내고 싸매어 치료할 약이며 붕대를 '만약'의 꿈에서 얻는다. '먼 후일 당신이 찾으시면/ 그때에 내 말이 "잊었노라"' 이 구절을 잘 보자. '찾으시면'이지 찾아온 것이 아니다. 가상일 따름이다. '만약에' 그런다면 나는 매몰차게 말하리라 '잊었노라'고. 그렇듯 비록 가상으로라도 차갑게 쏘아 주리라고 다짐하지 않고서는 참아낼 수 없는 이별의 아픔이다. 가상의 꿈은 그런 아픔을 어느 만큼은 어루만져 줄 수 있는 위안이 된다.

이제 누구라도 알 만한 실제 사례로 생각해 본다. 나병환자로 파란의 삶을 살았던 시인이 그 고통과 절망을 가상의 꿈으로 버텨내었음직한 시가 그러하다. "나는/ 나는/ 죽어서/ 파랑새가 되어// 푸른 하늘/ 푸른 들/ 날아다니며// 푸른 노래/ 푸른 울음/ 울어 예으리"(<파랑새>, 한하운)가 떠오른다. '죽어서' 어찌 어찌 하겠다는 말은 살아 생전에는 절대 이룰 수 없는 일을 말할 때 쓰는 생각이고 말임을 누구나 안다.

한하운 시인의 삶이 그러하였다. 젊어서부터 한 생애를 사람들 눈을 피해 어두운 골목이나 헤매야 했던 나환자로 살아야 했다. 그 저주받은 듯한 삶이야말로 얼마나 숨막히는 것이었을까? 그 고통과 절망의 현실에서 파랑새가 되어 하늘을 마음대로 나는 꿈을 꾸는 것은 지극히 당연하다. 그런 가상의 꿈이라도 없었다면 고통뿐인 현실을 어찌 견디고 버틸 수 있었으랴! 푸른 하늘과 푸른 들을 날 수 있기를 가상하는 '만약에'의 꿈꾸기는 그 시인을 살아 숨쉬게 한 힘이었으리라.

(2) '만약에'로 꿈꾸기와 언어문화–불가능의 가상어법

아득한 옛날에도 마음으로는 무슨 일이든지 꿈꿀 수 있었다. 그러기에 우리 옛노래 가운데는 이런 엉뚱한 꿈꾸기도 보인다.

창 내고자 창을 내고자　　　지은이 모름

창 내고자 창을 내고자 이내 가슴에 창 내고자
고모장지 세살장지 들장지 열장지 암돌쩌귀 수돌쩌귀 배목걸쇠 크나큰
장도리로 둥딱 박아 이내 가슴에 창 내고자
이따금 하 답답할 제면 여닫아 볼까 하노리

가슴에 창을 내는 일이 실제로 가능하다고 생각할 사람은 아무도 없을 것이다. 그런데 그렇게 하겠다고 그것도 아주 요란스럽고 야단

스럽게 그 일을 해서 "하 답답할 제면 여닫아 볼까 한다."고 했다. 생략된 말은 누구라도 짐작 가능하다. 그렇다. '할 수만 있다면'이라는 말이 생략되어 있는 가상의 꿈꾸기이다.

이처럼 전혀 불가능한 상황을 가상하여 꿈꾸는 바를 강조하는 노랫말은 민요에서도 널리 쓰인 것을 볼 수 있다. '병풍에 그린 닭이 두 날개를 툭툭 치며 꼬끼요 울거든'이나 '삼 년 묵은 쇠뼈다귀에 피 비치거든' 등은 여러 지역에서 두루 쓰던 민요 표현이다. 그런가 하면 대표적 국민가요라고나 할 <아리랑>의 노랫말 또한 그러하다. "나를 버리고 가시는 님은 십 리도 못 가서 발병 난다."가 눈앞에서 벌어지는 사건의 기술(記述)이라고는 누구도 생각지 않는다. '만약에 가신다면'이라는 가상의 꿈꾸기이고 그래서 일종의 겁주기이자 다짐이기도 하다.

그렇긴 해도 가정법의 꿈꾸기가 노래의 바탕을 이룬 고전시가로는 고려 때 노래인 <정석가(鄭石歌)>가 이 방면의 표본이라 할 수 있다.

정석가(鄭石歌)   지은이 모름

징[鄭]아 돌[石]아 당금(當今)에 계시오이다.
선왕(先王) 성대(聖代)에 노닐어지이다.

바삭바삭 세모래 벌에 구은 밤 닷 되를 심었습니다.
그 밤이 움이 돋아 싹이 나야 유덕(有德)하신 님 여의겠습니다.

옥(玉)으로 연꽃을 새기었습니다. 바위 위에 접을 붙였습니다.
그 꽃이 세 묶음이 피어야 유덕하신 님 여의겠습니다.

무쇠로 쇠갑옷을 지어 철사로 주름을 박았습니다.
그 옷이 다 헐어야 유덕하신 님 여의겠습니다.

무쇠로 큰 소를 만들어다가 쇠나무산[鐵樹山]에 놓았습니다.
그 소가 쇠풀을 먹어야 유덕하신 님 여의겠습니다.

구슬이 바위에 떨어진들 끈이야 끊기리까.
천 년을 외로이 지낸들 믿음이야 끊기리까.

이 노래는 『악장가사(樂章歌詞)』에 실려 있고 첫 연은 『시용향악보(時
用鄕樂譜)』에도 실려 있다. 또한 마지막 연의 노랫말은 같은 고려노래인
〈서경별곡(西京別曲)〉에도 들어 있다. 이럴 정도로 그 시대에 널리 불리
던 노래였다. 그런데 노래 가운데 '―어야'(나야, 피어야, 헐어야…… 등)라
고 표현한 구절들이 우리가 줄곧 살펴 온 노래들의 '―면' 또는 '―거
든' 등 가상의 표현과 같은 말이다. '군밤에 싹 나면'으로 시작하여
'옥으로 만든 연꽃에 꽃 피면', '무쇠에 철사로 박은 옷이 다 헐면',
'무쇠로 만든 소가 무쇠산의 쇠로 된 풀을 그 소가 먹으면' 님과 이별
한다고 했다. 가상으로라도 절대 이별은 없으리라는 다짐이다. 말로
는 이별을 말하되 참뜻은 '만약에'로 시작하는 가정법을 통해 드러내
는 단단한 쐐기 박기인 셈이다.

다. 창과 방패 아우르기의 꿈

'모순(矛盾)'이라는 말은 일상생활에서도 흔히 쓰는 말이다. 그리고
이 말이 창과 방패를 앞뒤 모순되게 떠들며 팔던 초나라 사람의 고사
에 근원을 두고 있다는 것도 널리 알려져 있다. 그렇게 생각이나 말을

할 때 '창[矛]'과 '방패[盾]' 둘을 한데 아울러 말하게 되면 그게 바로 모순이 된다. 그러니 모순을 아우르는 일은 바보거나 멍청이의 노릇 정도로 생각하게 마련이다.

그런데 이 둘을 아우르고자 하는 생각의 세계가 있다. 예컨대 "검으면서 희다."는 표현은 모순인데도 그러한 것을 추구하는 마음이 있고 그런 주장도 한다. 논리적으로는 오류인 표현이 되지만 실제의 삶에서는 그런 세계가 가능하기도 하고 또 그런 것을 추구하기도 한다. 시는 그러한 창과 방패 아우르기의 대표적인 언어활동이라고도 할 만하다.

(1) 창과 방패 아우르기의 시 읽기

창과 방패를 한 자리에 아우르는 시가 주로 남다른 깨달음을 줄 수 있다는 점을 생각하면서 다음 시를 읽는다.

사는 게 참, 참말로 꽃 같아야   박제영

선인장에 꽃이 피었구만
생색 좀 낸답시고 한 마디 하면
마누라가 하는 말이 있어야

선인장이 꽃을 피운 건
그것이 지금 죽을 지경이란 거유
살붙이래도 남겨 둬야 하니까 죽기 살기로 꽃피운 거유

아이고 아이고 고뿔 걸렸구만
이러다 죽겠다고 한 마디 하면
마누라가 하는 말이 있어야

엄살 좀 그만 피워유
꽃 피겠슈
그러다 꽃 피겠슈

봐야 사는 게 참, 참말로 꽃 같아야

이 시가 말하는 핵심은 제목이자 끝 부분의 말에 담긴 "사는 게 꽃 같다."이리라. 이 시의 말대로라면 꽃은 죽을 지경이라야 피운다고 했으니 사는 게 곧 '죽을 지경이다'가 되리라. 바로 이것이다. 사는 게 곧 죽는 것이면 그게 바로 다름 아닌 '창과 방패 아우르기'가 아니겠는가.

이렇듯이 무겁고 난해한 철학적 주제를 이토록 쉬운 말로 쉽게 이해시키는 사람이 시인이다. 우리 삶이란 궁극적으로 무엇이냐고 그토록 심각한 질문에 대하여 철학이며 종교는 어려운 설명을 마련하고자 애쓰지만 시인은 시로 노래한다. 그리고 답한다. 사는 게 곧 죽기와 한가지라고. 또 그런 삶을 꿈꾸는 것이 옳다고.

시인은 많은 경우 저 나름의 창과 방패 아우르기를 답으로 궁리한다. 그런 예를 더 본다. 우리 살아오는 동안에 수많은 월식을 바라보기도 했으리라. 그런데 달빛이 지구 그림자에 가리우는 월식을 바라보며 거기 숨어 있는 삶의 진실이 창과 방패 아우르기임을 발견해 노래한 시인도 있다.

월식   강연호

오랜 세월 헤매 다녔지요
세상 어디에도 보이지 않는 그대 찾아

부르튼 생애가 그믐인 듯 저물었지요
누가 그대 가려 놓았는지 야속해서
허구한 날 투정만 늘었답니다
상처는 늘 혼자 처매어야 했기에
끊임없이 따라다니는 흐느낌
내가 우는 울음인 줄 알았구요

어찌 짐작이나 했겠어요
그대 가린 건 바로 내 그림자였다니요
그대 언제나 내 뒤에서 울고 있었다니요

이 시를 읽으면 누구나 각자의 반성문을 쓰고 싶어질 것이다. 누군들 한 세상을 살아오면서 이 시처럼 착각하고 잘못하고 남 탓하고 그러지 않는 사람이 어디 있겠는가? 그래서 이 시를 읽으면 누구나 울고 싶어질 것이다. 왜 울게 될까? 이제는 돌이킬 수 없으므로. 그러니 누구나 '월식'을 보면서 깨닫듯이 늘 자신을 돌아보고 깨달으며 살아가라고 일러주기에 좋은 시다.

'그대 가린 건 내 그림자'라는 사실을 깨닫게 되기까지 그렇게 무수하게 탓을 남에게 돌리면서 살아왔음을 이제라도 후회하자. 그대를 볼 수 없음은 바로 나의 '있음' 때문이라는 놀라운 모순을 이 시는 일러 준다. 이래서 시인은 철학자 못지않게 엄청난 깨달음을 준다. 그러기에 말은 쉬우면서도 생각은 사뭇 깊기만 하다. 우리 삶이 곧 모순의 세계라서 그럴 것이다.

그래서 이런 시도 있나 보다. "행복과 불행이 반대말인가/ ……/ 있음과 없음/ 쾌락과 고통/ 절망과 희망/ 흰색과 검은색이 반대말인가/" 이렇게 주욱 늘어놓아 묻고는 나중에 압축해 말한다. "반대말이 있다고 굳게 믿는 습성 때문에/ 마음 밑바닥에 공포를 기르게 된 생물,/ 진화가 가장 늦된 존재가 되어버린/ 인간에게 가르쳐 주렴 반대말이란 없다는 걸"(<여전히 반대말놀이>, 김선우) 그리고 시는 이렇게 끝을 맺는다. "반대말이란 없다는 걸/ 알고 있는 어린이들아 어른들에게/ 다른 놀이를 가르쳐 주렴." 마치 나를 돌아보라며 휘두르는 채찍을 맞은 듯이 아프다.

이 말을 달리 할 수도 있겠다. 국어사전이며 논리학은 반대말을 가르치겠지만 "그러니 가르쳐 주렴 반대하지 말고 아우르면 된다고!" 라고 마무리하면 삶의 취지가 더욱 속 깊게 전해질 수 있겠는지도 모르겠다.

이제 여기서 더 나아가 창과 방패를 휘두르기 위해 지니지 말고 창과 방패가 하는 일이 얼마나 위험할 수 있으며 비인간적인가를 알고 그것을 끈으로 꽁꽁 한데 동여매는 일이 우리가 하는 일이라고 말하는 시도 만났으면 좋겠다. 모순을 아우르는 꿈꾸기가 참으로 중요하기에 그렇겠지만 그런 지향을 노래한 시는 많이 찾아볼 수 있다.

젊은 날 어렵고 힘든 삶을 겪고 쓴 시편을 읽으면서 삶이 결코 이분법(二分法)의 세계가 아님을 절실하게 공감하게도 된다. "고아는 아니었지만 고아 같았다."(<거짓말을 타전하다>, 안현미)든지 "곤충들이 가족은 아니었지만 가족 같았다."거나 "꽃다운 청춘이었지만 벌레 같았다."는 말은 그런 고통을 겪어 보지 않고는 얻을 수 없을 정도인 창과 방패를 아우르는 깨달음이다. 그래서 시인인 자신이 쓰는 시까지도 "불 꺼진 방에서 거짓말을 타전하기 시작했다 거짓말 같은 시를!"이라고 하기에 이른다. '거짓말 같은' 시니까 거짓말은 아니리라. 하지만 '참말/거짓말'의 관계가 이러하니 그럼 삶이란 무엇인가? 정반대의 것을 양쪽 주머니에 나누어 넣고 다니기와 같다고 해야 할지도 모르겠다.

눈을 다른 데로 옮겨 본다. 실제로 우리 삶에서는 꿈꾼다고 해서 모두 다 이루어지는 것도 아니리라. 꿈은 꿈이고 현실은 현실이니까. 그러나 깨닫지 않고는 꿈꾸지도 못한다. 쉬워 보이지만 세상이 그러하고 삶이 그러함을 깨달아 삶의 지표로 넌지시 던져 주는 시도 만난다.

팔자

반칠환

나비는 날개가 젤루 무겁고
공룡은 다리가 젤루 무겁고
시인은 펜이 젤루 무겁고
건달은 빈 등이 젤루 무겁다

경이롭잖은가
저마다 가장 무거운 걸
젤루 잘 휘두르니

이 시에 기대어 생각해 보면 정말로 세상은 모순투성이임을 느끼게 된다. 그렇긴 해도 시인은 왜 그 모순을 굳이 시로 드러내는 것일까? 답을 궁리해 본다. 궁극적으로 그 양분된 생각의 모순을 아우르게 되는 조화로운 세상을 꿈꾸기에 굳이 노래로 드러내는 것이 아닐까? 시가 노래했듯 '시인은 펜이 젤루 무거운' 삶의 존재인데 그걸 '젤루 잘 휘두르는' 존재로 살아가니 이미 창과 방패를 한데 아우르는 삶의 실천이 아니겠는가.

그래서 "님은 갔지만 나는 님을 보내지 아니하였습니다"(<님의 침묵>, 한용운)라며 이별이 곧 창과 방패를 아우르는 일임을 노래한 시인이 지닌 종교적 바탕을 잇대어 생각하게도 된다. 그러니 그 시인이 또다른 시에서 "날과 밤으로 흐르고 흐르는 남강(南江)은 가지 않습니다. / 바람과 비에 우두커니 섰는 촉석루(矗石樓)는 살 같은 광음(光陰)을 따라서 달음질칩니다. / 논개(論介)여, 나에게 울음과 웃음을 동시(同時)에 주는 사랑하는 논개여."(<논개의 애인이 되어 그의 묘(廟)에>, 한용운)라고 노래한 것에도 귀를 기울이면서 삶이며 세상의 이치를 생각하게 되기도 한다. 그렇다. 우리의 삶이며 세상의 이치가 곧 창과 방패의 함께 있음이며 아우름이니 우리의 꿈은 진정 그 아우름을 향해 엮어갈 수밖에 없는 노릇이리라.

그런가 하면 종교가 아니라 굳건한 신념이 모순 아우르기의 원천이 됨을 보여주는 시도 만난다. "하늘도 그만 지쳐 끝난 고원(高原)/ 서릿발 칼날진 그 위에 서다"(<절정>, 이육사)라는 상황을 시의 구절로 읽는 대신에 실제로 겪는다고 가정해 본다. 그 먼저 "매운 계절의 채찍에 갈겨 북방으로 휩쓸려 왔다"고도 했다. 세상의 끝이 아마 그러하리라. 그러기에 무릎을 꿇을 공간조차 없고 한 발 재겨디딜 곳조차 없다고 했다. '재겨디디다'는 '발끝이나 발꿈치만으로 땅을 디딤'을 뜻하는 말이다. 그렇다면 이렇게 되겠다. 칼날 같은 절벽 위—그런 곳을 우리는 영화 같은 데서나 더러 보았지 실제로는 서 본 바 없다. 그만큼 비현실적이다. 그 절체절명(絶體絶命)—말 그대로 몸도 목숨도 다 된 상황에 처한다면 우리가 할 수 있는 일은 과연 어떤 것일까?

이 시가 그 순간 생각해 낸 것이 '강철로 된 무지개'다. 쉽게 비유해서 창과 방패의 결합 같은 것이다. 아니 창과 방패는 끈으로라도 동여맬 수 있을는지 모른다. 그런데 강철의 섬뜩하고 견고한 비극성과 오색의 꿈이 아롱져 현란하도록 눈부신 환상의 무지개를 아우를 수도 있는 것일까? 하지만 이 표현의 해명은 시를 풀이하는 사람들에게도 오랜 숙제였고 선뜻 동의할 만한 설명도 여태껏 어려운 듯하다. 그러기에 각자의 상상에 맡기자고 제안해 둔다.

그 대신 고난의 극한에 이르렀을 때 사람이 무슨 생각을 하겠는가를 저마다의 삶을 바탕으로 추리하고 상상하여 그려내 보자고 제안한다. '강철로 된 무지개'가 어떤 것이겠으며 어떤 뜻을 지니는 환상이겠는가를 헤아리는 과정에도 우리 각자의 삶이 녹아들 것이다. 맨앞에서 읽은 <눈물은 왜 짠가>(함민복)에 대한 답처럼 혹은 그 뒤에 이어진 <젓갈>(이대흠)의 맛처럼. 시 읽기도 이쯤에 이르면 일종의 인생관 구체화하기일지도 모르겠다.

(2) 창과 방패 아우르기와 언어문화 – 웃음으로 눈물 닦기

우리의 장례 풍습 가운데는 매우 기이함을 느끼게 만드는 요소가 있다. 그 한 가지가 장례식장 주변이 늘 소란스럽다는 점이다. 죽은 사람을 추모하는 영결(永訣)의 자리라기보다는 모두 웃고 떠들며 먹고 마시는 잔치처럼 보이기까지 한다. 요즘은 좀 덜하다지만 심지어는 화투 같은 도박판까지 벌이기도 한다. 그런데도 누구 하나 이런 소란에 대해 문제를 제기하지 않는다. 그 까닭은 우리나라 사람에게 그런 것이 낯설지 않기 때문이다. 낯설지 않다는 사실은 그것이 바로 우리 문화라는 뜻이다.

이를 '웃음으로 눈물 닦기'(김대행, 2005)로 명명하고 여러 방면의 자료를 살펴 해명한 바 있다. 슬픔을 눈물로는 해소할 수 없기에 그와 정반대인 웃음으로 눈물을 닦아내는 지혜가 밑바탕을 이룬 문화양식이라고 해명하였다. 이 세상에는 사람의 힘으로 해결할 수 없는 한계도 있음을 받아들이고 그 한계 상황을 슬픔과는 정반대인 웃음으로 극복함으로써 내일로 나아가는 힘을 마련하는 삶의 방식이라고 본 것이다.

말하기, 노래하기, 민속연희 등에 이러한 문화적 요소가 깊게 뿌리를 내리고 있는 점도 여러 각도에서 확인하였으며 이를 바탕으로 하여 이루어진 민속예술의 양식이 있음을 살핀 바 있다. 이 자리에서는 그 모든 것을 두루 다 살펴 확인하기 어렵기에 판소리와 <다시래기>를 그 예로 살핀다.

먼저 판소리를 본다. 판소리는 이야기의 특성에 따라 사랑이며 눈물 혹은 긴장이며 고통 등 다양한 성격으로 전개된다. 그러나 이야기의 성격과 무관하게 긴장이 고조되는 순간에 웃음이 그 긴장을 깨뜨려버리는 것이 특징이다. 그러기에 판소리는 그 이야기의 성격과 무관하게 가장 핵심적인 미의 요소가 웃음, 곧 해학미(諧謔美)이다. 우선 <흥부가>(박송희 편, 『박녹주 창본』)를 본다.

[진양조] 가지 마오. 가지 마오. 불쌍한 영감 가지를 마오. 천불생무연지인이요(天不生無緣之人) 지부장무명지초(地不長無名之草)라. 하늘이 무너져도 솟아날 굼기가 있는 법이니 설마한들 죽사리까. 제발 덕분에 가지 마오. 병영 영문 관장 한 대를 맞고 보면 종신(終身) 골병이 된답디다. 여보 영감, 불쌍한 우리 영감, 가지를 마오.
[아니리] 흥보 자식들이 저의 어머니 울음소리를 듣고 물소리 들은 거위 모양으로 고개를 들고, "아버지, 병영(兵營) 가십니까?" "오냐, 병영 간다." "아버지 병영 갔다 오실 때 나 풍안(風眼) 하나 사다 주시오." "풍안은 무엇 할래?" "뒷동산에 가서 나무할 때 쓰고 하면 먼지 한 점 안 들고 좋지요." 흥보 큰아들놈이 나앉으며, "아이구 아버지!" "이 자식아, 너는 왜 또 부르느냐?" "아버지 병영 갔다 오실 때 나 각씨 하나 사다 주시오." "각씨는 무엇 할래?" "아버지 어머니 재산 없어 날 못 여워 주니 데리고 막걸리장사 할라요."

매품을 팔러 떠나는 장면에서 슬퍼하는 흥부처의 말과 코미디 같은 아들들 말 사이의 기이하기 짝이 없는 대조가 이 부분의 핵심이다. 말하자면 앞뒤가 맞지 않을 정도로 일관성을 깨뜨리는 웃음판을 만들어 버리는 사설 구성이다. 서양의 문학에서 일쑤 입버릇처럼 강조하는 '일관성'의 파괴라 할 만하다. 이 앞뒤 안 맞는 사건이 바로 웃음의 요체인데 웃음이 비애와 함께여서 두 상반된 요소가 한 자리에 있으니 이것이 바로 창과 방패 아우르기의 전형이라 할 만하다.

다음 신재효의 사설에서도 웃음으로 눈물을 닦는 창과 방패 아우르기가 보인다. 이로 미루어 '웃음으로 눈물 닦기'는 처음부터 판소리의 중요하고도 핵심적인 미의 원리로 자리를 잡았으며 바로 그 힘에 힘입어 판소리의 대중적 인기가 그처럼 강력할 수 있었던 것으로 짐작할 수 있다. <심청가>(『신재효사설집』) 한 대목을 본다.

> 심청이 손을 불며 부엌으로 들어가서 물을 솥에 얼른 데워 빌어온 밥 데운 물을 아비 앞에 드리고서 반찬을 가리키며 "많이많이 잡수시오." 심봉사 탄식하며 "목구멍이 원수로다. 선녀 같은 이내 딸을 내어 놓아 밥을 빌어 이 목숨이 살자느냐. 너의 모친 죽은 혼이 만일 이 일 알았으면 오죽이 섧겠느냐." 심청이 여짜오되 "빌어온 밥이나마 자식의 정성이니 설워 말고 잡수시오." 좋은 말로 위로하여 기어이 먹게 하니 날마다 얻어온 밥 한 쪽박에 오색이라. 흰밥 콩밥 팥밥이며 보리 기장 수수밥이 갖가지로 다 있으니 심봉사 집은 끼니때마다 정월보름 쇠는구나.

심청이 눈먼 아버지를 위해 동냥으로 밥을 얻어다가 봉양하는 대목이다. 말 그대로 '눈물 없이는 보지 못할' 대목에서 사설은 짐짓 "심봉사 집은 끼니마다 정월보름 쇠는구나."라며 웃겨버리고 만다. 바닥을 알 수 없는 눈물로 빠져들 순간 판소리는 어이없는 웃음을 강력하게 이끌어냄으로써 비애를 차단하는 장치를 한다는 점에 주목해야 한다.

이처럼 판소리는 비애가 극한에 이른 상황에서 돌연 포복절도할 만한 웃음의 상황을 끌어들여 비애를 차단한다. 여기 인용해 보인 부분만이 아니라 판소리 다섯 마당의 어느 대목을 보더라도 '웃음으로 눈물 닦기'는 절묘하게 실현됨을 보게 된다. 판소리는 이처럼 창과 방패라는 정반대의 세계를 아우르는 것이 양식의 특징이라 할 만하다.

이제 상가의 풍속과 관련된 민속연희를 살필 차례다. 무형문화재로 전승되는 전라남도 진도의 <다시래기>는 장례풍습 가운데 한 부분이 민속연희로 남은 예라 하겠다.[32] 진도 <다시래기> 중 한 대목을 살펴 전체의 취지를 짐작해 본다.

> 가상제 : 오늘은 저녁에 다시래기를 하도록 상제로부터 승낙을 받았으니 인자는 굿을 한번 해 봐야지. 굿을 시킬라면 무어라 해도 나부터 할랑가 못할랑가 해 봅시다. 어떻소?
>
> 상두꾼들 : 그야 당연하지요. 당연해. 하시오!
>
> 가상제 : (상제에게 인사하며) 앗다! 얼마나 영광스럽습니까!
>
> ─상두꾼석에서 '무슨 그런 실언을 하시오!' 하며 소리친다.
>
> 가상제 : (웃으면서) 앗다, 옛날 어르신들 말씀도 안 들어 봤소? 흉년에 논마지기나 팔지 말고 입 하나 덜라고 안 했소? 방안에서 맨당 밥만 축내고 있는 당신 아버지가 죽었으니 얼마나 얼씨구 절씨구 할 일이요.
>
> ─하면서 소리 지른다. 상두꾼석에서 '저런 버릇없는 놈이 있어……' 하고 소리친다.
>
> 가상제 : 자아, 오늘 이왕 이 마당에 들어왔으니 상제하고 내기나 한

---

32 지금도 전남의 도서지방에 가면 장례 때 풍물을 울려대는 곳이 상당한가 하면 <다시래기>와 흡사한 내용의 <밤달애놀이>라는 민속을 연행하는 지역도 알려져 있다.

번 합시다. 무슨 내기인고 하니 오늘밤에 <다시래기>를 해서 상제
가 웃으면 여기에 모인 상두꾼들과 굿을 보는 동리 사람들에게 통닭
죽을 쒀서 주기로 하고, 만약 상제가 웃지를 않으면 우리 잽이꾼들
이 품삯을 받지 않도록 하는 것이 어떻겠소?

—상두꾼석에서 '좋소' 하고 소리친다. 그러나 상제는 아무 말 없이 고개만 숙
　이고 있다. 그때 가상제는 상제 앞에 꿇어앉아 절을 한다. 상제는 무심코 절
　을 받는다.

가상제 : 보시오. (하면서 벌떡 일어서며) 금방 고개를 끄덕 하는 것 보
　았지라우?

—이렇게 하여 억지로 약속이 이루어진다.

가상제 : 궁주(상제의 처) 어데 있소? 얼른 내시오.

궁　주 : 아잡씨네들 굿 잘 하시오. (하면서 백목 한 필을 내어 놓는다.)

—상두꾼은 백목을 줏대에 매어단다.

가상제 : 내 이름이 가상제라 가짜 <성주풀이>나 한 자루 하겠오. 장
　단을 딱 걸어 놓고 쿵 딱! (가사)만수 만수 만만수/ 이런 만수가 또
　없제./ 칼로 푹 쑤셨다 피나무/ 눈 꽉 감았다 감나무/ 배 뚝 나왔다
　배나무/ 방구 뽕 뀌었다 뽕나무/ 한 다리 절는다 전나무……

　사설이 확인시켜 주듯이 <다시래기>는 이를테면 상갓집 마당에서
벌어지는 한 바탕의 코미디 쇼이다. 상가(喪家)의 조상(弔喪)하는 자리에
서 이렇듯 코미디 같은 놀이를 연행하는 것은 지극히 비합리적이라고
도 할 수 있다. 이런 점에만 주목하면 이런 문화가 무지몽매(無知蒙昧)
의 소산이라는 비난조차도 가능할는지 모른다. 그러나 그렇지 않다.

　삶의 역설적 본질이라는 시각으로 살피면 이런 풍습이 지닌 그 나
름의 합리성을 이해하게 된다. 인간의 욕망이 극대화하고 과학이 극
도로 발달한 오늘날의 삶에서도 인간의 힘으로는 끝내 감당하지 못하
는 비애는 있게 마련이다. 그리고 그러한 비애며 절망은 어떻게든 극

복해 내고 내일을 향해 살아가야 하는 것이 삶의 당위이다. 어찌할 것인가, 어떤 상황에서도 사람은 살아야 한다. 그러자면 웃음이 최선의 치료제이다. 이런 시각으로 바라볼 때 '웃음으로 눈물 닦기'야말로 창과 방패를 아우름으로써 삶에서 꿈을 실현하려는 언어문화의 모습임을 이해할 수 있게 된다.

3

꿈의 어법

꿈의 어법이란 꿈을 언어로 드러내는 방법을 말한다. 꿈을 마음속에 지니거나 가슴에 품더라도 말로 하지 않으면 드러나지 않는다. 그러나 사람은 언어적 존재이므로 그것을 언어로 드러내게 마련인데 그 방식이며 말하는 대상은 다양하다.

꿈을 언어로 드러냄으로써 더욱 강한 꿈이 되도록 다짐하는가 하면 누군가가 듣고 반응하도록 전해 호소하기도 한다. 그런가 하면 세상이 알도록 폭로하거나 풍자하기도 한다. 꿈을 현실화하는 어법의 유형을 다짐과 자기암시, 기도와 호소, 폭로와 풍자의 세 방향으로 나누어 살핀다.

가. 다짐과 자기암시

'다짐과 자기암시'는 마음속에 지닌 꿈을 언어로 표현하되 그것을 듣는 대상 또한 바로 자기 자신이다. 말하자면 자기가 자기에게 하는 말인 셈이다. 이런 점에서 독백 또는 혼잣말과도 흡사하다. 이처럼 다짐과 자기암시는 꿈의 실현을 위해 자기 스스로가 그 꿈을 기억하고 실천하도록 확인하고 강화한다. 따라서 그 어조는 매우 강경하고 강렬해지는 특징이 있다.

(1) 다짐·자기암시의 시 읽기

역사적 회상도 겸하여 다음 시를 떠올린다. 이 시는 매우 널리 알려져 있어 세세한 설명이 없어도 될 듯하다. 이 시인이 살았던 시대는 역사적으로 매우 혹독하였으며 이 시인은 그런 엄혹한 시대의 고통을 무릅쓰는 삶을 살아낸 사람이었음을 우리는 안다.

광야   이육사

까마득한 날에
하늘이 처음 열리고
어디 닭 우는 소리 들렸으랴

모든 산맥들이
바다를 연모해 휘달릴 때도
차마 이곳을 범하진 못하였으리라

끊임없는 광음(光陰)을
부지런한 계절이 피어선 지고
큰 강물이 비로소 길을 열었다

지금 눈 내리고
매화 향기 홀로 아득하니
내 여기 가난한 노래의 씨를 뿌려라

다시 천고(千古)의 뒤에
백마 타고 오는 초인(超人)이 있어
이 광야에서 목 놓아 부르게 하리라

이런 꿈이야말로 한마디로 말해 장엄(莊嚴) 그 자체라 하겠다. 아득하게 펼쳐진 광야에 서서 천고(千古)를 생각하는 것만 해도 그 마음의 규모가 어마어마해 보인다. 그런데 백마를 타고 오는 초인(超人)이 부를 노래, 그것도 아득하기만 한 광야에서 목 놓아 부를 노래―그런 것들을 꿈꾸는 어조가 웅장하고 엄숙하기 그지없다.

그토록 어마어마한 꿈이라서 마음속으로만 다짐을 두게도 되었으리라. '눈 내리는' 가운데 생각하는 '홀로 아득한 매화 향기'는 모진 겨울을 견뎌서야 피어나는 그 꿈의 향기이리라. 이토록 웅대하고 원대하며 장구한 꿈이기에 그것을 실현할 주체인 자기 자신을 다짐하고 암시하는 것이 유일한 길이었으리라. 아니 어쩌면 시는 본디 이러한 꿈의 다짐과 자기암시의 말하기를 그 중핵적 본질로 하는지도 모르겠다.

자기 다짐과 암시의 간절한 말들은 다음 시도 들려준다.

실패의 힘   천양희

내가 살아질 때까지
아니다 내가 사라질 때까지
나는 애매하게 살았으면 좋겠다
비가 그칠 때까지
철저히 혼자였으므로
나는 홀로 우월했으면 좋겠다
지상에는 나라는 아픈 신발이
아직도 걸어가고 있으면 좋겠다

오래된 실패의 힘으로

그 힘으로

이 시는 세 가지 다짐을 스스로에게 주고 있다. 애매(曖昧), 우월(優越), 지속(持續) — 시인은 이렇듯 만인의 말을 대신하여 다짐하듯 일러 준다. 세 가지 다짐의 뜻이야 생각하는 사람마다 달라도 그만이다. 애매보다 명확한 게 낫다고 하는 사람도 있을 수는 있겠다. 그러나 명료는 편을 가르는 말이 될 염려가 크다. 우월보다 평범을 소망하기도 하리라. 그러나 우월이 없다면 어찌 스스로인들 존중할 수 있으랴. 그래서 우월의 다른 말은 자존(自尊)이 될 것이다. 지속은 누구에게나 필요하다. 삶은 계속되어야 하므로. 그러자면 힘이 필요한데 그것을 '실패'에서 얻자고 한다. 실패의 다른 이름은 경험일 수도 있겠다. 누구나 다 그렇다고 여기지만 마음에만 있고 미처 정리하지 못하며 살아가는 다짐, 그것은 또한 그러하고야 말리라는 자기암시이기도 하다.

(2) 다짐·자기암시와 언어문화 — 자기최면

다짐과 자기암시는 누구나 하는 일이어서 새삼스러울 것도 없겠다. 학생 시절에 "이번 시험은 잘 봐야지."라고 누구나 다짐했던 경험이 있으리라. 나날의 삶이 전개되는 모든 국면에서 사람들은 그 일에 앞서 다짐과 자기암시를 거듭하며 산다. 이것이 좀더 나아가면 자기최면으로 이어지기도 한다. "말이 씨가 된다."는 관용어가 있듯이 실제로 자기 최면과 같은 효과가 나타나기도 한다.

2016년 리우 올림픽 펜싱 에페부문 경기 결승전 중계를 보던 사람들은 참으로 놀라운 광경을 보고야 말았다. 14:10으로 뒤지던 한국의 박상영 선수를 클로즈업으로 비춰 주는 TV화면에서 "할 수 있어!"라고 계속해 중얼거리는 박 선수의 모습도 보였다. 마치 주문(呪文)처럼 그 말을 계속 중얼거리더니 내리 5점을 따냄으로써 14:15로 대역전 우승을 거머쥐었다. 기적(?)이 따로 없다고 해야 할 정도의 대사건(?)이었다.[33]

두고두고 많은 국민이 그 장면을 기억하게 되었음은 물론이다. 물론 그 일의 기억은 한국의 한 펜싱 선수가 놀라운 역전승을 했다는 쾌감 정도를 훨씬 넘어선다. 주문처럼 중얼거리는 다짐과 자기암시가 얼마나 놀라운 힘을 발휘할 수 있는가를 생활현실 속에서 실제로 확인한 사건이었다.

한국인은 2002년 월드컵축구에서 "꿈은 이루어진다!"라는 응원 구호를 내걸어 마치 최면과도 같은 기쁨을 맛본 바도 있기는 하였다. 그런 한국인들로서는 박 선수의 자기암시가 거둔 효과는 두고두고 잊히지 않는 기억이면서 동시에 언어의 힘을 재인식하는 계기도 되었을 것이다.

우리 옛노래 시조에도 그런 다짐과 자기암시의 노래는 상당했다. 특히 자기 내면의 정신적 결의를 중시하는 선비정신이 강조되던 사회였기에 시조라는 노래를 자기 암시와 다짐의 표어처럼 생각했던 것으로도 보인다. 시조가 서정적이기보다 이념적인 것도 그런 시대적 흐름이 작용했기에 그리 된 것이라고 본다. 시조라는 양식조차 아직 분명하게 정착하지 못했을 법한 그 시기에 노래했다는 정몽주(鄭夢周)의 <단심가(丹心歌)>부터가 다짐과 자기암시의 노래이다.

---

33 결승전이니만큼 상대방 선수도 결코 만만할 리 없었고, 이미 스코어가 14:10으로 4점이나 뒤졌으니 가능해 보일 리도 없는 상황이었다. 그런데 그 선수는 "할 수 있어!"라고 다짐과 자기암시를 거듭했고 결과는 빛나는 금메달이었다.

단심가(丹心歌)　　　　　　　정몽주

이 몸이 죽고 죽어 일백 번 고쳐 죽어
백골이 진토되어 넋이라도 있고 없고
임 향한 일편단심이야 가실 줄이 있으랴

　이미 잘 알려진 바와 같이 이방원(李芳遠)의 "이런들 어떠하리 저런들
어떠하리"로 시작되는 <하여가(何如歌)>에 대한 답가(答歌)이다. 따라서
의중(意中)과 태도를 확인하려는 상대방을 향해 던지는 일종의 선언인
셈이다. 그러기에 이 시조를 두고는 단심(丹心)의 선언이라는 점에만 주
목하고 말기 쉽다. 그러나 이 노래의 핵심은 상대방에 대한 선언이되
동시에 자기 자신의 마음을 다지는 자기암시가 되기도 한다는 점이 중
요하다. 조선시대의 강호(江湖) 시가라고 하는 것들 중에는 이처럼 다짐
과 자기암시로 생활의 지표를 삼은 것이 많음도 그래서이다.

십년을 경영하여　　　　　　지은이 모름

십년(十年)을 경영하여 초려(草廬) 삼간(三間) 지어내니
나 한 간 달 한 간에 청풍(淸風) 한 간 맡겨 두고
강산(江山)은 들일●데 없으니 둘러 두고 보리라

　이 시조의 말뜻대로 정말 집을 지어 놓고 이 노래를 불렀을까 상상
해 본다. 아닐 것이다. 이 노래가 그런 집짓기와 관련된 노래가 아님
은 분명하다. 그보다는 이런 생활을 하리라는 다짐과 자기암시를 확
인하고 강화하는 데 이 노래가 기여했던 것으로 보는 쪽이 적절하다.
왜냐하면 성인께서 그렇게 하도록 가르치셨고 또 선비라면 누구나 그

말씀을 받들어 이렇듯이 생각했기 때문이다.

시조가 주로 경건함 또는 청빈(淸貧)으로 압축되는 삶의 경건성에 대한 다짐과 자기암시를 노래했다면 고려가요는 남녀의 애정처럼 감정적인 문제에 관심을 보였다는 점에서 서로 차이가 있기는 하다. 그러나 여기서도 다짐과 자기암시의 어법은 널리 통용되었음을 보게 된다. 고려 때 노래인 <서경별곡(西京別曲)>과 <정석가(鄭石歌)> 두 노래에 공통으로 들어 있는 다음 구절이 흥미롭다.

> 구슬이 바위에 떨어진들 끈이야 끊기리이까
> 천 년을 외로이 지낸들 믿음[信]이야 끊기리이까

이 노랫말이 두 노래에 다 같이 들어 있다는 사실은 이런 표현이 당대의 유행어였음을 짐작하게 만든다. 사람의 마음은 갈대와 같다고도 흔히 말하는데 아무리 굳은 생각이라도 상황이 바뀌는데 어찌 변하지 않을 수 있으랴! 더구나 사랑하는 사람과 헤어져 홀로 지내게 되면 마음이 변하기는 더 쉬워지게 마련이다. 그래서 그랬으리라. <서경별곡>은 서경(西京)에서 이별하는 노래고 <정석가(鄭石歌)>는 천 년 만 년이 지나도 이별만은 없다는 노래다. 그렇건만 끄트머리에 가니까 이런 다짐을 굳이 한다. 이를 보더라도 자기암시가 삶에서 얼마나 중요했는가를 다시 생각하게도 된다.[34]

군이 시가가 아니라 일상에서도 이런 사례는 흔히 보기도 했으리라

---

34 노랫말이 이렇듯이 같은 사실을 두고 예전에는 "어느 것이 어느 쪽을 베꼈을까?" 하는 식의 문제가 관심사였다. 고증이며 설명이 중요하다고 보는 문학 지식의 관점에서는 중요한 화제일 수 있겠다. 그렇지만 지금 우리는 그런 관심과 달리 어느 만큼 보편적이었던 언어문화인가에 생각을 모으고 있는 셈이다.

고 짐작한다. 오늘날의 예로 생각해 본다. 중·고등학생시절 자신의 방 책상머리에 '미래의 대통령'이라고 써 붙였던 분이 실제로 대통령이 되었다는 회고도 들은 바 있다. 육상선수가 달리기 출발선에서 손에 침을 뱉기도 하는 것은 아마도 마음속의 다짐과 자기암시의 신호일 것이다. 달리기를 손으로 하지는 않는데 그러는 것은 필시 말 대신의 다짐과 자기암시이리라.

정치적으로 국민들을 하나의 노선으로 묶고자 했던 정치가들이 행진곡풍의 노래 보급에 열을 올리고 함께 노래하도록 독려한 것도 같다. 암시와 자기다짐의 효과를 겨냥하는 문화 기획이라 할 것이다. 우리의 경험만으로도 <새마을노래>가 쉽게 그런 효과를 발휘했음을 회고하게 된다. 그리고 그 상대적인 자리에 운동권이 함께 불렀던 여러 노래들에서 또한 다짐과 자기암시의 구체적 모습을 얼마든지 살필 수 있겠다.

나. 호소와 기도

호소와 기원은 대체로 말로 한다. 또 말은 소리를 내어 하는 것이지만 소리가 없이 하는 말도 있다. 입속말도 있고 남이 듣는 것과 관계없이 하는 혼잣말도 있으며 웅얼거리는 말도 있다. 이처럼 다양한 형태의 말로 꿈을 꾸고 그 말에 힘입어 꿈을 이루는 삶은 시와 매우 밀접하게 마련이다.

(1) 호소·기도의 시 읽기

자신의 사정을 알리거나 마음속의 바람을 간곡하게 알리는 일이 호소라면, 기도는 어떤 우월한 존재에게 자신의 사정을 호소하거나 바라는 바를 이루어주도록 비는 것이다. 굳이 구분한다면 사람에게 비는 것을 호소라 하고 절대자에게 비는 것을 기도라 하는 정도의 차이를 생각할 수도 있겠다.

하지만 그런 차이에도 불구하고 호소며 기도는 모두 자신의 꿈을 말로 알리는 형식으로 이루어진다는 점에서 공통된다. 그러기에 호소와 기도의 말하기는 사회적 관계를 형성하려는 목적보다는 꿈을 현실적으로 실현하는 데에 더 중점을 두게 마련이다.

가을의 기도   김현승

가을에는
기도하게 하소서……
낙엽들이 지는 때를 기다려 내게 주신
겸허한 모국어로 나를 채우소서.

가을에는
사랑하게 하소서……
오직 한 사람을 택하게 하소서.
가장 아름다운 열매를 위하여 이 비옥한
시간을 가꾸게 하소서.

가을에는
호올로 있게 하소서……
나의 영혼,
굽이치는 바다와
백합의 골짜기를 지나
마른 나뭇가지 위에 다다른 까마귀같이.

이 시가 보여주듯 '―소서'는 자신이 바라는 바를 이루어 줄만한 힘을 가진 존재에게 호소하는 말일 때 쓰는 표현이다. 그런 의미에서 호소라기보다 오히려 기도에 가깝다. 그래서 더 간절하게 느껴진다. 그런데 말의 모습은 그러하나 말로 전하는 꿈의 모습은 소박하고 참되며 지극히 인간적이다. 무언가 이루기 어려운 꿈이라기보다 자신이 지니게 되기를 바라는 참되고 순수한 사랑의 마음을 기구하고 있다.

이와 별개로 "그렇게 가오리다/ 임께서 부르시면……"이라는 구절을 네 연의 끄트머리마다 되풀이하여 임을 향하여 호소하듯 노래한 〈임께서 부르시면〉(신석정)의 표현은 다짐이나 자기암시라는 느낌을 강하게 준다. 간절하게 '임께' 호소하는 마음의 목소리로 들린다.

'가을날 노랗게 물들인 은행잎이/ 바람에 흔들려 휘날리듯이'(1연)에 이어 '호수에 안개 끼어 자욱한 밤에/ 말없이 재 넘는 초승달처럼'(2연), '포근히 풀린 봄 하늘 아래/ 굽이굽이 하늘가에 흐르는 물처럼'(3연), '파아란 하늘에 백로가 노래하고/ 이른 봄 잔디밭에 스며드는 햇볕처럼'(4연)이라고 간절하게 말하는 내용을 보면 자신의 마음이며 몸가짐에 대한 다짐으로 읽힌다.

이래서 누군가에게 하는 기도와 호소 또한 기본적으로는 자신의 마음과 행동에 대한 표명에 맥이 닿는 일임을 새삼 생각하게 된다. 굳이 차이를 찾는다면 듣는이가 밖에 있는가 안에 있는가 정도일 것이다. 이처럼 안과 밖이 궁극적으로 서로 통함을 고려하면서 다음 시를 읽는다. 이 시는 우월하거나 초월적인 존재를 향한 기도라기보다 자신의 성찰에 더 깊은 시선이 가 있는 것으로 보인다.

겨울 바다

겨울 바다에 가 보았지
미지(未知)의 새
보고 싶던 새들은 죽고 없었네

그대 생각을 했건만도
매운 해풍에
그 진실마저 눈물져 얼어 버리고

허무의 불
물이랑 위에 불붙어 있었네

나를 가르치는 건
언제나
시간……
끄덕이며 끄덕이며 겨울 바다에 섰었네

남은 날은
적지만

기도를 끝낸 다음
더욱 뜨거운 기도의 문이 열리는
그런 영혼을 갖게 하소서

남은 날은
적지만……

겨울 바다에 가 보았지

인고(忍苦)의 물이
수심(水深) 속에 기둥을 이루고 있었네

겨울 바다 앞에 선다. 하얗게 거품을 물고 솟구치는 시커먼 파도를 바라보며 생각한다. 눈에 보이는 것은 불길보다 거세게 춤을 추는 물이랑, 그리고 매운 바람. 그런데 굳이 지켜보지 않더라도 알 일이지만 항상 똑같은 모습으로 출렁이는 물이랑은 없다. 일정하게 피부에 머무는 바람 또한 있을 수 없다. 모든 게 순간순간 변한다. 지금은 저렇듯 있지만 어느 사이 그 모두는 없게 된다. 모든 것이 허무 그 자체이다. 그러니 텅 빈 '허망'이다.

생각이 여기에 이르면 이제 그 바다에 서서 마냥 흔들리는 속마음이 읽힌다. "헛되고 헛되도다!" 아마 그런 생각부터 머리를 스쳤으리라! 그러기에 거기 미래와 짝을 이룰 법한 '미지(未知)의 새' 같은 것이 있을 리 없고 '그대 생각' 같은 과거마저도 눈물처럼 얼어붙고 말았으리. 이제 새삼스레 깨닫는다. 결국은 '시간'이다. 좀 크게 말하면 '세월'이리라. 그러기에 헛되고 헛된 그 시간이 다 지나고도 '뜨거운 기도'를 잊지 않게 해 주십사고 호소하고 기도한다.

그 기도는 어떤 절대자에게 비는 모양을 하고 있지만 실은 자신을 향한 다짐임을 우리는 쉽게 눈치챌 수 있다. 깨달음이다. 그런데 깨달았다고 해서 그것이 곧 굳건한 실천으로 이어지기가 쉽지 않음도 우리는 익히 안다. 그런 것을 두루 아울러 깨달을 수 있는 연륜에 이르렀고 그런 순한 마음이기에 부드럽게 기도하고 호소하며 의지하게 된다. '그런 영혼을 갖게 하소서'는 그래서 기도이자 그럴 수 있게 되도록 호소와 함께 다짐을 하는 이중성까지도 지닌 말로 들린다.

(2) 호소·기도와 언어문화 – 기원(祈願)과 감천(感天)

오백 년 혹은 천 년 전에 살았을 옛날 사람들의 삶을 생각해 본다. 오늘날처럼 과학적 지식이 많지 못했던 그 시절에는 초월적인 존재에 기대는 마음이 훨씬 강하고 빈도 또한 높았을 것이다. 그러기에 누구 혹은 무엇엔가에 호소하고 기도할 일이 무척 많았으리라. 그런 옛날 노래의 하나로 <정읍사(井邑詞)>가 떠오른다.

정읍사(井邑詞)   지은이 모름

달아, 높이 좀 돋으시어 멀리 좀 비치오시라
저자에 가 계신가요 진 데를 디디올세라
어디건 다 놓고 계시라 내 가는 데 저물겠어라

이 노래는 조선 초기에 발간된 『악학궤범(樂學軌範)』이라는 음악책에 실려 있다. 그러니 대강 어림잡아보더라도 6-7백 년쯤 전에 널리 불렸던 노래다.[35] 노래에 담긴 마음은 간절하다. 행상(行商)을 나간 남자의 아내가 남편의 무사와 안녕을 달에 기원한다. "달님! 높이 좀 돋으시어 멀리 좀 비춰 주소서."라는 첫머리의 말에 그런 기도와 호소가 담겨 있다. 옛날뿐이랴! 깊은 밤 하늘에 떠 있는 달을 향해 소원을 비는 기도는 오늘을 사는 누구라도 가질 만한 마음이다. 굳이 옛날 사람만 그랬을 것 같지 않으니 사연의 이해 또한 어렵지 않다.

이처럼 우월하거나 절대적인 존재에 소원을 비는 일은 언제라도

---

35 '정읍(井邑)'은 지명이기에 그 지역의 옛나라인 백제시대 노래로 생각하기도 한다. 그렇기는 해도 그렇게까지 오래는 아니더라도 적어도 고려시대 즈음에는 널리 불렸을 것으로 추정도 한다.

아주 흔하고 보편적인 것이었다. 옛날에 그 마음이 어떠했던가를 들려주는 노래는 상당하다. 신라시대에 노래했던 향가에도 그런 노래가 많다.

혜성가(彗星歌)   융천사(融天師)

예전 동해(東海) 물가
건달파(乾達婆)의 논 성(城)을랑 바라보고
'왜군(倭軍)도 왔다!'고
봉화(烽火)를 든 변방(邊方)이 있어라
삼화(三花)의 산구경 오심을 듣고
달도 부지런히 등불을 켜는데
길쓸별 바라보고
'혜성(彗星)이야!' 사뢴 사람이 있구나
아아, 달은 저 아래로 떠 갔더라
이 보게 무슨 혜성(彗星)이 있을꼬

『삼국유사(三國遺事)』의 기록은 이 노래의 내력이 절대적인 존재를 향한 기도와 호소로 이루어진 것임을 짐작하게 해 준다.[36] 쉽게 말해 이런 노래로 혜성을 물리치고 나서 금강산 구경을 탈 없이 하게 되었다는 것이다. 이처럼 노래가 귀신을 감동시켜 무슨 일을 성취하게 한다는 생각을 그 시대에는 많이 했던 기록도 보인다. 우리가 알고 있는 향가 중에도 상당수가 말로 무언가를 이룬 사실을 중심으로 한 노래

---

36 세 화랑이 금강산에 놀러가고자 할 때 혜성(彗星)이 나타나는 변고가 일어났다. 그래서 융천사(融天師)라는 사람이 이런 말로 노래를 하니 혜성의 변고가 사라졌다고 한다. 그러니 변고를 물리친 힘을 가진 노래인 셈이다. 신라 진평왕 때의 일이라 한다.

들이다.[37]

이런 노래들은 향가의 상당수가 기도의 노래로 불리었음을 말해 준다. 말이 무언가를 소통하고자 하는 행위임은 누구나 안다. 그러한 소통이 초월적이거나 절대적인 존재와 사람 사이에 이루어졌던 셈이다. 그러하니 노래는 사람이나 귀신을 막론하고 소통을 통해 꿈을 이룰 수 있는 통로임을 확인하게 해 준다.[38]

기도와 호소로 꿈을 이루었다는 또 다른 노래로 <도천수관음가(禱千手觀音歌)>가 있다. "천 손에 천 눈을 지니셨으니 하나만 그윽하게 고쳐 주소서."라고 노래한 '희명(希明)'이라는 아이는 그리하여 마침내는 눈을 얻었다고도 한다. 이뿐이 아니다. 오늘날 남아 전하는 향가가 모두 25수인데 그중 『균여전(均如傳)』에 전하는 11수는 시작에 끝까지 차례대로 이어져 한 편으로 묶인 기도의 노래이다. <예경제불가(禮敬諸佛歌)>라는 이름으로 시작되는 첫 노래부터 나머지 열 가지 노래로 이루어진 이 노래 전체를 가리키는 이름이 <보현십원가(普賢十願歌)>이다.[39]

굳이 이름을 붙여 말한다면 <보현십원가>는 그 당시 중요한 종교

---

37 노래로 꽃을 뿌려 부처를 공양했다는 <도솔가(兜率歌)>, 제사를 올렸더니 그 뜻을 아는 듯 바람이 지전(紙錢)을 날려갔다는 <제망매가(祭亡妹歌)>, 원망하는 노래를 지어 붙였더니 나무가 말라버렸다는 <원가(怨歌)> 등이 다 그런 예들이다.

38 『삼국유사(三國遺事)』에 노래가 "천지귀신을 감동시켰다[感動天地鬼神]."고 굳이 기록한 것은 이를 말한 것으로 보인다.

39 『균여전(均如傳)』에 기록되어 전하는 <보현십원가(普賢十願歌)>의 제목과 내용 소개만 여기 적어 그 기도와 호소의 성격을 짐작하는 도움의 자료로 삼고자 한다. 석가여래를 칭찬하라는 <칭찬여래가(稱讚如來歌)>, 공덕을 닦자는 <광수공덕가(廣修功德歌)>, 잘못을 참회하자는 <참회업장가(懺悔業障歌)>, 다른 사람의 공덕을 기뻐하자는 <수희공덕가(隨喜功德歌)>, 중생의 악을 부수자는 <청전법륜가(請轉法輪歌)>, 중생 구제를 갈구하자는 <청불주세가(請佛住世歌)>, 부처님을 따라 배우자는 <상수불학가(常隨佛學歌)>, 공덕을 중생에 돌리자는 <보개회향가(普皆迴向歌)>. 그리고는 마지막으로 기원과 다짐의 마무리 <총결무진가(總結無盡歌)>로 매듭을 지었다.

였던 불교의 신심(信心)을 더 깊게 하고 진흥하기 위한 목적이 앞서는 노래라 할 수 있다. 그러나 종교적 의의가 무엇이건 그 노래가 지향하는 바는 호소하고 기도하는 일이 핵심이다.

이런 언어문화가 종교와 깊은 연관을 가진다는 점을 중심으로 생각해 볼 수도 있다. 옛날에만 그 일이 그러했던 것이 아니라 오늘날에도 많은 종교가 기도와 호소의 말과 노래로 절대적 존재와 교감하고 또 전파된다. 사람은 언어로 존재해 왔으며 또 언어에 의지하여 살아갈 수 있는 존재임을 거듭 확인하게 된다.

다. 폭로와 풍자

(1) 폭로·풍자의 시 읽기

자신에게 다짐을 두거나 남에게 호소하고 기도한다고 해서 모든 꿈을 다 이룰 수는 없다. 그런 세상이 되기도 쉽지 않거니와 모든 사람이 그렇듯 긍정적인 꿈만 꾸는 것도 아니기에 더욱 그러하다. 거짓, 부정, 왜곡…… 등 없었으면 좋을 법한 것들 또한 세상에는 가득하다. 그러니 그런 것을 헤치면서 바람직한 삶을 지향하려면 그런 삿[邪]된 것들을 물리쳐 바른 삶과 바른 세상을 이루고픈 꿈도 꾸게 마련이다.

인간이라는 종이 지닌 우수성 가운데 가장 빼어난 것은 언어로 무언가를 해낼 수가 있다는 점이다. 그러기에 언어를 가지고 부정적인 것을 물리치는 꿈을 실현하고자 노력하는 것 또한 우리 삶의 한 모습이다. 그 한 방법인 폭로와 풍자는 언어로 꾸는 꿈의 또 다른 실현 기호인 셈이다.

오래 전에 쓴 시 한 편을 본다. 여기서 '껍데기'가 무엇이겠는가부

터 헤아려 분명하게 이해하는 것이 꿈의 정체며 방향을 이해하는 데
중요하다.

껍데기는 가라   신동엽

껍데기는 가라.
사월도 알맹이만 남고
껍데기는 가라.

껍데기는 가라.
동학년(東學年) 곰나루의, 그 아우성만 살고
껍데기는 가라.

그리하여, 다시
껍데기는 가라.
이곳에선, 두 가슴과 그곳까지 내 논
아사달 아사녀가
중립의 초례청 앞에 서서
부끄럼 빛내며
맞절할지니

한라에서 백두까지
향그러운 흙가슴만 남고
그, 모든 쇠붙이는 가라.

이 시에서 거듭 말하는 '가라'고 하는 말은 없어지라 즉 사라져버리
라는 뜻이겠다. '껍데기'는 알맹이의 반대이니 허위, 위선, 기만······
등을 가리키는 말로 쓰였음을 확인하게 된다. 4월혁명의 진짜(알맹이),

동학의 진짜 정신만 남고 가짜는 다 '가라'고 추방을 외친다. '가라'는 것은 그런 것이 넘쳐났던 현실을 뜻하므로 곧 폭로이자 풍자가 된다.

겉치레와 거짓의 너울이 사라지고 나면 남는 것은 본디의 모습인 알맹이일 것이다. 그런 본연의 모습으로 모두 돌아와 누구나 하나로 어우러지는 삶에 대한 꿈이 이 시에서 반짝이고 있음을 본다. 그것이 '향그러운 흙가슴' ─ 그러니까 우리 본연의 마음이며 모습들일 것이다. 그것만 남기자고 그렇게 살자고 꿈을 꾸는 시이다. 그런 꿈을 강조하고자 나머지는 모두 '껍데기'라고 바꿔 말한다. 허울 좋은 거짓이 넘쳐나던 세상을 폭로하고 고발하여 진정한 꿈을 이루고픈 꿈꾸기이다.

일상의 삶 또한 폭로와 풍자의 대상으로 언제나 넘쳐난다. 다음 시의 제목에 나오는 '사평역'은 그런 이름의 역이 있어도 좋고 없어도 그만이다. 이 시가 실감나던 80년대의 아무 시골 간이역이라고 해도 좋다. 그런 걸 떠올릴 수 있으면 되겠다. 그리고 한겨울 밤늦은 시간에 간이역에서 막차를 기다려 본 경험 정도가 있었으면 더 좋겠다. 아니면 모두가 잠들어야 마땅한 시간에 서로들 알지 못하는 사람 몇이 모여서 말 한마디들도 없이 그저 난로나 쬐고 있는 광경이 어떠하겠는지를 생각해 낼 수 있는 정도라도 되었으면 좋겠다. 그런 정경들을 먼저 떠올리면서 시행을 따라가 보기로 한다.

사평역에서　　　　　　　　　　곽재구

　　막차는 좀처럼 오지 않았다
　　대합실 밖에는 밤새 송이눈이 쌓이고
　　흰 보라 수수꽃 눈 시린 유리창마다
　　톱밥난로가 지펴지고 있었다
　　그믐처럼 몇은 졸고

몇은 감기에 쿨럭이고
그리웠던 순간들을 생각하며 나는
한 줌의 톱밥을 불빛 속에 던져 주었다
내면 깊숙이 할 말들은 가득해도
청색의 손바닥을 불빛 속에 적셔 두고
모두들 아무 말도 하지 않았다
산다는 것이 때론 술에 취한 듯
한 두름의 굴비 한 광주리의 사과들
만지작거리며 귀향하는 기분으로
침묵해야 한다는 것을
모두들 알고 있었다
오래 앓은 기침 소리와
쓴 약 같은 입술담배 연기 속에서
싸륵싸륵 눈꽃은 쌓이고
그래 지금은 모두들
눈꽃의 화음에 귀를 적신다
자정 넘으면
낯설음도 뼈아픔도 다 설원인데
단풍잎 같은 몇 잎의 차창을 달고
밤 열차는 또 어디로 흘러가는지
그리웠던 순간을 호명하며 나는
한 줌의 눈물을 불빛 속에 던져주었다.

시 읽기 전에 말한 그런 것들—간이역, 한 겨울 밤늦은 시간의 막차 기다리기…… 같은 것들이 기억에 없거나 그런 광경을 경험하지 못했다면 이 시는 읽어도 엉뚱해 보이기만 할 것이다. 아니 무슨 말을 하는 것인지 알기도 쉽지 않을 것이다. 할 말도, 할 일도, 줄 것도, 나눌 것도, 아무것도 없는 사람들. 그래서 그냥 아무 일도 없는 듯이 살았는지 죽었는지조차 분간할 필요 없이 그냥 시간을 보내는 사람들—본 적이 없고 들은 바도 없으면 그렇게 살아야 하는 날들이 우리 모두에게 있었다고 이제라도 알자. 삶은 텔레비전 속의 이야기도 영화도 혹은 소설 속의 한 장면도 아니다. 움직이고 말하면서 어디론가 가고 그리고 무언가 할 일이 있어야 삶이다. 지금 이 시는 그러하지 못하는 삶을 폭로하고 풍자하고 있음이라도 눈치챘으면 좋겠다.

억눌리고 비참한 삶의 모습 같은 것만이 풍자와 폭로의 대상이 되는 것도 아니다. 일본으로 유학하여 부모님이 보내주시는 학비로 편안히 공부하던 청년 윤동주 시인은 <쉽게 씌어진 시>에서 괴로움에 휩싸여 갈등을 겪는 자신의 내면을 이렇게 폭로한다. "인생은 살기 어렵다는데/ 시가 이렇게 쉽게 씌어지는 것은/ 부끄러운 일이다."라고. 그리고는 시대를 고뇌한 시인답게 길을 찾아 나선다. "등불을 밝혀 어둠을 조금 내몰고/ 시대처럼 올 아침을 기다리는 최후의 나,"라고. 들추어내 고백하기 어려운 자신의 치부를 이렇듯이 폭로해 보이는 용기가 있었기에 이 시대에 빛을 던진 시인이 될 수 있었으리라.

심리학의 어려운 이론적 설명에 기대지 않더라도 사람에게는 두 개의 '나'가 있음을 우리는 경험만으로도 충분히 알 수 있다. 일일이 다 예를 들지 않더라도 우리 마음은 늘 갈랫길에 서서 선택의 어려움에 괴로워지기도 한다. <쉽게 씌어진 시>는 얼마나 어렵고 힘든 번민 위에서 그런 자기 폭로가 이루어졌는가를 이렇게 내보이면서 끝을 맺는다. "나는 나에게 작은 손을 내밀어/ 눈물과 위안으로 잡는 최초의 악수." 그럴 것이다. 두 개의 '나'가 악수하기까지는 우주와 맞먹는 고뇌가 함께했을 것이다. 삶 전체를 거는 선택의 결정이었을 테니까.

(2) 폭로·풍자와 언어문화 – 욕설과 허언(虛言)

고전시가 가운데서 폭로와 풍자의 모습이 강렬하게 드러나는 것으로는 아마도 <서경별곡(西京別曲)>의 다음 대목이 가장 두드러질는지도 모른다.

> 대동강 넓은 줄 몰라서 배 내어 놓느냐 사공아
> 네 아내 음란한 줄 몰라서 갈 배에 싣느냐 사공아

이 대목을 두고 연구자들 사이에 논란이 많은 데는 그럴 만한 까닭이 있다. 자신의 이별을 괴로워하고 안타까워하던 사람이 느닷없이 애매한 남을 탓하는 게 몹시도 엉뚱해 보이기 때문이다. 사람들 사이의 통상적인 관행에 비추어 보더라도 자기 이별이 괴롭다고 뱃사공에게 화살을 돌리는 것은 어이없어 보였을 것으로 보인다. 몇 백 년 전의 옛날이기는 해도 그 시절인들 사람들 심성이 크게 달랐을 것 같지 않다. 그 사공이야말로 '독한 놈 옆에 있다가 벼락 맞기'를 당한 격이다.

그러나 양주동(1963:432-434)이 지적한 대로 화풀이로 강아지를 걷어차는 심리만은 충분히 이해가 가능하다. 이것이 심리적 방어기제의 한 유형이라는 심리학적 설명도 적용이 가능은 하다. 그렇더라도 우리의 관점에서 보면 폭로와 풍자를 통해 자신의 꿈을 드러내는 한 형태와 관련지을 수도 있기에 화제로 삼는다.

이런 돌연함을 이해하자면 폭로와 풍자가 사실과 전혀 무관한 수준에서도 이루어진다는 점을 먼저 생각해야 한다. 사공이 대동강 넓은 줄을 알고 모르는 것은 임을 이별하는 일과 실은 하등의 관계가 없다. 사공의 아내가 음란하거나 말거나 그것 역시 이별과 관계가 있을 까닭이 없다. 그런데도 사공에게 모질게 퍼붓는다. 오로지 상대방을 비난하기 위한 폭로이다.

이런 심리기제가 작용하여 이루어지는 생활 속의 언어가 바로 '욕'이라고 본다. 그런데 욕은 그 내용이 사실과 무관한 내용이거나 말거나 문제삼지 않는 것이 보통인 듯하다. 전혀 엉뚱한 것도 쳐들어 폭로하는 취지로 비난하는 것이 욕이다. 사실과 무관한 내용이기에 기분의 해소만을 염두에 둘 따름이고 현실적인 문제를 야기하지 않는 것으로 보인다. 우리나라의 언어문화에서 욕설이 매우 풍부하다는 점은 다음 장에서 구체적으로 살피게 된다.[40] "이 바보!"라든가 "이 병신아!" 혹은 "망할 놈!" 등이 사실과 부합하기는 어려운 폭로임은 물론이다. 그럼에도 욕은 사실의 폭로라기보다 일종의 비유적 폭로이기에 그대로 용인되지 않나 싶기도 하다. 몇 가지 예로 그 점을 살핀다.

개××, 빌어먹을 ×, 육시를 할 ×, 쳐 죽일 ×, 호랑이가 물어 갈 ×, 벼락 맞을 ×, 찢어 죽일 ×, 벼락을 쫓아가며 맞아 죽을 ×, 제밀할 ×……

이렇듯이 다양한 욕설의 발달을 또 다른 측면에서 보면 이런 해석도 가능하다. 사실과 무관하지만 욕설에 담긴 폭로와 풍자가 심리적 갈등을 해소해 주는 효과를 발휘함으로써 심리적 안정을 얻게 만든다. 그러기에 욕은 사회생활에서 흔히 생기게 마련인 갈등과 충돌의 상당 부분을 심리적으로 해소하는 효과를 발휘한다고도 할 수 있다.

---

40 이 문제는 제5장 제2절의 '소통 언어문화의 내면 풍경' 가운데 '거짓말과 욕설의 함수' 문제를 살피면서 구체적으로 살핀다.

시와 언어문화의
내면 풍경

지금까지 '시는 언어문화'라는 생각을 앞세워 둘을 같은 성격의 활동으로 살폈다. 그 전제며 결과로서 시의 동력과 원형질이 언어문화임을 확인하고 언어활동을 통한 삶의 방식을 살핌으로써 시에 대한 이해의 폭을 넓혀 왔다.

그러나 '시는 언어문화'라고는 말할 수 있어도 '언어문화가 곧 시'라는 역은 성립하기 어렵다. 부분적으로만 그러하기 때문이다. 이제 시와는 다를 수밖에 없는 언어문화의 옆모습을 들추어 그 내면을 들여다보고 그런 언어문화가 함축하는 의미를 음미해 본다.

1

탐구 언어문화의 내면 풍경

'내면(內面)'은 '안', '속', '이면(裏面)' 등과 같은 말이다. 그러니 겉에서는 보기 어렵고 헤쳐 보거나 갈라서 들여다보거나 해야 보이게 마련이다. 그 풍경을 보겠다는 것은 겉으로 잘 알기 어려운 속을 살피겠다는 뜻이다.

언어문화도 겉모습에 감추어진 내면이 있을 것임은 분명하다. "무슨 꿍꿍이속으로 하는 말이야?"라는 질문이 가능한 것만 보더라도 언어문화의 내면 풍경이 결코 단순할 것 같지는 않다. 이제 그런 내면의 실상을 살피고자 한다.

가. 지식 탐구 언어문화의 옆모습

지식 탐구의 노력은 인간의 본능이므로 항상 치열하게 마련이다. 그런데 본능이므로 모두 가치가 있다고 하기는 어렵다. 실제로 인문적 가치에 반하는 의도도 실제로는 있을 수 있다. 지식 탐구를 지향하는 듯하지만 인문적 가치와는 먼 지식을 탐구하는 일도 문제없이 가능하다. 혹은 인간적 가치에 반하는 지식도 얼마든지 추구할 수 있다.

물론 그런 의도를 노골적으로 드러내지는 않는다. 그러나 속뜻이며 실상을 살피고 헤쳐 보면 왜곡된 가치와 문제점이 드러난다.

(1) 박제(剝製)된 지식 암기

"배워서 남 주나."라는 말부터 "아는 길도 물어 가라."는 관용어에서 보듯 지식 탐구의 필요성과 가치를 우리 언어문화는 강조한다. 그리고 우리 사회가 지식 탐구에 얼마나 치열한 노력을 하는가도 수많은 학교와 학원 그리고 산더미같이 쌓이는 학습참고서의 출판 등이 충분히 대변해 준다. 그러기에 지식 탐구의 중요성과 열정에 대해서는 달리 더 할 말이 없을 정도다.

그러나 이러한 지식 탐구의 열정을 오히려 걱정스럽게 바라볼 수밖에 없는 측면적 이유가 있어 근심스럽다. 그 한 예가 될 수 있는 사례로 서울 노량진 학원가의 풍속도를 예로 들 수 있겠다. 주로 공무원시험에 응시하려는 사람들이 몰려 공부하는 그곳 학원가의 식당들은 텔레비전으로 정규방송 대신에 기출문제를 녹화하여 틀어 주는 모양이다. 이는 우리 사회 지식 탐구의 한 상징적 모습이라고 하겠다.

그런데 기출문제 재생은 충분히 가능하겠다는 생각이다. 서점의 학습참고서 진열대에 기출문제라는 표제를 붙인 참고서가 산더미같이 쌓여 있는 것으로 미루어보더라도 충분히 그럴 수 있을 것이다. 표지에 그런 말을 붙이지 않은 참고서라 할지라도 책장을 넘겨보면 '기출문제'를 가장 중요한 내용으로 삼는 것임이 분명하다.

그런데 이는 참으로 큰 사회적 문제가 아닐 수 없다. 기출문제를 강조하는 교수-학습의 취지는 암기일변도로 나아가라는 분명한 시사이기 때문이다. 물론 기억력이 학습에 중요한 요소의 하나이고 기억력을 바탕으로 하여 탐구며 재개발도 가능함은 물론이다. 그러나 모든 지식이 암기만을 기반으로 하는 것이 아니라는 사실은 철저하게 외면되므로 문제가 크다.

그럼에도 이 사회의 모든 교수-학습이 기출문제의 암기로 달려가도록 만든 주원인은 이른바 'EBS연계'를 공식적으로 내건 정부의 교육정책이다. 매년 3월이면 교육부나 한국교육과정평가원은 대학수학능력시험을 EBS에서 70% 정도 연계하여 출제한다는 방침을 녹음 재생하듯 발표한다. EBS가 출제한 기출문제[41]를 암기하는 것을 교수-학습하라는 일종의 교시를 정부가 나서서 하고 있는 셈이다. 암기가 곧 학습이라는 생각은 이렇게 굳어져 지식 탐구의 한 형식으로 굳어지게까지 되었다.

사교육비의 절감[42]이라는 참으로 기묘한 정치적 목적이 교수-학습의 내용과 방식을 암기일변도로 바꾸도록 만들고 만 것이다. 바로 이 기출문제 교수-학습을 가리켜 박제(剝製)된 지식의 암기라고 지적하고자 한다. 지식의 본질을 이해하는 사람이면 걱정스러운 눈으로 바라보지 않을 수 없는 교수-학습의 실태이다.[43]

---

41 지난날 학력고사의 출제에도 참여해 보았고 대학수학능력시험을 기획하는 데 참여는 물론 출제의 경험을 가진 필자는 매우 기이하게 생각한다. 시험은 문제 해결 능력의 측정이므로 문제는 모름지기 언제나 새로워야 옳았다. 누구도 전에 본 적이 없는 문제를 창의적으로 개발하는 것이 출제자의 사명(?)이기도 하였다. 그래야 문제를 암기하는 것을 방지할 수 있다고 생각했다. 그러기에 시험문제가 완성되고 나면 비슷한 문제가 그 이전에 발행된 참고서에 혹시라도 들어 있는지를 수색(?)하는 것을 검토위원들의 임무로 여기기도 하였다. 그런데 지금은 그것이 거꾸로 된 셈이니 기이한 역전이다.

42 실제로 그런 출제 방식이 사교육비를 절감했는지에 대한 조사나 분석은 별로 보이지 않는다. 있다면 정치적 통계일 것이다. 현실은 '엄청난 증액'이라는 게 체감적 실상의 솔직한 고백일 것이다.

43 지식 특히 언어에 관한 지식은 적어도 수행, 경험, 설명, 태도의 네 요소가 복합적이면서 유기적으로 구조를 이루어 탐구며 수행 등의 여러 요소가 종합적으로 학습되어야 한다는 점을 이 책의 마지막에서 구체적으로 살피게 된다.

(2) 정보의 지식화

현대사회의 삶이 많은 정보를 필요로 함은 누구나 공감한다. 그러기에 많은 정보를 얻기 위해 노력하는 것을 탓할 일은 아니다. 아니 오히려 정보 탐색은 필요한 만큼 권장할 일이다. 그리고 실제로도 정보는 우리 주위에 넘쳐날 정도의 바다를 이루고 있다.

그러나 문제는 정보를 지식으로 착각하는 일, 말하자면 정보와 지식의 차이를 분간하지 못하는 데서 생겨난다. 정보가 지식으로 이어질 수는 있지만 정보 가운데 상당수는 오류일 경우도 있는가 하면 일부러 거짓되게 알려서 잘못된 판단에 이르게 하려는 정보들 또한 상당하다.

그러기에 정보는 반드시 분석되고 확인되어야 한다는 게 기본이다. 말하자면 공증(公證)되어야 한다. 인터넷에서 "○○를 아시는 분, 알려 주세요."라거나 "○○가 뭔가요?"라는 식의 문구를 쉽게 발견할 수 있고, 거기 들어가 보면 다양한 형태의 댓글이 적혀 있음을 보게 된다. '모르는 것을 알고자 하는' 욕구와 '아는 것을 말하지 않고는 견디지 못하는' 인간 본성이 작용한 결과이다.

그렇게 해서 오가는 자료들 가운데는 지극히 단편적인 사항이거나 입증하기 어려운 개인적 견해 등이 상당하기에 위험하다. 이런 정보는 반드시 분석하고 검증을 거친 뒤에나 사실로 다루어야 한다. 나아가 단편적 사실이 아니라 그것을 둘러싼 체계까지 이해되어야만 지식이라 할 수 있다.

이처럼 지식이 갖추어야 할 요건의 가장 핵심적인 요소가 공적 확인(정대현, 1990:46-47)임은 말할 것도 없거니와 단편적 정보가 아니라 체계로 정리된 것이라야 한다. 그런데도 단편적이고 자의적인 정보를 지식으로 오인하는 일이 비일비재(非一非再)일 정도로 넘쳐나서 문제가 된다.

　참으로 가치 있는 지식을 위해서도 정보와 지식을 엄격하고 준엄하게 분별하는 일이 생활의 습관으로 자리 잡아야 하는데 실상이 그러지 못해서 문제다. 나아가 이렇듯 정보를 지식으로 생각해 버리는 경향이 우리 언어문화의 실상이어서 두렵기까지 하다. 이런 언어문화의 편벽이며 오해를 막기 위해서도 고전을 가까이 하는 언어문화가 지식 활동의 표본이 되어야 한다. 진정으로 우리에게 필요하고 중요한 것은 정보를 넘어서는 지식이다. 다음 시는 그 진리를 잔잔하게 깨우쳐 주는 듯하다.

고서　　　　　　　　　　　　　이병기

　던져 놓인 대로 고서(古書)는 산란(散亂)하다.
　해마다 피어 오던 수선(水仙)도 없는 겨울
　한 종일 글을 씹어도 배는 아니 부르다.

　좀먹다 석어지다 하잔히 남은 그것
　푸르고 누르고 천 년이 하루 같고
　검다가 도로 흰 먹이 이는 향은 새롭다.

　홀로 밤을 지켜 바라던 꿈도 잊고
　그윽한 이 우주를 가만히 엿을 보다
　빛나는 별을 더불어 가슴 속을 밝히다.

　1940년에 지은 이 시조에서 우리는 옛날의 지혜에 대한 생각이 더 진하게 전해 옴을 느낀다. 2천 년도 더 전에 살았던 공자며 석가모니 또는 소크라테스며 플라톤 혹은 아리스토텔레스 그리고 예수 그리스도에 이르기까지 그 옛날에 생각하고 했던 말을 우리가 귀 기울여 듣는 이유는 무엇인가? 그런 옛말이 바로 '검다가 도로 흰 먹'이 풍기는 향기일 것이다. 고서를 들추어 읽는 까닭—그것을 한마디로 말하면 '사람은 변하지 않기 때문'이고, '인간 본성은 과거나 현재나 언제나 본질적으로 똑같음'(트리그, 1999:16-17)을 알기 때문이리라. 지식도 그처럼 변하지 않으므로 정보와는 근본적으로 다름을 바로 알고 실천하는 언어문화라야 한다.

나. 언어 탐구 언어문화의 옆모습

정확하고 효과적인 표현 그리고 신선하고 개성적인 언어표현……누구라도 언어탐구의 지표로 내세울 만한 가치를 함축하는 말들이다. 그러기에 누구든 그렇게 노력한다고 자처하고 또 표나게 강조하기도 한다. 혹은 이와 달리 케케묵은 관습에 사로잡혀 구습(舊習)에 함몰되지 않으면서 참신함을 이루려는 노력도 두루 보인다. 어휘며 문체의 변화에서 그러한 언어탐구에 노력하는 모습이 실제로 드러나기도 한다.

그렇기는 해도 이런 저런 변화 가운데는 그 언어표현의 진정한 의도가 어디에 있는 것인가를 따져 보게 만드는 경우도 없지 않다. 앞에서 바라보면 그저 신선해 보이는 표현일 수 있더라도 시각을 옆으로 옮겨 살피면 그 내면에 은밀하게 숨어 있는 의도를 짐작할 수도 있다.

(1) 주체 은닉 표현

모든 언어 표현은 자신의 생각을 드러내는 활동이어서 주관적이게 마련이다. 그런데 주관적이라는 점을 쉽게 노출하게 되면 다른 견해를 가진 사람의 공격을 불러일으키기도 쉽다. 그러니 사회생활에서

약점이 될 수도 있다. 그러기에 공적인 자리나 공공적인 매체에 글을 쓰거나 말을 하게 되면 객관성을 돋보이게 하고자 노력하게 됨이 당연하다.

그러자면 정확성이나 공정성을 갖추는 노력이 먼저다. 그러나 정확이나 공정 등의 노력을 하는 대신 자신의 견해가 아니라 남의 생각이나 행위인 것처럼 주어를 감추어 표현함으로써 얼핏 누구의 생각인지 헷갈리게 만드는 표현이 있다. 이를 주체 은닉(隱匿) 표현이라 명명하기로 한다. 방식은 다양하다.[44]

• 사물을 주체화하여 표현하기

관찰자 자신의 판단을 말하면서 그렇지 않은 듯 생각하게 만들고자 사물이 주체가 되는 표현을 한다. 사물이 주체가 되어 무언가를 하는 것처럼 표현하기인데 신문이나 방송에서 흔히 본다. '이 문제에 대해 —하다는 비판이 나온다.'가 대표적인 예라 할 수 있다. '나온다'라는 동사의 주어는 '비판이'이겠는데 비판은 유정물(有情物)이 아니어서 제 스스로 나오고 들어갈 수는 없는 일이다.

이런 표현은 그 내용을 보건대 사실은 전하는 사람 자신이 가지고 있는 견해를 표명할 때에 쓰는 것으로 보인다. 비판의 견해를 갖고 있

---

44 근래 한국 사회에는 '유체이탈 화법'이라는 말이 돌아다닌다. 자신이 당사자이면서 마치 남의 일을 말하듯 엉뚱한 시각을 보이는 말하기를 가리킨다는 설명이다. 그래서 '구경꾼 화법'이라든가 '아몰랑화법'이라는 용어를 쓰기도 한다. 그러나 이는 인터넷에 널리 유통되지만 출처는 알기 어렵다. 더구나 '유체'의 표기가 분명하지 못하다. '유체(遺體)'라고 하면 부모님이 끼치신 몸을 뜻하므로 설명과 맞지 않는다. 또 '유체(幽體)'로 표기하는 것을 흔히 보는데 우리말에 이런 단어는 없다. 혹 '귀신'을 가리키는 것인지 모르겠다. 혹 이런 용어가 앞에서 말한 바 있듯이 지식이 아니라 정보 수준인지도 모르겠다.

어 그렇게 말하면서도 자신의 판단이 아니라 객관적 사실인 것처럼 보이게 하려고 무생물인 사물이 말하는 것처럼 표현한다. 책임을 다투게 될 여지가 있는 매체들에서 흔히 보게 되는 표현이어서 문제가 된다. 책임이란 것은 민주사회의 자격증과도 같음을 생각하면 더욱 씁쓸해진다.

• 피동형으로 표현하기

아주 널리 사용되는 표현법으로 매스컴은 물론이고 일상의 표현에서 널리 관찰된다. '- 것으로 알려졌다'거나 '- 것으로 보인다'를 비롯하여 '들려온다, 느껴진다, 생각된다, 읽힌다……' 등의 피동표현을 쓰는 일이 흔하다. 심한 경우에는 피동에 피동을 거듭 겹쳐 쓰기도 한다. '보여진다'는 식의 표현이 그 대표라 할 만한데 책임이 빠져 나가는 소리가 들리는 느낌조차 갖게 된다.

그 한 예로 "오해할 수 있는 여지가 있는 판결처럼 보여집니다."라는 표현이 이 방면의 대표격일 것이다. '오해할 수 있는'이라는 표현부터가 다소의 모호성을 지니는데 거기에 '여지(餘地)가 있다'는 말까지 덧붙여서 읽는 사람을 안개 속으로 몰아넣는다. 거기에다 '판결'이라고 꼭 집어내 말하는 대신 '판결처럼'이라고 과녁을 슬쩍 비켜 놓고는 그 뒤에 '보여진다'를 달아매서 피동의 화룡점정(畫龍點睛)에 이른다.

왜 이럴 정도로 심한 피동표현을 하는가는 우리가 다 안다. 콕 집어 지적하자면 '책임'에서 자유롭고자 함이다. '잘못된 판결이다'라고 표현하면 그 말에 책임을 져야 할 경우가 생길 수도 있다. 그러니 몇 구비를 돌리고 돌려 '내가 그렇게 느낀다'고 하지 않고 '그렇게 느껴진다'라고 표현하는 것이라고 '판단하는' 대신에 '생각되어진다(?)'고 하면 비아냥의 태도가 드러나기는 할까(?) 모르겠다.

• **추측형 서술어로 표현하기**

외출에서 돌아온 사람에게 "비가 오니?" 하고 물었는데 "오는 것
같애요."라는 답이 돌아온다. "맛있어?" 하고 물으면 "맛있는 것 같
아요."라는 대답이 일쑤다. '같다'를 『표준국어대사전』에서 찾으면 여
러 용법 가운데 다음과 같은 풀이가 여기 해당한다.

> [4]((' – ㄴ/는 것', ' – ㄹ/을 것' 뒤에 쓰여))
> 추측, 불확실한 단정을 나타내는 말.

그러니까 추측이나 불안정을 함축하는 말이다. 방금 밖에서 돌아왔
으니 분명히 경험했으므로 경험적 사실에 근거하여 대답해야 하는데
'추측이나 불확실한 단정'으로 답하다니! 그런데 그러는 이유는 무엇
일까? 이 의도를 이해하려면 '추측이나 불확실한 단정'으로 얻는 바
가 무엇이겠는가를 생각하면 된다. 그렇다. 답과 관련되는 단어는 역
시 '책임'일 것이다. 책임지지 않는 삶이라야 자유롭다는 생각이 말에
투영되어 그러하다

왜 그럴까? 왜 사람들은 책임에서 자유롭고자 애쓰는 것일까? 확실
하고 명료한 분석을 할 만한 앎은 갖추지 못했다. 다만 "네가 그렇게
말했다."는 표현을 자주 사용하던 서양 사람들과 비교를 하게 된다.
말이 곧 증빙서류나 다를 바 없다고도 생각하는 것으로 보였다. '말은
말'이고 '사실은 사실'이라고 갈라 생각하는 우리와 다른 점이리라.

우리 사회가 이렇듯이 책임지고 싶지 않아 하는 심리를 다른 말로
바꾸어 말하면 '무책임'이 되지 않을까 싶다. 그렇다면 '같아요' 하고
애매하게 말하는 것은 확실하지 않은데 추정한 바를 말한다는 고백으
로 들린다. 그러고 보면 이는 분명 우리 사회가 무책임의 사회라는 증

거일 것이다.

그러기에 사랑하는 사람이 "좋으냐?"고 묻는데도 "좋은 것 같애!"라고 말하는 우리임을 감안해서 그렇거니 하고 말아야 하는가 아니면 나무라야 하는가? 판단이 혼란스럽다.

• 한정하여 표현하기

주변에서 흔히 들을 수 있는 말로 '경우는……'이라는 표현이 있다. '이 사건 같은 경우는……'이라는 말에 쓰인 '경우'가 그 예인데, 국어사전은 '놓여 있는 조건이나 놓이게 한 형편이나 사정'이라고 풀이하면서 '흔히 관형어 뒤에' 쓰인다고 풀이한다. 쉽게 말해 가리키는 범위를 좁힐 수 있는 한 좁게 만드는 효과를 노리는 표현이겠다.

한 예로 '이 사건의 경우는……'이라는 표현을 하는 이유나 효과를 생각해 본다. '이 사건은……'이라고 표현해도 아무런 차이가 없을 듯한데도 굳이 '경우'를 넣어 표현함으로써 가리키는 범위를 최대한으로 좁혀 가리키는 효과를 노림이 짐작된다. 왜 좁혀 말하고자 할까? 적절한 분석이 달리 있는지는 알 수 없으나 이 또한 책임의 범위 좁히기라는 의도를 가진 표현일 것으로 짐작한다.

물건을 파는 상인도 '이것 경우는'이라거나 '저것 경우는'을 남발한다. '이것'과 '저것'으로 확연하게 못박아 말하는 것보다 훨씬 부드러움을 느끼도록 여유를 보이게 되는 효과를 얻기 위해 그런 것으로 보인다. 부드러움─사람과 사람 사이에 필요한 것인지 아니면 말하는 사람의 인상 만들기에 필요한 것인지 더 살필 필요가 있겠다.

(2) 체계 파괴 어법

언어는 체계이다. 체계라는 측면에서 이를 궁리하고 정리하는 학문이 언어학이어서 언어표현에는 언어학의 도움이 많이 필요한 것도 사실이다. 부분과 전체가 잘 어우러진 체계로 작동하기 위해서도 그러하거니와 언어의 체계는 약속으로 정한 규칙이기도 하므로 준수되어야 하고 더 유기적이 되도록 지켜 활용해야 함은 물론이다.

그러나 의도적으로 그러는지 여부는 알 수 없더라도 체계를 어겨 표현하는 일이 전혀 없지 않은 것도 현실이다. 어떤 측면에서는 의도가 따로 있어서 일부러 그러는 것으로 느낀다. 그렇다면 왜 그런가도 살필 만한 일이다.

• **외국어 남용 표현**

외래어는 우리말이지만 외국어는 우리말이 아니므로 쓰지 말라든가 우리말에 '황소개구리' 같은 존재가 바로 외국어라든가 하는 말은 오래 전부터 익히 듣던 비분강개(悲憤慷慨)요 개탄(慨嘆)이다. 언어의 체계를 순화하는 것이 바람직하다는 것은 두말할 나위가 없는 일이기도 하다. 그러니 외국어를 남용하는 표현에 대한 이런 개탄이나 경고가 설득의 효과를 거두었으면 하고 기대는 한다.

그러나 여기저기서 발견되는 오늘날 언어표현의 실상을 보면 외국어를 섞어 쓰는 표현은 전문가들의 우려 수준을 훨씬 넘어섰다고 할 수밖에 없을 정도임이 사실이다. 한 전문가가 신문에 쓴 이 방면의 걱정을 함께 본다.

'여러 시인의 좋은 시를 가려 묶는 컴필레이션 시집이 다시 증가하는 추세다.'

‘이 제품의 특징은 저렴한 가격과 트렌디한 디자인이다.’

‘수학도 스토리텔링식으로 바뀌면서 한글을 모르면 수학 문제를 이해하지 못한다.’

‘저를 계파라는 프레임에 가두지 말아 달라.’

‘독일이 갖춘 국가 경쟁력이 여러 분야에서 우리나라의 롤모델이 될 수 있다고 본다.’

모음(또는 선집·選集), 최신 유행, 이야기, 틀, 본보기라고 하면 쉽고 편할 텐데. 외려 의식(意識) ‘없어’ 보인다면, 모국어에 집착하는 교열쟁이의 착각인가. ‘버스, 컴퓨터, 아웃, 서비스, 에너지, 샐러드’ 따위를 베어내자는 게 아니다. 진작 토착(土着)한 낙엽송 같은 말 아닌가.

이런 외래어 말고, 언중(言衆)한테까지 번진 생태계 교란어(攪亂語)는 늘어놓기도 버겁다. ‘힐링, 펀더멘털, 리스크, 글로벌, 레시피, 미스매치, 헬스케어, 터닝포인트, 테라피, 콜라보……’ 치유(위안), 기본적, 위험, 세계적, 조리법, 불일치, 건강관리, 전환점, 치료법, 합작이 무슨 잘못을 했기에 목숨을 내놓으라 하는지. 테라피(→세러피), 콜라보(→컬래버레이션)는 하다못해 표기법에도 어긋난다.

황소개구리나 가시박처럼 환경부가 고시한 ‘생태계 교란 생물’이래야 고작 스무 가지다. 대중 매체부터 조심해야 한다. 우리말에도 황소개구리가 산다.

－〈우리말에 서식하는 황소개구리〉, 양해원(『조선일보』, 2016.9.1.)

안타까움이 가득한 염려가 행간에까지 넘쳐난다. 전문가가 아닌 사람조차도 충분히 느낄 정도로 상황이 심각함을 거듭 느낀다. 그러고 보니 서양말 참 지나치게 많이들 씀이 분명하다! 그런데 이런 예를 그저 체계를 지켜 말하려는 조심의 부족에서 오는 언어표현이라고 보는 데는 동의하기 어렵다.

미루어 생각하면 알 만한 예를 들어 본다. 근래 몇 해 사이에 우리나라의 아파트 이름이 변한 모습을 보면 그것이 실수거나 습관의 문제가 아님을 족히 알 수 있다. 일일이 예를 들 필요조차 없이 외국어이거나 외국어로 느끼도록 만든 이름으로 바뀐 예가 수두룩하다. 일일이 확인하는 건 그만두기로 하자.

짐작해 보자. 왜 그렇게 열심히들 아파트 이름을 바꾸었을까? 그렇듯 바꾼 수가 상당하다는 것은 그 일이 필경 의도의 소산임을 말해 준다. 나아가 그것이 주로 외국어이거나 외국어스러운(?) 명칭이라는 사실은 그 이유를 짐작할 단서가 되어 준다.

간단하다. 그렇게 이름을 바꾸어야 고급스러운 아파트로 느끼게 하므로 값이 오른다고 한다. 그래서 너도나도 다투어 그렇게 한다. 그러니 텔레비전 방송화면에서 외국어를 풍성하게(?) 섞어 말하는 인사가 왜 그렇게 말하는가도 쉽게 추리할 수 있다. 쉽다. 외국어를 섞어 말하면 아파트나 마찬가지로 값(?)이 오른다! 과다한 외국어의 사용이 사회 상층인사임을 상징하는 징표로 작용하고 있는 증거다. 이렇듯 다분히 의도적인 노력을 향하여 '체계 준수' 정도의 안타까운 호소가 메아리를 얻을 수 있기는 하랴!

• 너무 사용하는 '너무'

일부러 그러는 것인지는 알 수 없지만 '너무'라는 단어를 아무데나 과도하게 넣어 말하는 경향은 우려할 만하다. '너무'라는 단어는 '일정한 정도나 한계를 훨씬 넘어선 상태로'라는 풀이(국립국어원, 『표준국어대사전』)를 보더라도 이 말은 대체로 부정적인 느낌을 담아 표현하는데 적절한 단어다. '너무 심하게 말하지 말라'든가 '너무 지나치게 좋아하는 것도 병이다.'라는 정도면 어울릴 것이다.

그보다는 "참 좋다."거나 "참 가깝다." 정도면 어떨까 하는 생각도 하게 된다. '참' 정도면 긍정적인 느낌의 표현으로 적당하고 어울릴 텐데……. 그 밖에 '아주'로도 바꿔 쓸 수는 있겠는데 억양에 따라 뜻이 바뀔 수도 있어 문제가 될 수도 있겠다.[45] '매우'도 비슷하다. 실제로 생활 주변에서는 지극히 긍정적인 것을 표현하는 데도 '너무'를 흔히 사용한다. "너무 좋다."도 모자라서 "너무 너무 좋다."고 하기 일쑤이고 "너무 자상해!" 혹은 "너무 잘해!" 등이 칭찬의 표현으로 쓰이는 게 보통이다. "너무 너무 감격스럽다!"도 흔히 듣게 되는 표현이어서 이제는 오히려 '너무'에 무감각해질 정도가 되었다고 할 정도에 이르렀다. 표현효과를 극대화하고자 전에 쓰지 않던 어휘와 용법을 채용하게 된 걸까? 이유는 알 수 없으되 바르지 않을뿐더러 기이한 표현이다.

---

45 하기야 '아주'가 감탄사의 용법으로 쓰이게 되면 비아냥으로 들릴 수도 있을 듯하다. 그럼 그걸 피하고자 해서 '너무'를 그토록 지나칠 정도로 쓰는 것일까?

2

소통 언어문화의 내면 풍경

가. 공동체적 소통 언어문화의 옆모습

소통의 도구며 환경은 오늘날 엄청난 수준에 이르렀다. 오히려 지나
칠 정도로 많고 과도하게 개방되어 있어서 그것이 도리어 문제를 낳을
정도이다. 이처럼 말을 비롯한 소통의 도구며 기회는 넘쳐나는데 실제
로 전개되는 소통의 여러 국면은 문제투성이여서 걱정스럽다. 오늘날
사회문제로 대두하기에 이른 '악플'이라고 하는 문제도 소통의 진정성
이며 본질과 관련하여 심각한 문제를 낳고 있는 한 예라 하겠다.

우리 역사와 문화의 보배이자 긍지라 할 '훈민정음' 서문은 우리 민
족의 소통적 이상을 드러내 보인 고전이기에 자랑스럽다.

세종어제 훈민정음

나라의 말이 중국과 달라 한자와는 서로 통하지 않으니
이런 까닭으로 어리석은 백성이 말하고자 하는 바가 있어도
마침내 제 뜻을 능히 표현하지 못하는 사람이 많다.
내가 이를 불쌍하게 생각하여 새로 스물여덟 자를 만드니

사람마다 하여금 쉽게 익혀 매일 씀에 편안하게 하고자 할 따름이다.

우리는 아득한 옛날에도 이처럼 소통의 중요성을 강조하고 그 도구의 마련에 힘썼음이 환히 보인다. 인간적 소통을 최고의 수준에서 이상적으로 추구하는 삶을 지향하고 또 노력했음이 확연하게 드러난다. 그러했기에 소통을 강조하는 속담 또한 풍성하였다.

말 한 마디로 천 냥 빚을 갚는다.
말을 않으면 귀신도 모른다.

이런 속담은 말로 하는 소통의 이상을 말한 것이다. 그러면서도 부질없는 말하기의 폐해 또한 경계하여 "말 많은 집 장맛도 쓰다."고 일침을 놓기도 하였다. 필요하고 중요한 소통은 꼭 하되 부질없고 허망한 말은 삼가는 소통의 절제도 제시한 것이다.

그러나 오늘날 삶의 현장은 늘 소통의 아쉬움을 되풀이하여 말하고 희망만 누더기처럼 늘어놓는 모습이다. 그런 사회적 삶은 불편하고 초라해 보일 수밖에 없다.

(1) 공동체 파괴적 언어 표현

가장 심각한 사회문제가 된 댓글 폭력의 무자비한 정도가 입에 올려 말하기조차 새삼스러운 일이 되어버렸다. 그 비인간적 잔인성은 한 사람을 파멸시켜 극한의 상태까지 몰아넣고 공동체를 파괴하여 무너지게까지 만든다. 명백한 살인이자 테러다. 그러기에 함께 살기 어려운 사회로 변질시키는 댓글문자의 폭력성을 누구나 규탄한다. 그런데도 사라지지 않고 날로 더 심해질 따름이어서 문제가 심각한 수준에 이르기도 하였다.

새삼스러운 말이지만 민주적인 사회라면 세상의 어떤 일에 대해서건 모든 개인은 자신의 생각을 말할 수 있다. 소통의 도구가 빈약하고 많은 억압이 없지 않았던 지난날에도 이러저러한 방법으로 그런 방향으로 소통하고자 노력했다. 그러나 인터넷이며 스마트폰이 등장한 이후의 댓글은 그 성격 자체가 달라졌다. 우선 다수에게 공개적으로 얼마든지 표현하고 전달할 수 있다는 점에서 예전과 판이하다. 전파의 동시성과 강제성까지 여기에 힘을 실어 주기에 누구든지 다중(多衆)과 소통할 수 있게 되었다.

그런데 인터넷으로 대표되는 현대 소통의 두드러진 특징은 익명성이다. 자기 이름을 숨기고 말을 하기에 어떤 생각이건 무슨 말이건 어떤 방식의 표현이건 아무런 제한 없이 할 수 있게 되었다. 이 때문에 문제가 생기고 날로 커졌다. 겸양, 양보, 존중, 예의…… 등으로 표현하는 공손성은 익명성의 가면 뒤에서 사라져버린 지 오래다. 실명을 드러내지 않기에 내용이며 표현에 제한이 없다 보니 그런 장점이 댓글을 악플로 변모하게 만드는 빌미가 되어 버렸다.

악플이 이처럼 공동체를 파괴하고 사람들의 심성을 비인간적인 참혹으로 몰아간다는 사실은 사회 구성원 모두가 안다. 그런데도 사회가 모두 함께 나서서 반성을 못한다면 비극이 따로 없게 되리라고 예상한다. 자기와 생각이 다르다는 이유 때문에 욕설, 신상 털기, 협박과 공갈이 홍수를 이룬다. 넘쳐나는 댓글의 실상을 보라!

이런 행위들은 함께 더불어 살기조차 겁나게 만드는 심각한 테러가 분명하다. 이렇듯이 공동체를 파괴하는 것을 알면서도 '나도 당했던 일'이라고 덮어버리거나 '그것이 국민의 의견'이라고 두둔하는 사람이 있다면 그 자체가 비극이다. 이런 테러 행위는 더 심각한 파괴로 이어진다는 것이 역사의 교훈이다.

(2) 붕당적 언어 선택

• 차별화를 노리는 언어 표현

직접 겪은 일의 기억이다. 스무 살쯤 되었을까 싶은 의무경찰에게서 이런 말을 들은 적이 있었다.

> 금회에 한하여 불문조치하니 차후 재발방지에 만전을 기하기 바랍니다.[46]

이 말에 쓰인 한자어의 한자 표기는 결코 쉽지 않다. 이런 한자들을 과연 알기나 할까 의문스러운 젊디젊은 의경(義警)의 입에서 놀랍게도 한문투 단어들이 술술 이어져 나왔다. 익숙한 말솜씨였다. 평소 그렇게 늘 말해버릇하지 않고서는 할 수 없는 표현이었다. 생각해 본다. 우리나라는 한글전용을 법으로 규정하고 있다. 그런데 이토록 젊은 사람이 이런 단어며 문장을 어떻게 익힌 것일까?

그 뒤로 터득하게 된 사실이다. 경찰관은 물론이고 각종 공공기관에 가면 이런 말을 심심치 않게 들을 수 있었다. 여기저기서 보게 되는 각종 게시물도 역시 마찬가지다. 예전에는 정부에서 하는 회의에 가게 되면 한자로 표기한 회의 자료가 대부분이었음도 기억한다.

그런가 하면 시장에 나간 방송국 마이크 앞에 선 주부가 '값이 싸다'보다 '저렴(低廉)하다'고 말하고 '맛이 좋다' 대신에 '식감(食感)'이 우

---

46 한자어의 한자 표기만 보이면 이러하다. 今回, 限, 不問措置, 此後, 再發防止, 萬全, 期. 결코 쉽다고는 하기 어려운 한자들이다.

수(優秀)하다'고 말하는 일도 흔히 본다. 버스에서도 '하차시(下車時) '태그(tag)'하라고 방송하고 이어 '미태그시(未tag時) 과징금(過徵金)이 발생(發生)'하게 됨을 경고한다. 한자어며 영어를 두루 섞은 문장식 말투는 공공기관에 갔을 때 흔히 듣게 된다. "문제 발생시 후속조치를 스피디하게 이행하기 바랍니다."는 식이다.

서점의 모든 책이 대체로 한글 전용으로 되어 있음을 보건대 한글의 쉽고 편함은 입증이 되고도 남는다. 그런데도 한자어나 외국어를 즐겨 쓰는 것은 남다르고자 하는 욕망의 표현으로 읽게 된다. 그 '남다름'은 곧 사회적인 '상층인'으로서의 우월감과 이어질 것임이 자명하다. 이쯤에서 돌아본다. 관공서며 공공기관의 말이 한자투로 자꾸만 치닫는 원인은 무엇일까? 소통의 원활? 한자 어휘 보급 및 교육? 붕당적 상층화? — 이 가운데 '붕당적 차별화' 말고는 설명이 쉽지 않아 보인다.

• 신조어(新造語)의 차별적 성격

지금까지 살핀 것과는 성격이 다소 다른 차별화도 있다. 아예 없던 새로운 말을 이렇게 저렇게 여러 방식으로 만들어 쓰는 일을 말함이다. 이 또한 남과 다르게 말함으로써 사회적으로 구분되는 무리에 속하고자 하는 의도에서 나오는 언어행위가 분명하다.

그러기에 그 바탕에 깔린 생각이 완연하게 붕당(朋黨)적이라고 진단한다. '우리끼리'라며 편을 짜는 의식이 강하게 작용해서 생겨나는 언어문화일 것이라는 뜻이다.

'가즈아(가자!)'는 하도 널리 쓰기에 이제 정상적인 표현으로 착각할 정도가 되었다. 'YOLO(You Only Live Once)'나 '혼밥(혼자 먹는 밥)' 정도도 두루 많이 쓰이는 말이기에 군이 차별화라는 느낌이 크지 않을는지도 모르겠다. 그러나 'ㅇㄱㄹㅇ(이거 레알)' 정도를 아는 기성세대는 얼마나 될까? '아아(아이스 아메리카노)', '세젤예(세상에서 제일 예쁜)', '돌싱(돌아온 싱글)', '이생망(이번 생은 망했다)', '헬조선(Hell朝鮮)' …… 등을 쓰는 건 그만두고 이해라도 한다면 분명 사회적 활동이 상당한 사람일 것이다.

또 다른 끼리끼리도 있다. 예전의 운동권 대학생은 의식·무의식중에 북한 용어를 많이 섞어 썼다. 써클활동에서 쓰는 말이기에 별다른 의식이 없이도 그리되었을 것이다. '담보하다'라는 말은 은행에서나 들었는데 젊은 대학생들의 말에서 "통일을 담보한다."는 표현을 많이 듣기도 했다. 담보가 집이나 땅과는 무관하고 "어떤 목적이나 목표를 틀림없이 이루게 하다."라는 '북한어'라고 했다. 지금은 국어사전에도 등재되어 있음을 본다. '일정하다'가 '상당하다'는 뜻의 북한식 표현임을 알게 되기도 하였다. "일정한 성과를 담보한다."고 하는 말을 듣고서는 차별이 강력하구나 하는 느낌도 받았다.

왜 이런 언어가 자주 귀에 들리고 눈에 들어오게 되는 것일까? 이유는 오히려 단순해 보인다. 쉽고 간단한 예를 든다. 우리나라는 자동차 수출국가이다. 세계에서도 손가락으로 꼽을 만한 자동차 생산국의 국민인데도 외제차를 타는 이유를 생각하면 쉽다. 길거리의 자동차 행렬 사이로 오토바이보다도 더 요란한 굉음을 울리는 괴상한 차를 마주치는 일이 흔하다. 이 모두가 남다른 자동차로 저를 차별화하려는 노력이다. 언어인들 이와 무어 다르랴!

(3) 거짓말과 욕설의 함수

우리나라는 가히 '거짓말천국'이라고 느낄 때가 많다. 사회의 지도급 인사들이 앞장서서 그러는 것도 문제다. 신문의 한 칼럼은 이렇게 지적한다.

▶ 얼마 전 일본 잡지가 '한국은 숨 쉬는 것처럼 거짓말을 하는 나라'라는 기사를 실었다. 불쾌하긴 하지만 우리 경찰청 통계를 인용해 위증·사기·무고죄로 기소된 사람이 인구 비례로 볼 때 일본의 165배라고 들이대는 덴 할 말이 별로 없다. ○○○ 국정 농락 사건에서도 관련자들은 지위 고하를 막론하고 거짓말 퍼레이드를 벌이고 있다. ○씨는 딸의 초등학교 동창 아버지 회사에 ○○차 납품을 주선해주고 금품을 받은 사실이 드러났다. 그런데도 "회사 자체를 모른다."고 잡아뗀다고 한다. (중략)

▶ "하나의 거짓말이 발각되지 않도록 하기 위해선 스무 가지의 다른 거짓말을 만들어내야 한다"는 말이 있다. 우리 사회에 거짓말이 유달리 많은 것은 거짓이 드러났을 때의 부담보다 거짓말로 얻을 수 있는 이익이 크기 때문이란 해석이 있다. 우리는 법정에서의 거짓말은 위증죄로 처벌하지만 수사기관에서 하는 거짓말은 방어권 차원에서 용인한다. 미국은 참고인·피의자가 수사기관에서 무죄 주장을 위해 거짓말을 하면 처벌한다. 묵비권은 보장하되 일단 입을 열면 진실을 말하라는 것이다.

▶ 조선시대 네덜란드 선원 하멜도 <표류기>에서 '조선인은 거짓말하는 경향이 강하다'고 했다. 과장이 있을 수 있다. 그러나 ○○○ 사건을 보면 정말 한국인에게 '거짓말 DNA'가 있는 것 아닌가 하는 자괴감이 드는 것도 사실이다. 정직이 나라를 바꾼다며 거짓말하지 말라고 가르쳤던 도산 안창호 선생이 보면 땅을 칠 노릇이다.

-〈거짓말 행진〉, 최원규(『조선일보』, 2016.11.25.)

　

이런 신문칼럼을 읽으면서 놀랄 수밖에 없었다. 법정에서 한 거짓말은 벌하지만 수사기관에서는 자기방어권을 인정하므로 거짓말을 할 수도 있다니! 거짓말은 나쁘다고 배우며 자랐는데도 법은 그러하다니. 알다가도 모를 세상이다.

그러나 좀더 깊은 바탕을 더듬으면 놀라운 언어문화의 한 얼굴에

맞닥뜨리게 된다. "말이 그렇단 말이다."라는 관용표현이 그러하다. "말이 그렇단 말이다."는 말은 말일 따름이고 실상은 그와 다르다는 뜻으로 들린다. 사실은 그와 다르다니까 그 말은 거짓이라는 말임이 분명하지 아니한가! "말이 그렇다!" 그러니 사실은 그와 반대라는 말이다. 그래서 이런 시가 오히려 우리의 마음을 울리게 되는 것은 아닌가 싶다.

나쁜 엄마   고현혜

이런 엄마는 나쁜 엄마입니다

뭐든지 맛있다고 하면서 찬밥이나 쉰밥만 드시는
옷이 많다고 하면서 남편의 낡은 옷까지 꿰매 입는
아픈 데가 하나도 없다고 하면서 밤새 끙끙 앓는 엄마

한평생 자신의 감정은 돌보지 않고
왠지 죄의식을 느끼며
낮은 신분으로 살아가는 엄마

자신은 정말 행복하다고 하면서
딸에게 자신의 고통이 전염될까 봐
돌같이 거친 손과 가죽처럼 굳은 발을 감추는 엄마

이런 엄마는 정말 나쁜 엄마입니다

자식을 위해 모두 헌신하고
더 줄 게 없어
자식에게 짐이 될까 봐

어느 날 갑자기 눈을 뜬 채
심장마비로 돌아가신 엄마는 정말 용서할 수가 없습니다

따뜻한 밥을 풀 때마다
고운 중년 부인의 옷을 볼 때마다
뒤뜰에 날아오는 새를 "그랜마"라고 부르는 아이의 소리를 들을 때마다
자식 가슴에 못 박히게 하는 엄마는 정말 정말 나쁜 엄마입니다

난 여러분께 나의 나쁜 엄마를 고발합니다

'엄마'를 생각하면 누구나 고개를 끄덕이며 이해할 수 있을 듯하다. 그랬다. 엄마들은 많이들 그랬다. 배가 고프면서도 밥 먹었다고 했고, 힘들면서도 괜찮다고 했음을 우리는 안다. 분명 사실과 다른 거짓말이었다. 그렇지만 그건 거짓말이라기보다 '말이 그렇단 말'인 것임을 우리는 알고 살아 왔다. 그것이 우리가 말로 살아온 방식 즉 언어문화였다.

여기서 거짓말과 관계가 깊어 보이는 욕설의 문제로 시선을 옮겨 본다. 우선 거짓말과 욕설의 관계가 참으로 미묘하게 뒤엉켜 있음을 생각하게 된다. 가령 '죽일 ×'을 외국어로 옮긴다면 그 사회가 어떤 반응을 보이게 될까? 사실의 진술이라고 이해한다면 문제가 심각해질 것이다. 우리말에서 욕이란 거짓말임을 전제하기에 욕의 문화화까지 도 가능했던 것은 아닐까 생각하게 만든다. 우리말 욕설이 유난히 풍부한 것부터가 이와 관계가 있는 건 아닐까?

그렇다고 해서 욕설을 찬양하거나 정당화할 생각은 없다. 그러나 살펴보면 욕은 사실의 진술이 아니라서 '말이 되는' 말이라 할 수 있다. 생각해 본다. 대부분의 욕설은 아직 일어나지 않은 일에 관한 표

현으로 되어 있다. '벼락 맞아 죽어 쌀 ✕'이라거나 '염병을 할 ✕' 등의 욕설에 기반을 이루고 있는 시제가 미래형임에 주목하자. 그러 기에 욕설은 사실과는 관계없는 진술일 수 있다.[47] 그래서 욕은 '말 이 된'다. 이 점을 무시해 버리면 사실의 진술이 되고 마는 점에 주 목할 필요가 있다.

이를 이제 다시 또 뒤집어 생각하면 욕이 사실의 진술은 아니다. 그래서 '거짓말'과 가깝고, 그러니까 다만 말일 따름이다. 실제로 그 렇다는 진술이 아니고 말로 가상(假想)을 좀 한 것인데 뭐 그렇게 나쁜 가 하는 반론도 가능해 보인다. 사실도 아닌 허구로 마음 속 분노와 억울함이나 좀 씻어내는 것인데 뭐 그리 죄가 크다는 말이냐는 반론 도 있을 수 있겠다.

그렇다고 해서 사실과 거짓을 엄격하게 구분해야 할 현실적 상황에 서 내뱉는 거짓말까지도 옳은 일일 수는 없을 것이다. 사실이 아닌 것 을 사실로 위장하는 것은 정직(正直)과 공적 정당성(正當性)을 해치는 일 이기에 문제가 된다. 나아가 반사회적 결과를 초래하기도 한다. 이런 법적 판단이 필요한 상황이라면 거짓말은 죄로 처벌해야 한다. 그리 하여 거짓말을 엄격히 금하는 언어문화로 나아갈 수 있게 되기를 희 망하고 기대한다.[48]

---

47 여행 중에 만났던 한 미국인과 이런 대화를 나눈 적이 있다. "한국에서도 총기 소지가 가 능한가?" "천만에! 어림없는 일이다." "그러면 총도 없는데 화가 나면 어떻게 해결하는 가?" 곤혹스러운 질문이었다. 곰곰 생각하니 욕이라는 게 떠올랐다. 그런데 '욕'이라는 단 어가 생각이 나지 않길래 말을 돌렸다. "상대방에게 저주스러운 말을 해서 해소한다." 그 리고는 곧이어 "한국인은 화난 것을 말로 해결하니까 살인사건이 별로 없다."고 덧붙였다. 미국인이 '그러냐'며 고개를 끄덕였다. 그 모습은 납득이었을까 아니면 부정이었을까?

48 현실생활에서는 수사기관에서의 허위 진술도 응당 처벌해야 마땅하다고 생각한다.

나. 공감적 소통 언어문화의 옆모습

공감적 소통의 기반으로 가장 중요한 요소는 역지사지(易地思之)와 배려(配慮)이다. 저 사람의 처지라면 나는 어떤 생각을 하게 될까를 헤아리는 마음이다. 그래야 그런 처지에 있는 사람을 이해할 수 있다. 그럼으로써 배려할 수도 있게 된다. 실제로는 우리가 어떤 상태에서 공감과 다른 길을 향해 가며 생활하는지 살핀다.

(1) CF식 소통의 반공감성

CF에서 보는 영문자 C는 상행위(Commercial)와 관계된 일에 두루 쓴다. 그런데 상행위는 이익을 얻기 위해서 하는 활동이다. 그러기에 '소비자만 생각하는 기업'이라는 말은 속이 보이는 거짓말일 수밖에 없다. 말하자면 이런 소통은 그 쪽의 이익을 위해서 기획되는 활동이다. 따라서 이익에 반하는 사실은 극력 감추게 된다. 이렇듯 CF는 제작자의 일방적인 소통 목적을 달성하도록 고안되고 수행된다. 그러기에 그 결과로 생겨나는 부작용은 생각 이상으로 크다.

CF식 소통의 대표적인 사례인 약품 광고를 예로 들어 살핀다. 어떤 약광고이건 그 내용은 약의 장점 또는 효용을 집중적으로 강조하는 정보로 가득하다. 그런 정보에 접한 수용자가 약을 구입한 다음에 펴보는 것이 제품의 설명서이다. 그런데 대부분의 약품 설명서 지면의 2/3 정도가 부작용에 대한 경고일 때가 있다. (어떤 때는 시뻘건 글자일 경우마저도 있다!) 아주 심한 경우에는 심지어 4/5 정도의 설명이 부작용에 관한 내용일 때마저 있다.

그럼에도 불구하고 CF에서는 그런 부작용에 대해 말하는 법이 없다. 좋은 점만을 극대화하여 거의 과장에 가깝게 소통할 따름이고 부작용은 은밀하게 숨긴다. 사회적 공감에 해로움을 던지는 여러 가지 CF식 소통 또한 그 폐단이 이와 같다. 그 몇 가지 유형을 본다.

• 방송 프로그램의 CF적 소통

우리나라의 TV방송에서 유난히 많이 보게 되는 것이 화면에 떠오르는 자막(字幕)이다. 연예오락이나 그 비슷한 성격의 프로그램들은 대체로 자막 사용이 과도한 느낌이다. 분량부터가 엄청날뿐더러 계속해서 증가하는 추세이다. 어떤 때는 조잡스런 CF화면의 그것을 보는 느낌까지 받을 정도다. 심할 때는 영상보다 문자 설명이며 해석이 훨씬 더 많다고 느끼기까지 할 수준이다.

자막은 방송에 꼭 필요한 면도 있으며 시청에 도움을 주는 이점도 상당하다. 예컨대 시작과 끝을 알리는 자막이 없다면 시청자는 혼란스러울 수밖에 없다. 또 발음이 불분명하거나 알아듣기 힘든 것을 글자로 표기해 주면 이해가 훨씬 쉬워진다. 청각에 장애가 있는 시청자에게 이런 자막은 꼭 필요한 방송 구성 요소라 하겠다. 때로는 화면의 시각적 요소가 불분명하거나 이해하기 쉽지 않을 때 문자로 설명을 보충해서 돕기도 한다. 이 모두가 자막의 이로운 점이자 그 필요성이다.

그렇긴 해도 텔레비전 방송이 문자보다 이미지 중심의 매체임은 삼척동자도 다 안다. 라디오와는 그 점이 다르다. 그러므로 시각적 효과를 높이는 데 주력하여 제작하는 쪽이 먼저라야 한다. 그래서 이 방면의 전문가들은 극히 한정된 수준으로 자막을 곁들이는 쪽으로 권고하기도 한다. 이럴 때 흔히 예로 드는 것이 BBC의 영상이 보여주는 것과 같은 아름다움의 수준이다.

그러나 우리나라 텔레비전 방송 화면의 자막 표시가 갈수록 더욱 많아지는 것은 느낌만으로도 분명해 보인다. 자막의 성격도 더욱 다양화한다. 문자자막만이 아니라 만화식의 그림까지 덧칠하거나 영상을 변형까지 해버릴 정도로 다양화하였다. 그 결과 텔레비전방송이 주로 무엇을 특징적으로 전하는 매체인지조차 아리송할 정도에 이르렀다. 문자며 각종 부호 혹은 그림까지 화면에 덧칠하게 되면 프로그램 제작진으로서는 제작의 의도를 성취하여 전달하고 강조하기가 쉽고 효과적일 수 있다. 함축 또는 표상하기보다 설명하는 것이 훨씬 손쉽고 강력하다는 점은 실생활 경험만으로도 족히 안다.

문제는 시청자가 불행해지는 점이다. CF에 방불할 정도로 일방적으로 해설되고 강조된 자막들은 화면 제작의 기술이며 성취도에 상관없이 시청자에게 그대로 주입된다. 말하자면 자막은 곧 "그렇게 생각하고, 그렇게 느끼고 알라!"는 제작진의 지시이자 강요이다. 그러니 제작진이 시키는 대로 시청자는 수용해야 한다. 시청자의 주체적 판단이라든가 심미적 시청의 권리는 철저하게 무시될 수밖에 없다.

이를 가리며 '우민화(愚民化)'하는 제작의 기술이라고 명명하고자 한다. 시청자들에게는 독자적인 인지나 판단의 기회며 자유가 주어지지 않는다. 그 대신 제작자의 의도를 일방적으로 주입하는 말과 그림을 암기하듯 수용해야 한다. 이렇듯이 자막은 시청하는 사람에게 주견이나 판단을 버리고 맹종(盲從)하도록 지시하는 도구가 되어버린다.

참고로 어느 하루(2018.1.21.) 한 방송 프로그램을 시청하는 동안 보게 된 자막 가운데 특징적인 것을 생각나는 대로 몇 가지 메모해 보았다. 앞의 것은 자막으로 뜬 글자이고 괄호 안은 그 자막의 성격과 의도에 대해 생각한 바를 덧붙인 설명이다.

• 댄스 올나잇 (출연자의 율동 효과 해석 강조와 미화)
• 날카롭게 내리꽂는 송곳 보컬 (노래 평-그렇게 느끼라는 지시)

- 시원하게 속 풀리는 해장 사운드 (목소리 평가-느낌의 지시)
- ○○○ 못 믿겠네 (○○○이 말한 내용에 대한 △△△의 평가)
- 원래 좀 메가리가 없으세요? ('메가리'가 방송용어로 적절? 그걸 강조?)
- 완전 반가워 (잘못된 어법도 여과 없이 표기)
- 인생의 진리를 깨달은 듯한 탄식 (제작자의 자의적 해석-시청자는 그렇게 느껴야 함)
- 유연한 런웨이 (외국어로 채색된 칭찬-그렇게 생각하라는 지시)
- 장관, 유연한 그들의 워킹 (몸짓 평가-그렇게 받아들여야 함)
- 심장 폭행 주의보 (자극적인 표현으로 행동 분석, 전달효과 높임)
- 믿을 수 없는 어메이징 가창력 (외국어로 제작자의 자의적 평가)
- 씬나, 씬나! (의도적으로 표현하는 저급한 표기?)
- 오우 야! (청중 반응에 대한 제작자의 평가적 언급)
- 대박 (출연자 가창력에 대한 제작자의 평가)
- 내 맘에 쏙 (청중 반응을 제작진이 자의로 해석)
- ○○가 딴따라풍 시세에 제일 어두운 분 (△△△의 험담)
- 뭐야 이 양반! (청중 표정을 제작자가 자의적으로 해석)
- 심쿵 (비속어 표현 조장)
- 무한 신뢰 (출연자에 대한 제작자의 일방적인 평가 주입)

이 예가 보여주듯 자막의 주된 성격이며 의도는 강조, 비난, 해석, 평가, 제작의도 설명, 욕설, 출연자 기죽이기, 인신공격, 바보 만들기 등에 집중되어 있다. 말하자면 제작진의 자의적이고 일방적인 의도와 지시를 여과 없이 드러내었는가 하면 그것도 다양한 비속어로 노출하고 강조하는 도구로 쓰였다.

그 결과 시청자는 좋건 싫건 계속 이어지는 자막으로 지저분하기 짝이 없는 화면을 마치 의무를 수행하듯이 볼 수밖에 다른 방법이 없다. 제작자가 의도하는 말대로 세뇌되는 '어리석은 백성'으로 추락하는 수밖에는 다른 도리가 없다. 그래서 예전에도 텔레비전을 가리켜 우스개로 '바보상자'라고도 하였다. 그런데 바보상자든 뭐든 간에 우민화 기획에서 시민들이 벗어날 다른 길은 없어 보인다. 하기야 그 프로그램을 시청하는 것부터가 방송의 명령에 순종하는 일이고 그 일은 자신이 그렇게 선택하고 결정한 일이 아니겠는가!

• 방송사 및 공공기관의 일방적 주입

방송을 시청하는 일은 방송사가 전달하는 사항을 일방적으로 수용하는 구조로 되어 있다. 시청자가 의견을 말할 수 있는 장치로 이러저러하게 마련된 것도 있기는 한 모양이다. 그러나 그것은 적극적으로 그 문턱이나 휘장을 들치고 들어가는 사람이나 참여 가능한 장일 것이다. 그러니 대다수의 시민에게 방송의 시청은 방송사가 의지를 주입하고 시청자는 그것을 수용하는 기제로 작용할 수밖에 없다.

그러기에 방송의 기본적 문제점은 그 일방성에서 비롯한다. 방송이 알리지 않고 덮어버리면 같은 동네에서 생긴 일도 알 수 없다. 그러나 저 머나먼 외국 어느 시골에서 일어난 자잘한 사건이라도 방송이 알리면 알아야 한다. 그게 잘못된 일이라고 하면 잘못된 것으로 알아야 하고 별 것 아니라고 하면 그렇게 기억해야 한다. 나는 나의 삶을 경영하는 주인이지만 내 생각은 끼어들 틈이 없을뿐더러 의미도 없다.

이런 식의 일방적 주입이 방송만의 일은 아니다. 정책, 사업, 행사 등 모든 소통이 기획되는 사회는 일방적 주입의 구조로 사람들을 세뇌하는 일에 주안점을 두게 마련이다. 전모나 실상은 뒤나 아래 혹은 속에 가려 놓고 부분이나 장점만 떼어 설명하는 데 힘쓴다. 건물의 실상이며 동네 형편 등은 건물의 위용 뒤로 숨겨 두고 한 집 내부만 내 보이는 모델하우스식 홍보 등이 그 예이다. 일일이 열거하기 어려울 정도로 오늘날의 시민은 '장님의 코끼리'를 연일 만지며 살 따름이다. 사정이 이러하므로 식민지시대의 사람들은 신민(臣民)이었는데 지금 방송의 영향 아래에서 사는 사람은 우민(愚民)이 되기 십상이다.

• 공공기구의 예고편 방영식 발표

소통은 그것을 주관하는 측의 의지에 따라 이루어지는 구조일 수밖에 없다. 어떤 공공기구이건 소통은 일방적이다. 그러기에 그럴 듯한 정보와 전언(傳言)에 치중하게 마련이다. 그것이 지극히 과장적일 때가 많아서 오히려 공허하다 못해 괴롭기까지 함을 한 인사는 신문에 쓴 글에서 이렇게 숙고한다.

"행복을 드리는 ○○○입니다."
기차표 예매를 위해 전화를 걸면 직원의 첫 응답은 이러하다. 일 때문에 한 달에 서너 번 서울-부산을 기차로 오간 지 10년이 넘었는데, 이 첫인사는 변하지 않았다. 그 직원은 내가 무엇으로 행복을 느끼는지 전혀 모를 것이다. 많은 사람들이 공유하는 평균적인 행복의 조건이 있다 해도 그가 내게 줄 수는 없을 것이다. 그런데 무엇을 준다는 말인가. 매뉴얼대로 말해야 하는 그 직원에겐 아무런 잘못이 없지만, 이 과도한 말은 늘 조금 불편하다.
불편한 말들은 기차를 탔을 때 안내방송을 통해 더 들어야 한다. "세상에서 가장 편안한 얼굴로 세상에서 가장 행복한 서비스를 드리기 위해 노력하고 있습니다." 최상급 형용사가 두 번이나 반복된다. 나는 승무원에게 '세상에서 가장 편안한 얼굴'을 전혀 바라지 않으며 그들도 그래야 할 의무가 전혀 없고 그렇게 할 수도 없을 것이다. 게다가 세상에서 가장 행복한 서비스라는 것의 정체는 무엇일까. 기차를 타면서 별다른 서비스를 기대한 적도 없지만, 서비스라고 할 만한 것을 받은 적도 없다. 그런데 왜 저런 엄청난 말들을 쏟아내는 걸까.

이어지는 말들에는 약간 심술이 난다. "최고의 여행은 안전한 여행이 아닐까요. 저희의 안전시스템은……." 단순한 기차 타기를 여행이라고 표현하는 건 차치하고라도, '최고의 여행이 안전한 여행'이라는 언사는 낯선 세계와의 예기치 않은 조우라는 여행의 불가측한 본령과는 사뭇 동떨어진 말이다. 말의 외모 그것도 상투적인 미관에만 몰두하는 무책임한 말들, 그래서 발화되는 순간 바로 허공에 흩어지는 텅 빈 말들의 행렬을 접하며 매번 기차를 탄다.

물론 기차에서만 이런 말들을 듣게 되는 건 아니다. '고객님 사랑합니다'라는 말은 이런저런 매장에서 흔히 외쳐지고, 거리엔 'ㅇㅇㅇ은 당신을 응원합니다'라는 문구가 무심하게 붙어 있다. 누구를 향한 말이며, 그 사랑과 응원의 정체는 무엇일까. 조심스럽게 사용되어야 할, 누군가에게는 평생 몰두할 주제가 되어온 귀한 단어들이 아무렇게나 내뱉어지고 있다. 그 안에 담긴 진실이나 책임과는 무관하게 당장의 수사적 효용이 발화의 동기가 되는 말들의 오랜 기지는 정치였지만 이젠 광고의 언어로 뒤덮인 일상의 환경 자체가 된 것 같다.

　　　　　　　　　　　　－〈과도한 말들〉, 허문영(『한겨레신문』, 2017.9.22.)

과도한 말, 텅 빈 말, 의미 없는 말, 잘못된 말……. 말과 함께 살아야 하는 우리에게 이렇듯이 넘쳐나는 말의 과대포장은 괴로움을 줄 수밖에 없다. 화려해 보이지만 아무 실상이 없는 빈 껍데기의 말보다는 말의 뜻과 실상을 곰곰 생각하는 일―우리 사회의 공공기관이나 매체나 개인이나 모두 돌아보고 생각할 때다.

(2) 가학적 불평등 소통

불평등을 맛보면서 행복해 할 사람은 없다. 그래서 평등한 사회는 모든 시민의 오랜 꿈이기도 하였다. 그리고 우리는 그것을 이루었으며 그런 사회에서 산다고 자부하기도 한다. 겉으로는 그래 보인다. 그런데 문제가 없지 않다. 이 또한 언어문화의 과제일 수밖에 없어 보인다.

• 가학성 소통

TV를 시청하다가 사뭇 기이한 장면을 보는 일이 잦다. 몇몇 출연자가 유독 그런 경향이 심한데 한마디로 가학성(加虐性)의 말을 주저 없이 내던진다. 예를 들어 "그러니까 ○○○○ 떨어졌지요."라거나 "저 사람 오늘 처음으로 맞는 말을 하네요."라는 등 상대방이 모욕으로 느낄 수준의 말을 주저하는 기색조차 없이 내던진다.

그러면 청중은 물론이고 그 말을 듣는 당사자까지도 크게 웃는다. 그러니 매우 기이하게 느껴지기조차 한다. 사람을 앞에 놓고 면박이 분명한 말을 그토록 거침없이 내던질 수 있다는 사실이 기이하다. 그것을 들으면서 불쾌해 하는 기색이 없는 당사자도 기이하다. 너그러워서일까? 웃음을 터뜨리는 현장의 청중도 기이하고 이런 것을 편집하지 않고 그대로 방영하는 제작진도 기이하다.

그런데 다 그런 생각은 아닌 모양이다. 짐작하건대 시청자는 그런 면박주기 발언에 열렬하게 박수라도 치는가 보다. 바로 그 가학성 발언을 일삼는 출연자가 정말로 여러 곳에 그리고 여러 종류의 프로그램에 출연하는 것을 보건대 시청자가 박수치는 것으로 생각하는 짐작이 과히 빗나가지 않은 것이 분명하다. 지상파는 물론이고 종편에 이르기까지 그 출연자는 이른바 전천후(全天候) 탤런트라 할 만하다. 시청률을 높여주는 인기인이 확실하기에 이러지 않겠는가? 그 비슷한 출연자가 이 말고도 더 있어 보이기에 문제다.

그래서 이런 추정에 이르게 된다. 우리나라 사람들은 분명 남이 학대 받는 광경을 보며 즐기는 경향이 강해 보인다. 말하자면 비록 무의식일지라도 가학성에 중독되어 있는 모양이다. 그렇지 않고서야 피를 흘리게 만들 정도의 말을 남발하는 출연자의 인기가 그토록 높을 수 있을까?

이런 가학적 언어를 거리의 자동차 스티커에서까지 확인하게 된다. 자동차 뒤쪽 유리창에 흔히 붙여 놓는 스티커에 적힌 말의 표현 또한 가학적 충격을 준다. 그 전까지만 해도 흔히 '초보라고 무시하든 앙대여'라든가 '초보 엄마랑 애기가 있어용' 정도였다. 대체로 애교 섞인 표현으로 웃음을 자아내게 하는 것들이 이런 스티커의 특징이었다.

그러나 변했다. 변해도 무섭게 변했다. 'R(알)아서 P(피)해라'식의 협박이거나 '뒤에서 받으면 나는 좋지만 뭐 ㅋㅋ' 같은 조롱 섞인 경고, 아니면 '빵빵대지 마라 브레이크 확 밟아뿌마'나 '싸움 잘함' 등의 표현은 내용에 주목하기보다 미움부터 차오르게 만든다. '까칠한 아이가 타고 있어요'라는 스티커는 그러니 어쩌라는 것일까?

여기서 한 걸음 더 나가는 험악한 소통도 이따금 목격된다. '차 안에 내 새끼 있다'나 '뭘 봐? 초보 처음 봐?'라고 써 붙인 것들이 겁난다. 우리가 살아가는 세상이 공동체라는 것을 과연 생각은 하고 저럴까 싶다. 그야말로 가학(加虐)이다. 공감을 바탕으로 하는 소통을 이상으로 추구하는 사회적 화합조차 외면하는 세상 삶이 두려워진다.

생각이 여기에 이르자 우리가 크게 잘못 살아가고 있는 건 아닌가 싶은 생각이 든다. 이렇듯이 적군과 마주 보며 전투하듯 사는 까닭은 무엇일까? 우리 사회는 본디 말이 없더라도 서로의 마음을 읽으며 살아오던 사회가 아니었던가 하는 생각이 든다. 이렇듯 험악한 공격의 화살보다는 따뜻한 눈을 앞세워 서로의 마음을 읽어 내던 사회가 아니었던가 하는 회상에 잠긴다.

이를 생각하며 읽게 되는 시는 말한다. 말이 없어도 공감은 얼마든지 가능하다고. 아니 진정 아무 말이 없어야 틈이 없는 공감에 이를 수 있다고. 시는 부부 사이의 일에 관한 이야기이지만 남과의 사이라 해도 이치는 한가지일 것이다. 서로의 마음을 읽을 수 있다면 이해는 얼마든지 가능하다. 이해하고 나면 배려 또한 쉬울 것임도 물론이다.

갈등(葛藤) 　　　　　　　김광림

빚 탄로가 난 아내를 데불고
고속버스
온천으로 간다.
십팔 년 만에 새삼 돌아보는 아내
수척한 강산이여

그동안
내 자식들을
등꽃처럼 매달아 놓고
배배 꼬인 줄기
까칠한 아내여

헤어지자고
나선 마음 위에
덩굴처럼 얽혀드는
아내의 손발
싸늘한 인연이여

허탕을 치면
바라보라고

하늘이
저기 걸려 있다.

그대 이 세상에 왜 왔지
―빚 갚으러

맞다. 그럴 것이다. 우리가 모두 빚 갚으러 이 세상에 온 것임을 깨
닫는 순간, 마음과 마음은 이미 너그럽게 서로를 껴안을 수 있게 된
다. 이만큼 살아온 우리는 그것을 잘 안다. 무슨 일이건 왜 그랬는가
를 묻는 것조차도 어쩌면 나중의 문제라고 시는 일러주고 있다. 그런
데도 마음을 열어 듣지 못하고 있었을 따름임을 뒤늦게 깨닫는다.

그리고 누구건 사랑의 마음으로 바라보면 그 마음의 말을 들을 수
있다. 다만 나와 무관한 남이라고 생각하기에 공감하지 못할 따름이
다. 여기서 한 걸음 더 나가 본다. '남'이 곧 '적'과의 동의어일 수는
없다. 사랑의 눈과 마음으로 우리가 모두 공동의 운명을 지니고 살아
가는 존재임을 생각하면 그 마음 또한 보일 것이다. 우리야말로 사회
적으로 뒤엉켜 사는 칡과 등나무의 넝쿨들이 아니겠는가!

3

꿈꾸기 언어문화의 내면 풍경

가. 꿈의 구조 언어문화의 옆모습

인간의 특성은 꿈꾸는 일임을 앞에서 두루 살폈다. '내일'을 생각하고 없는 것을 생각해 내는 능력이 있었기에 인류가 아프리카를 떠나 전세계에 퍼져 살 수 있게 된 것도 바로 꿈꾸기의 힘이었음을 우리는 안다.

그런 만큼 인간은 무엇이든 꿈꿀 수 있고 얼마든지 더 꿈꿀 수도 있다. 우리 개인과 사회가 꾸는 꿈의 모습과 그 속살을 헤쳐 들여다보기로 하자.

한 점 해봐, 언니   김언희

한 점 해봐, 언니, 고등어회는 여기가 아니고는 못 먹어, 산 놈도 썩거든, 퍼덩퍼덩 살아 있어도 썩는 게 고등어야, 언니, 살이 깊어 그래, 사람도 그렇더라, 언니, 두 눈을 시퍼렇게 뜨고 있어도 썩는 게 사람이더라, 나도 내 살 썩는 냄새에 미쳐, 언니, 이불 속 내 가랑이 냄새에 미쳐, 마스크 속 내 입 냄새에 아주 미쳐, 언니, 그 냄샐 잊으려고 남의 살에

살을 섞어도 봤어, 이 살 저 살 냄새만 맡아도 살 것 같던 살이 냄새만 맡아도 돌 것 같은 살이 되는 건 금세 금방이더라, 온 김에 맛이나 한번 봐, 봐, 지금 딱 한철이야, 언니, 지금 아님 평생 먹기 힘들어, 왜 그러고 섰어, 언니, 여태 설탕만 먹고 살았어?

사람이면 누구나 이 시의 화자처럼 말하고 생각할 것이다. 살아 있기라도 한 듯이 싱싱한 고등어 회 한 점. 먹어 본 사람이라면 아는 것이기에 입에 군침이 돌기까지 하리라. 굳이 매슬로우(Maslow, 1970:35-58)까지 불러들이지 않더라도 이런 욕망이야말로 가장 기본적이고 강력한 욕망을 근거로 발동하는 꿈임을 누구나 안다. 이 시는 그토록 강렬한 욕망의 충족을 적극 권한다. 여기까지가 본능일 것이다.

그러면서도 이내 걱정이며 후회에 뒷덜미를 잡힌다. '썩는 게 사람'이고 '썩는 냄새에 미쳐 날' 수밖에 없는 삶. 아무리 싱싱해도 이내 썩고야 마는 삶—인간의 이런 두 얼굴 앞에서 괴로워하면서도 이내 또 흔들리는 어리석음. 결국은 썩고 말 것임을 알면서도 그러나 입에 넣고야 말고 싶은 욕망의 이중주(二重奏). 시는 그 양면의 엇갈림을 참으로 적나라하게 그려 보여 줌으로써 우리를 생각에 잠기게 만든다. 그리고 이를 중심으로 전개되는 언어문화의 속살을 헤집어 보고 싶게 만들기도 한다. '썩는 냄새가 싫은' 것 또한 누구나 마찬가지이기 때문이다.

(1) 원초적 욕망의 홍수

근래 TV 방송을 보면 먹는 일에 관련된 내용이 참으로 많다는 느낌을 갖게 된다. 아무 방송이나 켜면 먹는 일과 관련된 내용이 보이고 채널을 돌려 보아도 마찬가지이다. 확인해 보지는 못했지만 방송국을 골라 가며 하루 종일 먹는 일과 관련된 방송만을 볼 수도 있지 않을까 생각하게 될 정도다.

이것이 특별한 어느 누구만의 개인적인 느낌이나 욕망만은 아닌 모양이다. 한 신문에 우리 사회의 그런 경향에 대한 걱정을 담은 경고가 실린 것도 보았다.

> 무관심 세태 속 돌출(突出) 관심사가 요리다. 어느 시간에 TV 채널을 돌려도 한두 개 요리 프로그램을 만난다. 내용도 각양각색이다. 건강 식단(食單) 만들기도 있고 산해진미(山海珍味) 프로도 있다. 어느 여배우의 냉장고를 열어젖히자 프랑스에서 공수(空輸)해온 진기한 버섯과 지중해산(産) 요리 재료가 그득했다. 배곯던 기억을 지우지 못한 '쉰 세대'에겐 호기심에 이어 '이러고도 벼락 안 맞겠나' 하는 두려움이 밀려왔다.
>
> 요리 제국은 계속 영토를 확장하고 있다. TV 드라마 무대는 으레 레스토랑이고, 주인공은 요리사라는 우리말 단어를 밀어낸 서양 셰프(Chef)다. 한식의 세계화는 창조경제의 어엿한 멤버다. 미식(美食)의 대중화가 '인민에게 이밥과 고깃국을 먹이겠다'는 혁명 목표에 한참 미달(未達)한 북(北)과의 체제 경쟁에 승리의 마침표를 찍는 일인 듯도 싶다. 그렇다 해도 지나치면 화(禍)를 부르는 법이다. 온 나라를 휩쓰는 이상(異狀) 미식 열풍(烈風)에 대한 '까닭 모를 두려움'은 쉬이 가시지 않는다.
>
> — 〈미식(美食) 열풍 시대의 불안〉, 강천석(『조선일보』, 2016.7.8.)

이 칼럼은 이런 풍조가 일었던 영국 사회가 훗날 어떤 문제를 떠안게 되었던가를 예화로 제시하면서 자제를 바라는 논조를 폈다. '까닭 모를 두려움'이라고 이 글에서는 말했지만 그 까닭을 왜 모르겠는가! 안빈낙도(安貧樂道)라는 공자(孔子)의 가르침에 새삼스레 주목하지 않더라도 사람은 금수(禽獸)가 아니다. 우리가 쉴 곳이 축사(畜舍)이거나 밀림일 수는 없기에 먹는 즐거움만을 추구하는 우리 모습이 두려워진다. 그 두려움의 까닭이야 우리라고 왜 모르겠는가?

이를 보면서 잠시 생각하게 된다. 왜 '먹는 방송'을 하는 프로그램이 이토록 많은가? 그 까닭을 방송사에 물으면 대답은 뻔할 것이다. "시청자들이 그것을 원하니까." ─ 이럴 것이다. 방송사가 시청률 앞에서 얼마나 긴장하는가를 충분히 짐작할 수 있으므로 이런 방송을 무작정 나무라기만 할 수는 없을 것이다. 그렇다면 문제는 우리 삶이 그러한 데가 있기에 그럴 것이다. 그러기에 한국을 잘 아는 외국인의 다음과 같은 경고에도 심각하게 귀를 기울이게 된다.

> 언론인 친구에게 물었다. 탐사보도가 급격히 줄고, 음식·패션과 정치인 신변에 대한 뉴스가 쏟아져 나오는 것에 우리 사회가 어떻게 대처해야 하느냐고. 내가 요즘 보도는 깊이가 없다고 하자 그는 독자들, 특히 젊은층이 긴 뉴스를 읽거나 보는 데 필요한 인내심을 갖고 있지 않다고 대꾸했다. 뉴스 소비자들이 재미가 있으면서도 길지 않은 것을 좋아하며 세세한 설명에는 금세 지루함을 느낀다는 얘기였다.
>
> 그런데 그의 생각은 틀렸다. 시민들이 긴 기사를 읽거나 사회의 변화를 보여주는 구체적 사례들을 살펴보는 데 필요한 집중력을 충분히 갖고 있지 않은 것이 지금은 사실일지라도 영원불변의 진리는 아니다. 시민, 특히 젊은이들이 그 정도의 인내력도 없다면 이는 우리가 중대한 위기에 직면해 있음을 의미한다. 사회가 병들었고, 이에 대한 해결책 마련이 급선무라는 것을 뜻하기도 한다.
>
> ─〈흥미 추구는 언론의 정도가 아니다〉, 임마누엘 페스트라이쉬
> (『중앙일보』, 2018.1.26.)

이 칼럼의 필자는 '언론'[49]이라는 용어로 매스컴의 사회적 책임을

---

49 '언론(言論)'이라는 말은 신문이며 방송을 가리킬 때 흔히 쓴다. 그런데 '언론'이라는 단

강조한다. 사회의 지적 수준을 높이는 데 언론이 기여해야 할 책임을 강조하고 있다. 그러지 않고 소비자에 영합하여 제품을 생산하는 마케팅과 같은 취지로 제작해 나간다면 문제라고 지적한다. 사회의 지적 수준을 높이는 책임을 포기하는 행위가 되리라는 경고다.

그러기에 시민들의 원초적 욕망에 휘둘리는 매스컴을 향해 칼럼이 권하는 말은 의미심장해 보인다. "부와 권력을 좇는 것만이 의미 있는 삶이 아니라는 것을 젊은이들에게 보여줘야 한다."거나 "현실 세계를 있는 그대로 보는 인내와 용기를 가져야 한다."는 충고가 맵고 아프다. 매스컴을 향해 던지는 이 충고는 원초적 욕망에 절어 있는 우리 언어문화에도 좋은 충고가 될 수 있을 것이다.

결핍동기(dificiency motivation)라는 용어를 생각해 보자. 모자라기에 무언가를 채운다는 것 ― 매슬로우(Maslow, 1970)가 말한 바와 같이 그런 욕망은 금수가 가장 강렬하다는 데서 알 수 있듯 '인간적'이라 하기 어렵다. 툭하면 OECD라는 단어를 내세우기 좋아하고 '문화민족'을 말하기 좋아하는 우리다. 그런데 하루 종일 방송은 먹는 것을 돌려가며 보여준다. 그 위에 먹는 것으로 넘쳐나는 '즐거운 나의 집'을 돌려가며 보여준다. 우리가 사는 이곳이 '동물 농장' 아니면 '동물의 왕국'인 걸까?

이제 이쯤에서 시인이 높이 치켜 올려 들어 보여주는 거울에서 우리의 모습을 총체적으로 살필 수 있기를 기원하고 싶다.

어는 '사실을 밝혀 알리고 여론을 형성하는 활동'으로 이해할 수 있다. 그러니 흥미 추구나 욕망의 충족을 주된 내용으로 강조하면서 '언론'이라는 말을 쓰는 것은 앞뒤가 맞지 않는 느낌을 갖게 만든다.

최근의 밤하늘　　　　　　　정현종

옛날엔
별 하나 나 하나
별 둘 나 둘이 있었으나
지금은
빵 하나 나 하나
빵 둘 나 둘이 있을 뿐이다
정신도 육체도 죽을 쑤고 있고
우리들의 피는 위대한 미래를 위한
맹물이 되고 있다
최근의 밤하늘을 보라
아무도 기억하지 않고 말하지 않는
어떤 사람들의 고통과 죽음을
별들은 자기들의 빛으로
가슴 깊이 감싸 주고 있다
실제로 아무 말도 하지 않는 우리들을 향하여
유언(流言) 같은 별빛을 던지고 있다

　별을 쳐다보기보다 식탁에만 눈을 주며 사는 것이 "바로 우리 모습이로다!" 하고 생각하면 얼굴마저 붉어진다. 여기저기서 드러나는 원초적 욕망의 실상이 우리의 옆모습이라기보다 실은 그것이 우리 참모습임을 생각하면 그저 안타까울 따름이다.

(2) 남의 눈으로 내 꿈꾸기

　사람인 이상 누구든 꿈을 지니고 살아가게 마련이다. 또 사람이기에 저마다 꾸는 꿈이 똑같을 수도 없다. 사람은 저마다 지니고 태어난 소질과 능력을 바탕으로 '저다운' 삶을 이룩하기 위해 '저의' 삶을 살아가도록 되어 있다. 그러기에 단 한 번뿐인 자신의 삶은 온전히 제 것이라야 한다.

그런데 우리 삶의 실상이 그렇지 못해서 문제가 된다. 개인적 편견이 아님을 밝히기 위해서 신문에 실린 칼럼의 한 대목을 여기 옮겨 함께 읽는다. 학술서적도 아니고 누구나 읽는 신문에 쓴 글이므로 지금을 사는 모두에게 건네는 말임이 분명하다. 그 점에 유념하면서 읽어야 말뜻을 헤아릴 수가 있다.

우리가 흔히 쓰는 일상의 표현에 '남의 눈'이 가득합니다. 식사 메뉴를 고르면서도 '뭐를 먹어야 잘 골랐다고 소문날까'라고 주문(注文) 대신 주문(呪文)을 읊고, 스스로의 기준에 따라 만족감 혹은 수치감을 느끼기보다는 '남부럽지 않은 삶' 혹은 '남 보기 부끄러운 삶'의 기준을 따릅니다. 심지어 자녀를 키우는 목표가 '남부끄럽지 않게' 잘 키우는 것이 우리의 익숙한 삶입니다. 습관처럼 입에 달린 '쪽팔리다'는 표현도 남 보기에 체면이 깎인다는 뜻입니다. 참으로 남의 눈을 기준으로 살아가고 있습니다.

우리 시대의 물적 과시욕도 남의 눈에 대한 집착에 뿌리를 두고 있습니다. 남에게 보여주기 위해 고가품으로 치장하고 더 큰 차, 더 넓은 아파트로 과시하고 싶은 유아적 과시 속에는 타인의 시선으로부터 확인받고 싶은 인정욕구가 자리하고 있습니다. 자아가 공허할 때 흔히 나타나는 현상입니다. 자신이 좋아서 하는 삶이 아닌 남에게 보여주기 위한 삶. 몇 가지 소품으로 끝난다면야 모르지만 한 번뿐인 삶을 과시의 용도로 소모한다면 심각한 문제입니다.

남의 눈은 마치 종교처럼 작동합니다. 남의 눈을 신의 존재처럼 느끼며 남의 눈을 충족시키고 남의 눈을 계명처럼 준수하려 합니다. '체면교(體面敎)'라는 종교에 대한 신봉이라고 표현하면 과장일까요? 스스로 만든 남의 눈이라는 감시체계로 자신을 밀어 넣고 있는지도 모릅니다.

－〈남의 눈〉, 송인한(『중앙일보』, 2017.9.23.)

이 칼럼은 여기서 적당히 마무리하지 않고 더 중요한 데로 독자를 이끌어 간다. '남의 눈'은 타인의 입장에서 스스로를 바라보며 자아를 확장하고 자신을 돌아볼 수 있게 하는 인간만의 고유한 특징이므로 남의 눈으로 자기를 바라보고 성찰하는 공감의 능력도 갖추어 발전시키기를 권하고 있다.

여기에 비추어 보면 우리 사회의 유행어 가운데 '엄친아(딸)'라는 말이 쓰인다는 사실 자체가 우리의 부끄러운 자화상임을 생각하게 된다. 내 아들, 내 딸은 '사람'이다. 그리고 사람은 누구건 저만의 인생을 저답게 살도록 이 세상에 온 존재이다. 그런데도 그 귀한 삶의 기준을 '엄마 친구의 아들(딸)'에 비교하여 거기 맞추거나 뒤쫓아 가라고 다그친다. 그러는 부모는 부모로서의 자격조차 없다고 해야 할 정도로 너무 야만스럽다. 남의 눈으로 바라보아 나를 냉정하게 성찰하기보다 남의 모습을 내 욕망의 표준이자 모델로 삼는다. 이런 '뒤틀린 시선'이 언어문화로 드러난 우리 모습이다. 부끄러울 따름이다.

이 시대의 일원으로서 어떤 삶이 가치 있는 삶인가를 마음에 두고 새기는 문화의 주인이었으면 싶다. 저 사람처럼 살아야지가 아니라 내가 이 세상에 온 이유를 위하여 살아가는 삶을 누리고 싶다. 우리 사회가 그런 가치를 숭상하는 우아함이 수준에 이르는 모습도 기대해 본다.

나. 꿈 표현 언어문화의 옆모습

(1) 격투기식 언어의 난무

요즘의 사회에서 오가는 말들은 격투기처럼 무지막지해 보인다. 격투기가 그러하듯 세상에 오가는 말 또한 종류며 방법 모두 수단 방법 가리지 않고 상대방을 때려눕히는 데만 목적을 두는 듯하다. 언어생활에서 금기와 허용의 규칙이며 관습이 흔들리고 있음을 지적하는 글을 심심찮게 만나게 되는 것도 그 때문이다.

그중에서도 주된 화제는 정치인들의 '막말'과 '실언'에 모아진다. 정치가 삶에 미치는 영향은 크게 마련이다. 그러니 정치인들의 말이 격투기처럼 수단과 방법을 뛰어넘는 투쟁과 방불해서는 안 될 것이다.

이런 관점에서 정치인의 말과 거기서 비롯하여 우리 모두의 말까지로 생각을 가져가는 칼럼을 함께 보기로 한다. 생텍쥐페리의 동화 『어린왕자』에서 "말은 오해의 근원이야."라고 한 여우의 말을 소개하면서 시작하는 다음 칼럼의 요지는 이 대목에 압축되어 있는 것으로 보인다.

> 막말이 '잘못 생각'하기 때문이고, 실언이 '생각 없이' 말하기 때문이라면, 유머는 '깊고 넓은 생각'을 바탕으로 하는 것입니다. 뛰어난 유머는 바로 폭소를 유발하기보다 듣고 뒤돌아서면서 미소짓게 합니다. 그리고 자기 생각과 지식으로 만들어낸 것이기 때문에 정보를 수집하는 '아재개그'와 다릅니다. 유머는 상상력과 창의력의 표현입니다.
>
> 이제 우리도 창의적 정치인들을 가져야 할 때가 되지 않았나요. 이는 나라 살림에서 중요합니다. 창의적 정치인이 되기 위해 노력하면, 막말은 안 하고 실언은 대폭 줄이고 유머로 사람들을 감동시키게 되겠지요. 새해에는 그런 정치를 기대합니다.
>
> ―〈막말, 실언 그리고 유머〉, 김용석(『동아일보』, 2018.1.6.)

잘못된 생각이 낳는 '막말' 그리고 생각하지 않고 내던져 버리는 '실언'에 대한 경고이겠다. 그 대신에 상상력과 창의력의 표현인 '유머'의 수준으로까지 정치인들의 언어가 향상되기를 바라는 생각도 담겨 있다. 이 글을 읽으면서 유머까지야 그렇더라도 제발 '듣기에 거북하지 않을 정도의 말'쯤이라도 해 주었으면 하는 생각이 떠오른다.

사실 그러하다. 사람과 사람 사이에 오가는 말들을 살피면 부끄럽고 참혹하다는 생각까지 하게 된다. 가리는 것도 삼가는 것도 없이 상대방에 대한 공격이 되는 말이면 무슨 말이든지 하기 때문이다. 여기 일일이 예를 들 것까지도 없이 그야말로 사회가 소통의 장은커녕 말의 폭탄이 작렬하는 격전의 전쟁터라는 느낌을 갖게 한다.

이토록 험한 말이 격투기처럼 오가는 원인은 오히려 간단해 보인다. 상대방과 소통하며 함께 살려는 의지보다 상대방을 제압하려는 생각 때문일 것이다. 그리하여 다시는 일어나지 못하게 만들어 놓음으로써 자신의 의지대로 결과를 이끌어 가고자 하는 욕심 때문일 것이다. 사회적 분쟁의 곳곳에서 그런 언사가 난무하는 까닭은 바로 그런 격투기적 잔혹성과 원초적 쾌감을 갈구하는 욕망 때문이라고 본다.

말이 소통의 도구이기보다 권력 다툼의 수단으로 전락하게 되면 사회는 삶의 마당이 아니라 전쟁터로 변하게 마련이다. 이런 저런 경로로 접하게 되는 대부분의 언어가 권력 투쟁의 탄환으로 작용하고 있음을 느낀다. 그러기에 시민은 삶 자체가 불안해진다. 격투기의 링 위에 능력도 의지도 없는 채로 끌려 올라가야만 하는 당사자처럼 외롭고 두렵다 못해 무서움을 느낄 수밖에 없다. 그래서는 안 되지 않겠는가.

(2) '우리 마누라'와 적들의 세상

'우리 마누라'라는 말이 '나+마누라'의 구조로 의미를 이룸으로써 복수가 되어 '우리'라는 대명사가 당연하다는 것, 그리고 그렇게 형성되는 공동체를 떠올리도록 하기에 '우리'라는 말이 환기하여 보여주는 것이 '치열한 공동체의식에 대한 소망'이라는 점은 앞에서 충분히 살핀 바 있다.[50]

그러기에 단 두 형제 사이에도 '우리 형님'과 '우리 동생'이라는 호칭이 충분히 가능한 것은 우리 사회의 언어문화가 그 대상과 '나'를 '우리'라는 범주 안에 넣어서 공동체로 항상 생각했기 때문임도 살폈다.

이렇듯이 '우리'로 명명하여 합쳐지는 공동체에는 아무런 거리나 간격이 없다는 특징이 있다. 흔히 말하듯 일심동체(一心同體) 같은 심리적 상태에 이른다는 점도 이미 이해했다. 그러기에 '우리가 남이가?'라는 말도 할 수 있게 된다. 이제 이런 생각을 더 깊게 확인하고자 수필 한 편을 읽고자 한다. 한마디 부름으로 그럴 수 있는 사이에 있을 법한 말의 오고감, 그리고 거기 섬세하게 끼어드는 어감의 차이를 함께 느낄 수 있기를 바란다.

자식을 키워 본 사람이면 다음 수필에 담긴 마음을 충분히 이해할 수 있을 것이다. 나아가 동감으로 가슴까지 뭉클해질 것이다. 초등학교 1학년인 아들이 밖에 나가 놀면서 저녁 늦게까지 돌아오지 않은 어느 날 저녁에 있었던 일의 경과를 이야기한다. 본디 장난스러운 아이이기에 맘을 졸이며 기다렸고 그래서 야단을 치기에 이른 사정이 앞에 서술되어 있다. 그리고 글은 이렇게 이어진다.

"왜 이렇게 늦었니, 이 녀석?"
그러자 이 녀석은 아무 대꾸도 없이 제 방으로 들어가서 문을 탁 닫았다.
"못 나와?"

---

50 이 책 134-137쪽 참조.

나는 또 소리를 질렀다. 아내가 날 보고, 아이 기 죽으니 큰소리로 나무라진 말라고 했다. 이 녀석은 그제야 삐질삐질 눈물을 짜며 마루로 나와선 학교서 배웠는지 무릎을 꿇고 머리를 숙였다. 늘 제 엄마의 가슴이나 더듬던 놈이 그래도 좀 컸구나 하는 생각이 들어 대견스럽기도 했다.

"아빠가 얼마나 걱정을 했는지 아니? 날이 늦으면 돌아와야지. 다음부턴 이러지 말아라. 알았니?"

나는 좀 부드럽게 말했다. 그러나 녀석은 겨우 '네' 소리만 내고는 꼼짝도 않았다. 그 요지부동한 모습은 그의 '네' 하는 소리와는 달리 순종을 거부하는 것이었다. 그러나 더 말하면 정말로 아이의 기가 죽을 것 같아서

"가서 세수하고 밥 먹어라."

하고 나직이 말했다. 그런데 녀석은

"밥은 안 먹을래요."

하고는 발딱 일어나서 목욕탕으로 갔다. 저 쪼그만 녀석의 머릿속에도 제 나름의 무슨 생각이라는 게 있다는 건가? 나는 저절로 웃음이 나왔다.

방에서 한참 신문을 보다가 마루로 나갔더니 안 먹겠다던 녀석이 큼직큼직하게 밥을 떠 넣고 있었다.

한 동안 시간이 지나서 아이의 기분이 회복된 다음에 나는 조용히 타일렀다. 늦게 다니면 안 된다고.

"알았니?"

"응."

그제야 녀석은 '응' 했다. 이 녀석이 반말로 '응' 하는 것은 그렇게 하겠다는 뜻이다. '네' 할 때는 아이스크림이라도 먹고 싶을 경우가 아니면 대체로 꾸중에 대한 항의로 대답하는 경우가 많다.

자식에 대한 부모의 안타까운 염려에 관계없이 아이들은 하루하루 그 부모의 품에서 멀어져 가는 모양이다. 새새끼가 푸득푸득 조금씩 나는 연습을 하다가 마침내 먼 먼 창공으로 날아가 버리듯이 이 녀석도 그의 창공을 향해 언젠가는 날아가 버릴 것이다. 아버지 앞이라 무릎은 꿇지만 마음만은 꿇지 않는 아이들, 그러나 그걸 나무랄 생각은 없다. 어차피

날아갈 아이라면 무엇에도 꿇지 않는 제 뜻이 서 있어야 더 멀리 더 높이 날을 테니까.

−〈무릎을 꿇리고〉, 정진권(『비닐우산』, 1976:190−192)

누구라도 느끼겠지만 글의 행간(行間)이 참 밝고 따사롭다는 느낌을 받는다. '우리'로 부를 수 있는 가족 구성원 사이의 사랑 때문이리라. 아이의 대답 '응'과 '예'에 담긴 마음의 차이를 이토록 섬세하게 읽어 내는 마음이 다사롭기 그지없어 부럽다.

그러고 보면 사는 일의 핵심은 애정이리라. 애정의 눈으로 바라보면 모든 사람이 다 가족이요 친구 같을 수 있을 것이다. 모든 너와 나가 이 좁은 지구 위에 어깨를 나란히 하며 살아가고 있지 않은가? 그러니 필연 '우리'라고 부르며 어깨동무를 해야 마땅하리라.

그런데 집의 울타리를 벗어나 세상으로 나와 사람과 사람의 사이를 눈여겨 살피자. 희망은 없어 보인다. 낯선 사람 사이에는 말을 주고받는 일은 고사하고 가벼운 목례조차 건네지 않는 것이 일반적이다. 같은 아파트에 살거나 같은 빌딩의 사무실에 근무하는 사이임에도 엘리베이터 같은 데서 마주쳤을 때도 가벼운 눈인사조차 건네지 않는 정도이다. 서로 멋쩍어는 하면서도 참 인사에 인색하게 사는 우리다.

인사조차 건네지 않으니 하물며 대화가 오갈 까닭은 더더욱 없다. 그러니 마치 적과 적이 마주치는 것 같은 모습이다. 꼭 그래야 할까? 방금 읽은 글에서 본 것 같은 따뜻함이 남과 남들 사이에도 오가면 얼마나 살 만한 세상으로 느껴질까? 난생 처음 보는 낯선이에게도 "하이!" 하며 손을 드는 외국인들 사는 방식이 부러워지기도 한다.

결코 어렵지도 않은 일일 것이다. 더불어 살아야 할 사람들이므로 애정을 바탕으로 서로 인사를 나누고 마음을 읽어 나간다면 모두가 정다운 이웃이며 동지일 수 있을 것이다. 그런데 그렇게 하지 못하는 까닭은 우리가 함께 산다는 생각을 하지 못하기 때문이 아닐까? 모든 타인은 적이거나 아니면 잠재적 적이라는 잠재의식이 발동하는 현장이라고 명하고 싶다.

거듭 확인하지만 우리는 그것이 누구든 '우리'라고 부르는 순간 '우리 공동체'를 만들어 내는 그토록 사회적인 '우리'이다. 그럼에도 낯선 사람과는 그러지 못한다. 격투기 시합을 앞둔 선수를 방불케 하는 '적과의 대치 사회'로 느껴진다.

우리가 '우리'라는 말을 그다지도 쉽게 쓰면서도 남과 인사를 나누지 못하는 것은 오늘날에 와서 비롯된 문제가 아니라 예로부터 내려온 심성 탓도 있으리라는 생각도 든다. 생각해 보면 예전에도 모르는 사람끼리는 냉담했던 것으로 기억된다. 그러나 일단 친해지면 '우리'라고 부르며 가까워졌다. 그렇기에 우리도 얼마든지 달라질 수도 있음을 기대해 본다.

영원히 적일 듯하던 '남들' 사이에 다시 '우리' 관계가 형성되는 데는 확인 사항이 필요하다. 세 가지 — 성(姓), 고향(故鄕), 학교(學校), 이렇게 세 가지가 같음을 확인하는 순간, 일심동체로 변하고 만다. 그래서 '우리 친구'이고 '우리 형님'이고 '우리 선배'가 된다. 이처럼 공동체적 삶으로 나아갈 수 있음에도 그런 노력은 별로 보이지 않는다. 말이 곧 마음이고 행동인데, 우리는 왜 말로라도 서로 사랑하지 않는 것일까?

제6장

시와 언어문화
그리고 21세기

우리는 이미 21세기의 복판에 서 있는 셈이다. 그만큼 모든 것이 전과 많이 다름을 실감한다. 그것도 그냥 다르기만 한 것이 아니라 상상조차 하기 어려운 변화가 여러 방향에서 나타나는가 하면 또 예고되고 있다.

이런 격동의 시간에 시와 언어문화는 우리에게 무엇이며 무엇이라야 하는가? 시와 언어문화의 거리까지 감안하면서 변화하는 시대의 시와 언어문화는 우리와 어떻게 만나야 희망적이겠는가도 구체적으로 생각해 본다. 나아가 시와 언어문화가 이렇듯 급변하는 사회에 의미 있는 것이 되게 할 수 있을 교육의 방안도 살핀다.

1

폭발의 시와 역사의 언어문화

지금까지 시, 언어문화, 삶의 방식 등의 용어를 상황에 따라 제한 없이 두루 써 왔다. 그러니 엄밀한 규정조차 없는 편의적 용어 사용이라는 비난도 들을 만하다. 이제 마무리 단계에 이르렀으니 결코 꼭같지만은 않은 그것들의 차이에 대해서도 섬세하고 엄정하게 살피는 일이 필요하고 마땅하다.

이런 일이 다소 혼란스럽기도 할 것이다. 결국 동일한 대상에 대한 일인데 지금까지 같다고 하면서 바라보고는 이제 다시 다르다고 하면서 살피다니, 그런 번거롭고 어수선한 일이 굳이 왜 필요한가 묻고 싶기도 하리라. 그 까닭을 실제로 겪었던 경험을 예로 삼아 말하고자 한다.

오래 전 어느 저녁시간, 거실에서 텔레비전 뉴스를 보고 있었다. 그런데 마루에서 놀던 손주녀석이 '585다, 585!'라며 혼잣말로 중얼거리는 것을 어렴풋이 들은 것 같았다. 그렇지만 아이들 말에 일일이 관심을 두는 할아버지가 어디 있겠는가! 그저 그런가 보다 하면서 그냥 무심했다. 그런데 내가 아무런 반응을 보이지 않자 이 녀석이 나를 흔들어대며 소리를 지르는 것이 아닌가! "할아버지, 저거 585 맞지?"

 손가락이 향하는 곳을 보았더니 뉴스를 진행하는 방송사의 로고가 오른쪽 상단에 아주 작게 박혀 있는 것이 보였다.

바로 그것이었다. 그제 막 1, 2, 3, 4……를 익히기 시작하던 아이의 눈에는 저 영어 글자가 영락없이 제가 배워 아는 585로 보였던 것임을 알아차리게 되었다. 세상은 아는 만큼 보인다더니 과연 그렇구나! 속으로 감탄도 하였다.

생각해 보면 참 깊은 깨달음을 얻은 것이기도 하였다. 말은 쉽게들 한다. 사물을 있는 대로 본다고 흔히 말들 하지만 실은 세상이란 게 보는 대로 있는 법이라고. 그러나 영어 알파벳이라는 고정관념에 빠진 나로서는 그것이 585로 보일 수도 있다는 생각조차 해 본 적이 없지 않았던가! 시와 언어문화의 관계인들 여기서 예외이겠는가!

가. 동어반복의 재음미

이 장에서 할 일에 대한 설명은 이쯤이면 되었을 것으로 본다. 그렇듯이 세상 만물은 보는 대로 있기도 하므로. 이제 시와 언어문화를 다르게 바라보기를 시도하려는 취지를 말해 둘 필요도 있겠다.

다음에 보게 되는 사진은 많이들 눈에 익을 것이다. 그렇다. 익숙하게 잘 아는 전라북도 진안(鎭安)의 마이산(馬耳山)을 찍은 사진이다. 두 봉우리의 생김이며 서 있는 위치가 바라보면 볼수록 쫑긋한 말의 두 귀를 영낙없이 닮지 않았는가?

　그런데 다른 위치에서 찍은 마이산의 사진을 보면 전혀 다른 것으로 보인다. 둘을 비교해 보자. 이 두 장의 사진이 과연 같은 산을 찍은 사진일까 의심스러울 정도로 판이해 보인다.

　말하고자 하는 핵심은 시각(視覺)의 중요성이다. 이 세상 만물은 어떤 시각으로 보는가에 따라서 전혀 달리 보일 수가 있음을 환기하자는 뜻이다. 그런 도움을 얻어 시와 언어문화를 좀 더 넓고 깊게 들여다보고자 한다. 시선을 달리하고 조명을 달리해서 혹은 생각도 다르게 하고 목적도 다르게 해서 시와 언어문화를 바라봄으로써 또 다른 이해에 도달할 수 있기를 기대하는 것이다.

　이런 일이 왜 필요한가? 사실 지금까지 시와 언어문화의 동질성을 강조하며 살펴 온 여러 생각에 불편함을 느꼈을 독자가 상당했을 것으로 짐작한다. 특히 시를 사랑하고 시의 비밀을 풀어내는 일에 심혈을 기울이고 또 그 일로 생의 과업을 삼아 온 사람이면 지금까지의 시선에 대체로 마음이 편치 못했으리라. 충분히 이해할 수 있다.

　그럴 것을 알면서도 왜 군이 그렇게 했는가? 충분히 설명했다고 생각은 하지만 다시 또 말해야만 하겠다. 그러지 않으면 지금까지 시와 언어문화를 한 축에 꿰고 한 무리로 엮어 온 노력이 허사가 될 수도 있기 때문이다.

군이 되풀이한다. 시를 언어문화라고 규정한 것은 예술이라는 특수성의 시각에만 한정해서 바라보는 데서 많은 문제점과 한계가 생겨나는 것을 막아 보고자 함이다. 얼른 말해서 시가 대중의 사랑을 잃고 마치 국지적이고 제한된 구성원들만의 소관사인 것으로 여기게 만든 것부터가 그런 시각 탓이다. 시라고 하면 제한적이고 특이한 언어활동인 것처럼 생각하게 되어버린 데서 병폐가 시작되어 그 해독이 천지에 퍼져 있음이 큰 문제점이다.

바로 이런 문제 때문에 언어문화로 재정의함으로써 시를 바라보는 시각을 넓히고 노래로서의 본질을 재조명한 것이다. 그렇게 함으로써 시를 생활로 들여놓고자 하였다. 언어문화를 새롭게 보기 위해 고전시가를 비롯하여 속담이며 관용어 혹은 유행어와 유행가 등도 살폈다. 이처럼 다중(多衆)에 의해 향유되는 모든 언어활동에서 삶의 방식을 헤쳐 보고자 한 것이다.

그렇기는 해도 시와 언어문화가 전적으로 동일한 대상이나 동일한 범주의 언어활동을 가리키는 용어라고 할 수는 없다. 용어가 다르듯이 가리키는 대상이며 범주에도 차이가 있음은 자명하다. 따라서 이제 그 차이를 분명하게 해서 그런 우려를 씻고자 한다. 그렇게 함으로써 지금까지 논의해 온 바의 정당성 또는 효율성을 이해하는 데 보완의 자료가 되기를 기대한다.

나. 시와 언어문화의 거리

시는 시이고 언어문화는 언어문화다. 자명하겠지만 이 구분을 명료하게 이해하고자 세 측면으로 살핀다. 누가, 무엇을, 어떻게 하는 활동인가 하는 셋이 그것이다. 첫째, '누가'는 주체(主體)의 문제, 둘째,

'무엇을'은 지표(指標)의 측면, 셋째, '어떻게'는 과정(過程)의 요소 — 이상 세 측면에서 시와 언어문화가 나아가는 길이 서로 다름을 살핀다.

(1) 주체 – 사회의 동의/개인의 개성

언어문화는 한 사회가 주체가 되는 언어활동이다. 언어문화의 아주 간단하고 대표적인 활동 양식이라 할 속담을 가지고 생각하면 그 주체의 확인이 쉽다. 언어문화와 시의 주체가 어떻게 다른가를 살피는 예로 '나무'에 관한 속담 몇을 우선 본다.

- 나무는 숲을 떠나 있으면 바람을 더 탄다.
- 나무도 자주 옮겨 심으면 자라지 못한다.
- 높은 가지는 부러지기 쉽다.
- 열 번 찍어 안 넘어가는 나무 없다.
- 낙락장송(落落長松)도 근본은 솔씨다.

속담은 지은이를 알 수 없다. 아니 우리 언어사회 구성원 전체가 지은이라 할 수도 있다. 그만큼 누구라도 동의할 만한 공통의 생각이 담겨 있다. 이에 비해 시를 쓰는 주체는 개인이다. 시는 한 개인의 개별적이고 독자적인 언어활동으로 창작된다. 시를 쓰는 주체가 개인이라는 것은 그만큼 그 사람만이 혼자서 해내는 색다른 생각을 담게 마련임을 뜻한다. 다음 시를 예로 삼아 그 점을 살핀다.

나무에 대하여   이성복

때로 나무들은 아래로 내려가고 싶을 때가 있을 것이다 나무의 몸통뿐만 아니라 가지도 잎새도 아래로, 아래로 내려가고 싶을 것이다 무슨 부끄러운 일이 있어서가 아니라, 그냥 남의 눈에 띄지 않고 싶을 때가 있을 것이다 왼종일 마냥 서 있는 것이 부담스러울 때가 있을 것이다. 아래로, 아래로 내려가 제 뿌리가 엉켜 있는 곳이 얼마나 어두운지 알고 싶을 때가 있을 것이다 몸통과 가지와 잎새를 고스란히 제 뿌리 밑에 묻어 두고, 언젠가 두고 온 하늘 아래 다시 서 보고 싶을 때가 있을 것이다

이 시의 제목 아래 시인의 이름이 적혀 있는 것부터가 속담과는 다른 점이다. 이 시인의 관찰과 사색 그리고 그런 활동을 통해 터득한 결과인 생각이 여기에 담겨 있다. 그러기에 독창적이라고 해야 한다. 말하자면 이 시인만 그렇게 생각해 낸 결과물이다.

그 언어활동의 주체가 개인인가 사회인가 하는 차이는 그 결과인 언어구조물의 성격에 커다란 차이를 낳게 마련이다. 사회의 언어활동인 언어문화가 보편성과 공감성에 무게를 두는 공통성(共通性)의 활동이라면 개인의 언어활동인 시는 개인의 개성(個性)으로 가능한 활동이므로 개별성과 특수성에 중점을 두는 것은 당연하다. 속담에 대해서는 공감에 주목하지만 시는 얼마나 참신한가에 관심을 갖게 되는 것도 그 때문이다.

(2) 지표 – 욕망의 표상/진리의 발견

이제 아주 오래 전에 사람들의 입에 널리 오르내렸던 언어문화의 한 예를 소개한다. 60-80년대에 우리 사회에 널리 회자(膾炙)되었던 이른바 <참새시리즈>다. 나이가 든 사람이면 그 시대를 회상하며 충분히 생각해 낼 수 있을 정도로 널리 유통되었던 언어문화의 한 예라 할 만하다. 같은 상황인데도 참새 부부 사이에 오가는 이야기가 시대에 따라 어떻게 변했는가 하는 차이를 보여준다. 그 의미를 살피는 것이 이해의 핵심이다.

부부참새가 전선에 앉아 있다가 총에 맞은 암컷이 떨어지며 하는 말은?

[60년대] "내 몫까지 살아 주!"

이때 남편 참새가 하는 말은?

"떠날 때는 말없이!"

[70년대] "나 없다고 세컨드 얻지 마!"

이때 남편 참새가 하는 말은?

"웃기지 마. 네가 벌써 세컨드야!"

[80년대] "쟤도 참새래요!"

이때 남편 참새가 하는 말은?

"어휴, 저걸 내가 어떻게 꼬신 건데?"

일종의 허구적 우화이지만 경험적으로 회상할 수 있는 당시 사회상의 기억은 참새의 대화가 함축하는 바와 흡사한 사회적 풍조가 있었다는 데 동의한다. 이처럼 '참새의 대화가 함축하여 나타내는 바'를 가리켜 표상(表象)이라 한다. 부부 참새의 대화가 바로 그 시대 우리 삶의 방식을 대표적으로 상징한다는 뜻이다.

개인적 경험을 불러다가 언어문화의 표상적 역할에 대한 이해를 더 확장할 수도 있겠다. 대개들 기억하겠지만 지난날 우리가 웃음의 자료로 두루 즐기던 이야기로 〈식인종시리즈〉, 〈드라큘라시리즈〉, 〈람보시리즈〉, 〈미친놈시리즈〉, 〈IQ시리즈〉 등이 떠오른다. 그런 시리즈들의 표상성을 생각해 본다. 그 시절 웃음의 표상이 된 주인공들은 식인종(食人種), 드라큘라, 람보, 미친놈, IQ가 낮은 바보 등 비정상의 인물이었다. 그 주인공들처럼 뒤틀리고 왜곡(歪曲)된 눈으로 바라보고 사고해야만 이해할 수 있고 웃을 수 있었다. 돌이켜보면 그 시대의 사회 일반적 삶의 모습이 그러하였다. 그것을 스스로 웃음의 형식으로 표상하는 언어문화였던 셈이다.

시는 이와 달리 진리의 추구(追究)와 구명(究明)에 궁극적인 지표를 둔다. 그러기에 인간이 도달하고자 하는 최상의 가치인 진선미(眞善美)의 문제에 초점을 맞춘다.

사진관 의자 　　　　　　　　유홍준

참 이상한 곳에 놓인 의자군,
아무도 이 의자에 앉아
생각에 잠기지 않고
아무도 이 의자에 앉아 졸지 않고
아무도 이 의자에 앉아 창밖
지나가는 차 바라보지 않네
참 적막한 곳에 놓인 의자
외톨박이 의자군, 오늘도
혼자뿐인 의자 단 한 번도
엉덩이가 따뜻해져 본 적이 없는 의자
누구랑 마주 앉아서
얘기를 하나, 얘기를 듣나
오늘도 검은 커튼 뒤에 앉아
혼잣말만 하는 의자
독백의 의자 그래도 조용하고
단정한 의자군, 진짜보다 더
예쁜 가짜 꽃바구니 두어 개
제 곁에 갖다놓고 누구는
이 의자 한가운데 앉아
돌사진, 독사진을 찍고
누구는 졸업사진, 영정사진을 찍고
나는 또 새 이력서에 붙일

굳은 표정의 증명사진 몇 장을 찍네
시선이 없는 내 청춘의
무표정 몇 장을 남기네.

시를 읽어 나가노라면 누구라도 무릎을 탁 치게 되리라. 그렇구나!
사진관에 놓인 의자는 참 색다르네! 의자는 의자이지만 참 의자답지
않은 노릇으로 날을 보내는도다! 그래서 이 시에 굳이 다른 제목을 붙
인다면 '이것도 의자인가?'라고 해도 될 듯하다. 이 시의 앞부분에서
말하듯이 의자는 거기 앉아서 생각하고, 졸기도 하고, 창밖을 바라보
기도 하고……. 그게 본래 할 일이고 그래야 의자다.

그런데 사진관 의자는 아니다. 가짜 꽃바구니 곁에 갖다 놓듯 제
모습이 아니라 굳은 표정의 증명사진이나 아니면 영정사진을 찍기 위
해 잠시 엉덩이를 내려놓게 하는 일만 하는 물건—그게 바로 사진관
의 의자다. 의자라면 사람의 사람다운 삶에 기여해야 하는데 전혀 사
람답지 않은 일이나 하는 데 쓰이고 마는 사진관의 의자. 그러고 보니
이런 진리를 발견한 건 이 시인이 최초다. 이러하니 모든 시인은 시인
마다 콜럼버스임이 분명하지 아니한가!

(3) 과정 – 재현/창조

시와 언어문화가 누가, 무엇을, 어떻게 하는 활동인가에 차이가 있
음을 살피는 마지막 차례인 '어떻게'를 살핀다. 언어활동이라는 점에
서는 동일하겠으나 언어문화는 이미 있는 자질을 그대로 다시 활용하
는 재현(再現, representation)의 방식으로 전개된다고 앞에서도 이해한 바
있다. 다음 글(<'삼식'입니다>, 강인춘: J플러스, 2017.10.1.)로 그 점을 살
피기로 한다.

삼식입니다/ 하루에/ 아침, 점심, 저녁 세 끼를/ 꼬박꼬박 찾아 먹는다
고 해서 붙여진 이름/ 삼식(三食)// 내가 바로/ 그 주인공 '삼식'입니다./
왜?/ 꼬우세요?

이 말은 개인의 이름으로 저널에 실린 글에서 딴 것이므로 창작이
라고 할 수 있겠다. 그렇긴 해도 '삼식이'라는 말은 개인이 창안한 말
이라기보다 우리 사회에 한때 모르는 사람이 없을 정도로 널리 유통
되었던 말이다. 그 당시 떠돌던 이야기에 따르면 집에서 밥을 먹는 횟
수에 따라 호칭의 격이 달라지는데 '무식(無食)님, 일식(一食)씨, 두식[二
食]이, 삼식(三食)새끼……'식으로 구분해 부른다고 하였다. 그것을 가
져다 쓴 것이므로 만들어낸 것이 아니라 재현이다. 그러나 시는 완전
히 새로운 언어구조물을 창조해 낸다.

샌드 페인팅   이장욱

나는 생각한다, 고로
존재하지 않을 것이다.
특히 저녁에는.

소년은 날카로운 쇠못으로 자동차의 표면을 긁으며 걸어가고
가늘고 긴 선이 대안으로 건너가 교각을 이루고
교각이 무너지자 보고 싶은 얼굴이 자라고
얼굴이 무너져 황혼의 지평선으로

모든 것이 점으로 이루어져 있는 것을
사막이라고 부른다.
밤거리에 혼자 서있는 사람이

모든 것에 동의하는 중이다.

어디 안 보이는 곳에서 모래가 집요하게
나를 생각하고 있다.

제목이 <샌드 페인팅>이니 모래로 그리는 그림이라는 뜻이겠다.
가는 모래를 유리판 같은 데에다 뿌리거나 펴서 형상을 만들고 지우
는 광경은 실제로 하기보다 텔레비전 같은 데서 보여 줘서 많이들 보
게 된다. 그런데 시의 제목은 <샌드 페인팅>이지만 실제로 그 그림
을 그리는 과정보다는 우리 사는 모습의 어느 한 대목을 보여주고 있
는 듯한 느낌을 받는다.

삶의 실상이 이처럼 모래로 그린 그림 같아졌다고 생각하게 된 데
는 모두가 제 말만 하고 남의 말은 듣지 않는 태도가 큰 몫을 했을 것
이다. 그래서 서로 아무 관계가 없고 제각각인 모습이 마치 모래로 펼
쳐 놓은 그림 같다. 그러기에 이내 흩어지고 그림은 바뀐다. 우리가
살고 있는 삶은 이래서 다언어사회를 넘어서서 만인(萬人)이 만인(萬人)
의 말을 하기만 하는 만인언어사회이리라. 이 시인은 이런 삶이 전개
되는 사회를 '샌드 페인팅'이라고 간명하게 그려내었다. 이렇듯이 시
는 조물주 못지않은 새로움을 만들어 내는 창조 행위다.

다. 폭발의 시와 역사의 언어문화

이제 시와 언어문화를 새롭게 이해하는 태세를 갖출 필요가 있다.
같음과 다름을 다만 그러하다고 인정하고 바라보기만 하는 시선을 넘
어서고자 함이다. 그 둘이 상호 얽히고 갈라지는 과정이며 경계 또한

충분히 살피면 이해를 깊게 할 수 있다. 그리하여 시는 삶에 던져지는 폭발이며 언어문화는 그것을 감싸 안는 역사로서의 몫을 함을 살핀다.

(1) '코드+역사'인 언어문화

개인의 창작인 시와 집단의 활동인 언어문화의 관계를 좀더 섬세하게 살피기 위해 문화를 '집단의 기억'(로트만, 2008:62-99)으로 정의하는 관점에 의지하는 것도 효과적인 방법이다. 우리가 이미 살피고 검증해 온 바와 같이 언어문화는 우리 사회를 구성하고 있는 언어집단이 공동으로 지니고 있는 기억이며 그 재현 활동이다.

이렇듯 언어문화가 집단의 기억이라면 그것은 모두가 공유하고 있는 체계이기도 하다. 그렇기 때문에 언어 그 자체와 마찬가지로 문화 또한 기호의 체계 또는 코드라고 할 수 있다. 그런데 문화를 기호의 체계로 설명해 온 로트만(Lotman, 2004:4)은 언어가 코드(code)이되 역사의 영향이 작용하여 이루어지는 체계라고 하였다. 이를 '언어=코드+역사'라는 공식으로 정리한다.

이 관점에 따르면 언어문화 또한 역사가 첨가적으로 작용하여 기억되는 코드라고 할 수 있다. 그러므로 공식을 '언어문화=코드+역사'로 변형할 수도 있겠다.

실제로 적용해 본다. 가령 이용악의 <두메산곬(4)>이나 서정주의 <국화 옆에서>는 시행의 리듬 구조나 연의 의미 구조에 *aaba*의 원리가 함축되어 있기에 쉽게 읽힐뿐더러 친숙함까지 느낀다는 점을 확인한 적이 있다. 그런가 하면 김소월을 비롯한 많은 시인들의 작품이 '두 마디 대응 연첩'의 전통적인 율격적 구조를 채용함으로써 친근감을 느끼게 만든다는 점도 확인한 바 있다. 언어문화의 요소를 함축한 시작품이 친근감을 주게 되는 힘은 바로 언어문화에 함축된 '역사'의 요소에

기인한다고 로트만의 공식이 설명해 주는 것으로 이해하면 되겠다.

(2) 문화의 변화와 폭발

문화는 집단의 기억이다. 그리고 언어며 문화는 둘 다 '코드+역사'의 구도로 전개되게 마련이다. 역사의 과정에서 변화는 불가피하다. 그런데 시는 개인의 창작이어서 문화에 던지는 폭발이 될 수도 있는가 하면 그와는 반대로 점진적 변화의 촉매가 될(Lotman, 2004:7-11) 수도 있다.

문화의 변화를 점진적 변화와 폭발의 두 가지로 나누어 설명한 로트만의 관점(Lotman, 2004:7-11)은 우리가 이해하고자 하는 시와 언어문화의 관계에도 충분한 시사를 던져 준다.

이런 관점을 우리 시문학의 문화적 전개라는 관점에서 적용해 보는 것도 흥미롭겠다. 이상(李箱)의 <오감도(烏瞰圖)>를 예로 삼아 문화의 폭발과 변화의 차이를 이해해 본다. <오감도>는 『조선중앙일보』라는 일간신문에 15회에 걸쳐 연재(1934.7.24.-8.8.)했던 모두 15편의 연작시인데 그 '제1호'라는 시는 다음과 같은 모양으로 신문에 실렸다고 한다.

이런 모습의 시가 신문에 연재되자 독자의 반응은 몹시 어지러웠다고 전한다. 더구나 날마다 새로이 연재되는 15호까지의 시 가운데는 이보다 더 이해하기 어려운 것들조차 여럿이어서 세상은 벌집을 쑤신 듯이 시끄러웠다. 이런 곡절을 거쳐 <오감도>의 연재는 15호로 끝나고 말았다.

이 시는 지금 읽어도 어렵기만 하다. 물론 여러 가지로 읽어 내기 위한 시도가 있었고 지금도 계속된다. 그런데 우리의 관심은 이 시를 잘 읽어 내거나 이상의 작시 의도를 헤아리는 데 있지 않다. 그보다는 이상의 <오감도>가 1934년 한국 언어문화에 던져졌던 폭탄이었음에 주목하자. 그리고 그 놀라웠던 폭탄의 투척 이후 우리 언어문화의 동태가 어떠했던가에 관심을 가지고 조금 더 들여다보기로 한다.

이상이 이런 시를 써서 세상에 내놓은 것은 말 그대로 개인의 '창작 행위'이다. 그러니 언어문화이기 이전에 창조(創造)임이 분명하다. 그런데 일찍이 보지 못한 코드[51]로 창조된 시이므로 로트만이 말한 바의 '문화적 폭발'에 해당한다. 그렇지만 창작시가 문화로 인정되려면 언어 못지않게 '약호＋역사'라는 구도를 갖추어야 한다. 그러자면 이 폭발이 역사적으로 코드로서 수용되어야만 한다.

<오감도>의 창조적 독창성이 코드로 편입되려면 이상 말고도 <오감도>처럼 시를 쓰는 사람이 나오고 그런 시를 여기저기서 거듭해 볼 수 있어야 했다. 그래야만 문화일 수 있었다. 그러나 이 일이 그렇게

---

51 '코드(code)'이되 아직은 사회적으로 합의되지는 못했으므로 미확정 또는 낯선 코드인 셈이다. 코드는 우리말로 '약호(約號)', 즉 약속된 기호이다. 그런데 <오감도>는 아직 약속된 기호라고 하기 어렵다. 따라서 이런 것까지 코드라고 할 수 있겠는가 하는 섬세한 문제가 있을 수 있겠다. 그러나 이는 용어의 문제일 따름이다. 지금의 논의에서 중요한 것은 그 실상에 대한 이해이므로 '코드'라는 용어를 잠정적으로 쓴다.

전개되지는 못했다. 세상은 코드화라 할 만한 반응을 보이지 않았다. 그러기에 폭발로서의 <오감도>는 혼자만의 세계로서 거기까지였으며 그러기에 일회적 사건으로 머물고 말았다. 이상의 <오감도>는 이리하여 그의 지극히 독특한 개인적 시작(詩作) 행위의 소산으로만 한정되고 말았다.

이런 사례를 통해서도 모든 시의 창작이 다 언어문화로 자리를 잡게 된다고 할 수는 없음이 분명해진다. 언어문화일 수 있으려면 그 폭발에 맞장구를 치는 크고 작은 비슷한 폭발이 역사적 실재(實在)로 지속되어야 한다는 뜻이다. 이것이 문화의 집단성과 창작의 개별성 사이에 놓인 절대적인 거리이다.

그렇긴 해도 일회적 폭발이라고 해서 그 의미가 아주 없는 것은 아니다. 이상의 <오감도>로 대표되는 문화적 폭발이 이러한 한계를 지니고 있음에도 불구하고 옹호할 만한 가치는 분명하다. 앞에서도 이미 주목했지만 시라는 것은 말을 더 효과적으로 하는 방법을 알아내려는 노력이고 그러기에 실험이며 여러 방법으로 인식과 사고의 폭을 넓히려는 노력이므로 난해시는 옹호되어야 한다[52]는 설명을 다시 상기할 필요가 있다. 그런 뜻에서라면 난해시를 쓰는 노력은 고귀해 보이기까지 한다.

그렇긴 하더라도 이렇듯 달리 말할 수도 있다는 점 또한 분명하다. 어려우면서 남들이 의식하지 못한 것을 끄집어내려고 애쓰고, 그래서 표현하지 못해 온 것도 표현하려고 노력하고, 그렇게 해서 말을 효과적으로 쓸 수 있도록 하고자 실험하고…… 다 필요하고 중요한 노력

---

52 이 책 37쪽에서 시의 두 바퀴 가운데 하나로 시의 창조적 요소와 난해시의 관계를 살핀 바 있다. 황현산 교수의 설명을 참조하면 도움이 된다.

이다. 문화의 창조를 위해서 필요하고 중요함은 물론이다.

그러나 그런 노력의 중요성과 가치를 중시한다 하더라도 끝끝내 로트만이 말한 것과 같은 역사를 동반한 문화로 자리 잡지 못한 창작은 여전히 개인적 활동일 수밖에 없다. 끝끝내 집단의 기억 속으로 비집고 들어오는 데 성공하지 못한 난해시가 있다면 어떻게 보아야 할까? 그것은 종당 심마니의 방언처럼 그만의 중얼거림으로 그치고 말 수밖에 없을 것이다. 따라서 모든 난해시적 노력이 무차별적으로 옹호되는 일 또한 재고의 대상일 수밖에 없다.

(3) 창조와 문화의 맥락

삶의 방식이며 모습은 변하게 마련이다. 우리가 익히 아는 바와 같이 인류의 삶이 똑같은 모습으로 머물러 같은 삶을 되풀이만 하며 살았던 적은 역사에 없었다. 이렇듯 변하게 마련이므로 변화를 동반하는 삶의 흐름을 다른 말로 역사라고도 한다. 그런 의미에서라면 인간은 역사적 동물이라고 해도 좋을 것이다.

왜 그런가? 왜 인간의 삶은 같은 것을 되풀이하지 않고 변화하는 것일까? 문화의 폭발이 일어나는 원인에 대한 로트만의 해명은 이를 이해하는 데 매우 유용하다. 같은 것을 되풀이하지 않는 특성 혹은 예측 불가능성(Lotman, 2004:38-64), 지속적으로 외적인 환경과 접촉하기(Lotman, 2004:133-137), 그리고 '기호학적 창문'이라고도 명명한 꿈의 역할(Lotman, 2004:142-146) ─ 이렇게 세 요소가 폭발의 동인이다.

꿈, 외부 접촉, 엉뚱한 짓의 세 가지가 인간적 특성이기에 그 세 가지의 힘이 문화에 폭탄을 던질 수 있게 한다. 그러나 그러한 개인의 빛나는 인간 특성도 집단의 코드로 정착되는 동조와 지원이 있어야만 의미 있는 폭탄으로서의 가치를 지닐 수 있게 된다. 이 점은 특별히 강조해 둘 필요가 있다. 누구든 혼자 자기 식으로만 사는 일은 생존으로도 문화로도 불가능하다는 뜻이다. 인간이 사회적 존재임을 재확인하는 부분이다.

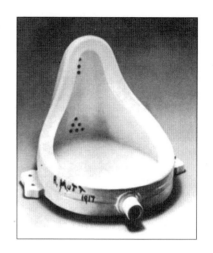

역사에서 그런 이해를 확인해 본다. 널리 알려진 이야기이지만 포스트모더니즘의 출현과 정착의 과정을 예로 삼아 폭발이 역사로 자리 잡는 모습을 이해해 본다. 1917년 소변기를 눕혀서 <샘>이라는 제목으로 뉴욕의 미술전시회에 출품한 화가 뒤샹(Dussant, M.)이 어쩌면 그 폭발의 한 신호탄이었으리라. 그것은 실로 폭탄이었을 것이다. 어쩌면 미치광이가 던진 폭탄처럼 위험해 보이기도 했으리라.

그러나 여기저기서 크고 작은 폭탄 투척 사건이 계속적으로 일어나 이 폭발을 뒷받침했다. 문학 분야에서 카프카(Kafka, F.)가 <변신>이라는 충격적인 화제를 형상화한 소설로 뒤를 잇고 음악과 미술 그리고 문학 등에서 같은 취지의 작업이 계속 이어졌다. 이렇듯 여기저기서 다양한 모습으로 크고 작은 폭발이 그 변화를 뒷받침해 주었다. 유일한 답, 정해진 길, 확실한 것은 없다는 생각을 상징하는 폭탄 같은 작용이 예술 여러 분야에서 계속되었다. 그랬기에 포스트모더니즘은 현대의 새로운 문화로 자리잡게 된 것이다.

지금까지 살폈듯이 시와 언어문화의 관계를 이해하는 과정에서 거듭 분명하게 드러나는 시사(示唆)가 있다. 모든 시는 시일 수 있다. 그러나 그것이 언어문화로 편입되어 문화화하지 못하는 한 그 시는 일회적 언어행위로 머물고 만다. 이는 마치 강신(降神)의 순간에나 보게 되는 무당의 작두타기처럼 아주 드문 사건이거나 일회적인 해프닝일 따름이다.

시가 일회적이고 개인적인 표백에 그치고 마는 것이라면 그것에 주목할 사람이 있을 리 없다. 사람은 누구나 함께 이 길을 가는 사람이 있다고 느낄 때 편안해짐을 경험적으로 다 안다. 시 또한 폭탄일 수 있으되 누구나 그 폭발을 뒤집어쓰며 편안해지는 문화로 느낄 때 동일한 깨달음과 삶의 방식을 말할 수 있게 됨은 당연하다.

이를 보더라도 시는 집단의 기억으로까지 나아가는 문화적 코드로 정립될 수 있는 경지를 지향함이 바람직하다. 그래야 그 예술적 가치가 확인되고 고양된다. 훌륭한 시는 늘 그러하였다.

2

21세기의 시와 언어문화

　지금까지 시와 언어문화를 여러 모로 살폈다. 둘을 이어 보기도 하고 견주어 보기도 하였다. 같은 점도 드러냈고 다른 점도 찾아냈다. 지난날의 모습이며 관계도 두루 살폈다. 이제 질문을 달리하고자 한다. 그러니 앞으로는 시와 언어문화가 어떻게 될 것이며 어떠해야 하는가를 생각해 보는 쪽으로 시선을 옮기고자 한다. 앞일을 내다보는 까닭은 인간이기 때문이다. 인간을 '내일'에 사로잡힌 '미래중독자'(밀로, 2017)로 규정할 정도가 아닌가! 그러기에 점쟁이도 미래학자도 아니지만 앞일이 궁금한 인간이므로 여기서도 그 일을 하고자 한다.

　그렇긴 해도 "점쟁이 저 죽을 날 모른다."는 속담처럼 잘 알기도 어렵고 정확하기는 더욱 더 어려우리라. 그러나 21세기를 앞날의 일인 것처럼 말했지만 실은 이미 2018년이다. '시작이 반'이라는 말에 비추어 생각하면 우리는 이미 21세기 한복판에 들어서 있는 셈이다. 그러니 오늘의 삶을 위해서도 시와 언어문화의 앞날을 생각해야 옳다.

가. 과학 시대의 삶 바라보기

누구라도 공감하겠지만 21세기는 과학의 시대일 것임이 분명하다. 특히 유전과학과 인지과학 분야의 성취가 눈부실 정도를 넘어서서 경악할 정도의 수준에 이르렀다. 더구나 앞으로 그 발전이 어디까지 나아갈 것인지는 그 분야의 전문가들조차 '잘 모를' 정도라고 한다. 그런 발전을 멈추게 할 만한 한계도 없어 보이는 데다가 성과는 예측조차 넘어서리라고 생각하는 것이 보통인 모양이다.

그 분야에 문외한인 우리 일상인들도 역시 마찬가지다. 과학의 발전 모습이 피부로 느껴진다. 비교적 근래에 가장 충격적으로 접하게 된 사건이 그러하다. 알파고라는 이름의 인공지능이 이세돌 9단을 일방적으로 이겨버린 사건이 대표적이다. 막연하게나마 믿어 왔던 마음이며 상상력 혹은 영감(靈感)과 같은 인간 특유의 요소가 더 이상 인간만의 것이 아님을 깨달아야 하는 놀라움을 던져준 사건이었다.

사실이 그러하다고 한다. 이세돌 9단을 이긴 알파고의 바둑은 실로 독창적인 바둑이었다고 한다. 말하자면 기계적 기억이 아니라 인간을 넘어서는 창의적 사고의 결과였다고 한다. 체스에서도 비슷한 인공지능이 개발되어 전승(全勝)하였고, 이세돌 9단은 그래도 한 차례나마 이겼지만 인간을 전패하게 만드는 인공지능도 이미 많이 있는 모양이다.

사태가 이 지경에 이르니 모두들 은근히 불안하다. 이렇듯 눈부신 과학의 발전 추세라면 앞으로 살아남을 직업이 과연 무엇이겠는가 하는 두려움이 크다. 연예인, 작가, 영화감독…… 이런 식으로 사람의 감성이 요구되는 직업은 괜찮을 것이라는 진단을 하는 뉴스도 있었다. 그러나 그것도 희망일 뿐 사실은 다를 수 있는 모양이다. 마음,

정신, 상상, 혹은 창의…… 등 기계는 결코 넘보기 어려운 세계가 그래도 남지 않을까 하는 생각마저 어려울 것임을 확인시켜 주는 본보기가 이미 나와 있는 모양이다.

예술 분야의 예가 그러하다. 음악에서도 작곡하는 인공지능이 오래 전에 개발되어 있다고 한다. 문학도 마찬가지다. 일본의 전통적 시형식인 하이꾸[俳句]를 짓는 인공지능이 오래 전에 등장했다고 한다. 사람이 지은 것과 인공지능이 지은 작품 2천 편을 뒤섞어 놓고 누가 지은 것인지 가려 보라고도 한다(하라리, 2017:445)니 이쯤이면 과학과 인간의 승부는 이미 결정된 게 아닐까?

인공지능이 현실적인 삶에서 구체적으로 활약하는 사례도 풍성하다. 최근에는 우리나라에서도 인공지능 변호사를 채용해서 일을 시켰더니 사건 처리 능력에서 비교할 수 없을 정도로 엄청난 능률을 보였다는 뉴스도 있었다. 수술은 오래 전부터 로봇이 하고, 혼자 알아서 목적지까지 가는 자동차도 곧 실용화에 이를 것이라는 소문이 들려온다. 이렇듯이 인공지능의 세상이 이미 와 있다!

이런 오늘날의 변화가 가져올 삶의 모습을 가리켜 4차산업혁명이라고 하는 모양이다. 19세기, 정확하게는 18세기 후반부터 시작된 기계혁명에서 전기 그리고 반도체를 거쳐 이제 유전과학과 인지과학으로 빚어질 산업의 혁명으로 우리 삶이 바뀌어 간다. 그러니 산업분야의 혁명에 따라 우리 삶이 어떻게 달라질 것인지 미리 생각해 보지 않을 수 없다.

이렇듯이 우리는 내일을 바라보고 미래를 꿈꾸며 살아간다. 그러기 위해 사람은 끝없이 미래를 바라보게 마련이다. 그런데 미래를 바라보는 우리의 눈이 실은 과거의 것(Oakeshott, 1999:1-48)이라는 사실은 의미심장하다. 사람은 과거에 경험하여 알고 있는 것을 바탕으로 현재와 미래를 바라본다. 그런데 미래 또한 현재를 보는 시선에 영향을 끼친다는 설명이다. 맞는 말이다.

오우크쇼트는 네거리에서 신호등을 바라보고 선 사람으로 예를 들어 설명한다. 지금 푸른 신호로 바뀌기를 기다리며 붉은색 신호등 불빛 앞에 서 있는 것은 미래가 현재에 영향을 끼침으로써 이루어지는 일이다. 말하자면 신호등이 푸른색으로 바뀌면 장차 하게 될 행동을 예상해서 지금 서 있을 자리를 정한다. 이는 현재가 미래를 위해서 기획되고 실천되는 관계이다.

그런데 이 사람이 지금 목발을 짚고 있다 하자. 장차 신호등이 푸른색으로 바뀌게 되면 자신이 남다르게 해야 할 행동이며 보행을 저 나름으로 기획한다. 이는 자신의 과거라고 할 수 있는 사건이 미래에 영향을 미친 셈이다. 과거, 현재, 미래가 이토록 밀접한 상호관계로 연관된다.

과거, 현재, 미래가 서로 긴밀한 영향관계에 있다는 이 설명은 역사학자의 그것이기에 더욱 깊은 생각에 잠기게 만든다. 지금 21세기의 과학혁명과 같은 상황을 인류는 19세기에도 충분하게 경험한 바 있음을 상기하자. 그 일은 오늘을 이해하는 단서인 과거로서 중요하다. 그리고 미래를 예측하는 실마리도 거기서 얻을 수 있다.

나. 인본주의 혁명 시기의 모순적 삶

19세기를 가리켜 '인본주의 혁명'(하라리, 2017:306-384)으로 명명하고 책의 한 장을 이 문제에 할애한 것은 이 혁명이 인문분야에서 그만큼 엄청난 역사적 변화였음을 말해 준다. 중세를 지배하던 신이 내 준 자리를 메꾸며 모든 것의 기준이자 우상으로 들어앉은 것이 다름 아닌

'인간'이었다. 그래서 이 혁명을 '인본주의' 혁명이라고 부른다.

하라리의 설명에 따르면 중세를 절대적으로 지배하던 신이 물러난 자리에 들어선 것이 '인본(人本)'의 이념이다. 인본의 이념은 다시 셋으로 나뉘었다. 자유주의적 인본주의, 사회주의적 인본주의, 진화론적 인본주의─이렇게 셋인데 세계는 이 세 종류의 이념이 다투는 '종교전쟁'(하라리(2017:359)으로 20세기까지 피폐를 향해 내달렸던 것이라고 하라리는 설명한다.

'인본'을 '신'의 다른 이름으로 보고 인본주의의 세 분파가 세계대전까지 벌인 것을 종교전쟁이라고 보고자 한다. 그것을 과연 종교전쟁이라 해도 될까 하는 문제는 검증이 필요하다. 그런데 사회학에서 말하는 종교의 규정(기든스, 2009:394-395)에 기준을 두어 살피면 '그렇다'는 답에 이르게 된다. 종교라면 갖추어야 할 조직, 가치, 공동체, 의례 등의 요소가 두루 함축되었음이 인정되기 때문이다.

더구나 인본을 신의 자리에 놓되 그것을 섬기는 방법의 차이가 빚어낸 제2차 세계대전─그 핵심적 원인은 '인본'이라는 종교적 교리의 대결이었음을 우리는 잘 알고 있다. 자유주의, 사회주의, 그리고 진화론의 세 방향 대결이 벌인 2차세계대전은 역사상 유례가 없는 것이었다. 십자군전쟁보다 기간은 짧았다. 그러나 부서지고 죽고 망한 피해는 비교가 되지 못할 정도로 컸다.

그 인본을 둘러싼 종교전쟁 시대에 한반도가 겪은 삶에 대해 생각해 본다. 비록 작은 영토이지만 한반도는 세계사의 흐름을 집중적으로 감당하는 전쟁을 치른 곳이다. 다른 한편으로 한반도의 역사는 이해하기 어려운 측면이 있다. 그 이해 불능의 의문은 우리 민족이 세계에 유례가 없을 정도로 대단한 특수성을 실현하고 있음과도 연관된다. 지금까지 살펴 온 전통적 종교의 문제와 관련하여 살피면 우리는 여러 종교가 공존공영(共存共榮)하는 나라이다. 이 점에서 세계 유일이라고까지 말할 수 있다.

세계 어느 나라건 여러 종교가 우리처럼 평화롭게 공존공영하는 나라는 보기 어렵다. 알다시피 지구상에는 오늘날에도 오직 하나의 종교만이 허용되는 사회가 대부분이다. 흔히 국교(國敎)니 뭐니 하는 것은 그런 배타적 독존(獨存)의 또 다른 표현으로 보이기도 한다. 그 밖의 곳은 딴 종교를 허용은 하지만 한 종교가 국교 수준의 분포를 보이고 나머지는 마지못해 간신히 엎드려 그저 숨이나 쉬는 정도가 대부분이다.

아니면 종교 간에 피비린내 나는 배타와 갈등 그리고 투쟁을 벌인다. 오늘날 이슬람 근본주의자들이 보이는 행태가 대표적이다. 그 말고도 정도의 차이는 있으나 이교(異敎) 사이에는 서로 심한 갈등을 보이며 투쟁상태가 되기도 한다. 심지어는 같은 신을 섬기는 종교이면서도 교파에 따라 심하게 대립하고 충돌한다. 세계의 종교적 실상이 이러하다.

그러나 우리는 여기서 예외다. 모든 종교가 참으로 평화롭게 공존한다. 물론 우리나라에서도 다른 종교의 성전이나 기물을 해코지하는 일이 전혀 없지는 않은 모양이다. 그러나 외국의 그런 사례에 비하면 극히 적어 안도할 만하다. 그러면서 서로 인정하고 받들며 삼간다. 이런 나라가 또 있는가 싶을 정도이다. 이래서 우리는 세계에 자랑할 만하다는 긍지를 느낀다.

그런데 문득 달리 생각해 보게 되면 이는 구시대,[53] 그러니까 중세

---

53 물론 아직도 이슬람 과격파들은 구시대의 신을 두고 목숨을 내거는 싸움을 계속한다. 기이하기까지 하다.

까지의 세계를 지배했던 종교 사이에 이루어진 19-20세기의 공영에 한정되는 특색일 따름임을 이제 뒤늦게 깨닫는다.

인본주의라는 현대 종교에서 북은 사회주의 혹은 진화론을 근거로 한 인본관을 신과 교리로 섬겨 왔다. 남한은 허술하기 짝이 없거나 변칙적인 자유주의 인본이겠는데, 20세기의 본격적인 흐름에서는 그 세계에 제대로 끼지도 못한 처지들이다. 그러면서도 뒤늦게 저희끼리는 처절하게 다퉜다. 입으로는 남북 모두 한결같이 '통일'을 외쳐대면서.

지금도 기회만 있으면 통일을 노래한다. 남쪽에서도 그리고 북쪽에서도 그런다. 기회가 생기기만 하면 같은 노래를 이렇게 불러서.

우리의 소원　　　　　　　　　안석주 작사, 안병원 작곡

우리의 소원은 통일 꿈에도 소원은 통일
이 정성 다해서 통일 통일을 이루자
이 겨레 살리는 통일 이 나라 살리는 통일
통일이여 어서 오라 통일이여 오라

이 노래는 1947년에 <우리의 소원은 독립>이라는 제목의 노래 가사로 만들어 처음 불렀다고 한다. 그 뒤 '독립'을 '통일'로 바꾸어 지금껏 줄곧 불렀다. 기회 있을 때마다 불렀다. 남쪽은 노래만 부른 것이 아니고 시로도 통일을 간절하게 노래했음을 앞에서 거듭 보았다. 북에서 피란 내려온 시민이 많았기에 더욱 더 간절했다. 1983년에는 전쟁으로 흩어진 가족들이 방송을 통해 서로 만나 얼싸안으며 눈물바다를 이루기도 하였다. 북한 주민들도 이런 간절함만은 크게 다르지 않았다.

다시는 헤여지지 맙시다　　　오영재

만나니 눈물입니다
다섯 번이나 강산을 갈아엎은
50년 기나긴 세월이 나에게 묻습니다
너에게도 정녕 혈육이 있었던가

아, 혈육입니다
다같이 한어머니의 몸에서 태어난 혈육입니다
한지붕 아래 한뜨락 우에서
다같이 아버지, 어머니의 애무를 받으며 자라난 혈육입니다

뒷동산 동백나무 우에 올라
밀짚대로 꽃속의 꿀을 함께 빨아먹던
추억속에 떠오르는 어린날의 그 얼굴들
눈오는 겨울밤 한이불 밑에서 서로 껴안고
푸른 하늘 은하수를 부르던 혈육입니다

정이란 그렇게도 모질고 짓궂어 헤여져 기나긴 세월
때없이 맺히는 눈물속에 조용히 불러보는 그 이름들
승재형 형재동생 진이 홍이 필숙아 영숙아

이렇게 만났으니 다시는 헤여지지 맙시다
평양에서 서울까지 한시간도 못되게
그렇게도 쉽게 온 길을 어찌하여 50년동안이나
찾으며 부르며 가슴을 말리우며 헤매였습니까

2000년, 남북이 금방 통일이라도 될 것처럼 야단스러웠던 시절에
서울에 온 북한 시인이 울며 쓴 시가 이러하였다. 본시 남쪽 태생인데

북으로 가서 살아 그러한지 무척이나 간절하게 노래하였음도 느낀다. 얼마나 간절한 열망이었는지 시를 끝맺기조차 어려웠던가 보다. 여기 보인 시행 다음에도 무려 30줄이 넘는 시행이 더 이어진다.

그렇지만 그 시인도 끝내 다시는 만나지 못한 채로 이승을 떠날 수 밖에 없을 정도의 세월이 더 흘렀고 지금도 분단은 여전하다. 갈라져 산 억울과 한탄이 이러한데도 통일은 여전히 '앞으로'의 일로 있다. 그렇게 함께 외치는데 통일이 되지 않는 것은 통일이라는 말의 뜻이 달라서 그런 것일까?

그러기에 남북의 분단은 정치적 체제의 분단이라고 할 정도의 문제를 넘어선다고 볼 수밖에 없다. 그것은 분명히 종교의 그것 못지않은 이교도에 대한 적대감이 바탕을 이루었기에 이토록 난감한 문제가 되어 우리를 괴롭힌다는 생각도 하게 된다. 그렇게 살아 온 세월이 사뭇 원망스럽다. 그리고 21세기에도 이러할 것인가 걱정스러울 따름이다. 종교적 원망은 도무지 끝을 모르더라는 지난 날의 실상에 비추어 볼수록 걱정은 더욱 커진다.

세상은 지금 오랜 분쟁을 끝내는 쪽으로 희망을 보이고 있다. 누가 반기지 않으랴! 종교적 대결도 끝낼 수 있다는 역사의 예가 될 수만 있다면 더 무슨 말이 필요하랴!

다. 21세기의 종교 전망과 매체교의 그림자

19-20세기의 과거는 인본(人本)을 둘러싼 세 갈래의 종교가 세계대전을 비롯한 전쟁으로 치달았다. 그리하여 결과적으로 인본이 흔들리는가 하면 다른 욕망의 신이 그 자리를 차지하였으며 인류는 비참하게 살거나 아니면 목숨을 버리거나 하였다. 인본을 앞세워 반인본의 길

로 내달린 역사라 하겠다.

전쟁의 성격은 세계대전 그 다음 냉전에서 이제 핵전쟁을 앞둔 대치의 시대로 변모하였다. 그러나 20세기의 끄트머리에 세계의 종교전쟁은 그 판도를 급격하게 바꾸었던 사실을 우리는 기억한다. 그러한 변화를 이런 식의 우스개가 함축해서 웃음짓게 만들기도 한다.

> 미국과 러시아와 중국의 최고 지도자들이 저마다 자동차를 타고 갈림길에 다다른다. 오른쪽 표지판에는 '자본주의 가도'라 적혀 있고, 왼쪽 표지판에는 '사회주의 가도'라 적혀 있다.
> 미국 대통령은 주저하지 않고 자본주의 가도로 접어든다. 처음엔 모든게 순조롭더니 갑자기 노면에 균열이 나타나 차가 덜컹거리고 기름 웅덩이 때문에 차가 미끄러진다. 급기야는 길바닥에 떨어진 못들 때문에 타이어가 펑크 나는 일까지 벌어진다. 미국 대통령은 타이어를 갈아 끼우게 한 뒤에 가까스로 가던 길을 계속 간다.
> 러시아 최고 지도자는 왼쪽으로 난 사회주의 가도로 접어든다. 처음엔 모든 게 순조롭더니 얼마쯤 지나자 도로가 진창길로 변하면서 차가 꼼짝도 하지 않는다. 그래서 그는 차를 돌려 두 개의 표지판이 있는 갈림길로 되돌아간다. 그리고는 오른쪽으로 난 자본주의 가도로 들어선다.
> 중국의 최고 지도자는 좌우를 번갈아 살피다가 이윽고 운전기사에게 이른다.
> "저 표지판을 뒤바꿔 버려. 그런 다음 사회주의 가도로 가게."
> ─〈관점의 문제〉, 베르베르(Werber, 2011, 『웃음 2』, 83)

중요한 것은 실속이지 교리가 아니라는 함축을 풍겨주는 우스개이다. 더구나 이것이 프랑스 소설가의 작품 속에 들어 있는 것이어서 우리 한반도만의 이야기는 아니겠구나 하는 생각도 갖게 된다. 그런데다 이런 상황 전개로 본다면 그 지독하고 비인간적이었던 19-20세기의 종교전쟁은 그런 세계 정세의 변화로 끝이 난 게 아닌가 하는 희망도 가지게 된다.

또 이와는 별개로 하면 과학혁명 시대에 북한이 남한보다 훨씬 유리한 조건을 가질 수도 있다는 가상도 있다. 하라리의 저서(하라리, 2017: 6-11)의 서문에 있는 내용이다. '기술혁명이 도래한다면 한반도 양쪽의 운명은 어떻게 될까?'라는 질문을 던져 놓고 이런저런 시나리오를 가정하여 전망하는 가운데 이런 이야기가 있어 흥미롭다. 하라리의 가상을 요약해 들어 본다.

자, 과학혁명이 좀 더 진행된다. 북한이 기술적으로 도약해 모든 차량이 자율 주행하는 세계 최초의 국가가 될 수 있을 수도 있다고 가정한다. 남한은 그런 상황이 되면 문제를 해결하기가 어려울 수밖에 없다. 일자리를 잃는 운전사가 생길 것이므로 사람 운전을 전면 금지하는 자체가 불가능하다. 남한의 길거리는 연일 데모로 통행이 불가능해질 것이다. 반면에 북한은 아주 쉽다. 차량이 많지도 않거니와 운전사들이 시위도 파업도 못한다. 그리고 제아무리 어려운 법적·철학적인 문제가 생기더라도 딱 한 사람의 명령으로 해결될 수 있다. 그렇게 된다면 남북 어느 쪽이 살 만하겠는가 하는 질문이 핵심이다.

다분히 웃음을 위한 이야기지만 그렇다고 전혀 터무니없다고만 하기도 어렵다. 하지만 그렇게 되면 남북의 통일이 쉽게 이루어질 수 있을까? 그럴 수 있을는지도 모른다. 그러나 결코 낙관하기 어렵다는 쪽으로 기울어진다. 까닭은 북한이 매우 강한 종교국가라는 사실 때문이다.

북한의 주체사상은 세계 주요 종교 순위로 10위로서 1,900만 명의 신자를 보유하고 있다는 통계도 있다고 한다. 2001년 기준이고 미국의 인터넷사이트에 발표된 것(정대일, 2012:15)이라고도 한다. 그런가 하면 주체사상은 수령론과 영생론을 교리로 하면서 신화와 의례를 구체화하였다고 본다. 나아가 주체사상으로 공동체를 이끌고 윤리를 실현(정대일, 2012:102-177)하는 종교로서의 성격이 확연하다는 분석이다.

그렇다면 남북한의 통일이라는 과제는 다른 말로 종교의 통일이라는 말로 바꾸어 말할 수 있게 된다. 이런 전망은 결코 밝거나 손쉬운 미래를 생각할 수 없게 만드는 요인이기도 하다. 더구나 등소평이 말한 흑묘백묘(黑猫白猫)[54]가 생각나기도 한다. 그래서 시장경제를 채택함으로써 세계 강국으로 부상한 중국이 역설적으로 근래에 들어 공산주의 체제를 더욱 강화하는 것은 그저 무심한 눈으로만 바라보기는 어렵다. 사정이 이러하므로 북한 또한 고양이의 색깔은 관계치 않으면서도 수령이나 교리는 바꿀 수 없다고 고집한다면 종교 전쟁은 한층 더 격렬해질는지도 알 수 없다.

라. 21세기의 삶 그리고 시와 언어문화의 과제

이제 이쯤에서 과거의 교훈과 현재 그리고 미래를 유기적으로 연결하여 문제를 생각할 수밖에 없게 된다. 과거의 역사는 인간이 결코 이성적인 존재가 아니라는 깨달음을 우리로 하여금 각인하게 만든다. 그리고 화해로운 사회적 존재도 못 되었음을 보여주기도 하였다.

그렇다면 앞으로도 그런 어두운 인성은 여전할 것인가? 다시 말해 종교전쟁은 계속될 수밖에 없는 것일까? 이에 대한 하라리의 답은 '그렇다'인 듯하다. 생각해 보면 인류가 무언가의 속박에서 해방되어

---

54 등소평은 시장경제로 전환하면서 "쥐를 잘 잡으면 되지 검은 고양이 흰 고양이 구별이 중요한가?"라는 유명한 말을 남겼다고 한다.

자유롭기만 했던 시대는 세계 역사에 없었던 것으로 보아야 한다.

그렇다면 앞으로 인류의 삶을 지배하는 21세기의 신은 무엇이겠는가? 하라리의 답은 '데이터'이다. 21세기의 인류는 피할 길 없이 데이터교의 교도가 될 수밖에 없다고 잘라 말한다. 간단하게 말해서 데이터 수집과 처리의 능력이 과학혁명 시대의 삶을 결정하게 된다는 말이다. 하라리의 책 마지막 장 소제목은 '데이터교'(하라리, 2017:503-544)이다. 그런 제목을 내걸고 데이터에 매달려 살 수밖에 없게 되는 생활의 여러 측면을 예측해 보인다.

그런데 곧이곧대로 하라리의 생각을 받아들이기는 주저가 된다. 데이터교라면 데이터의 수집과 처리능력이 신도들의 삶을 결정하게 될 것이다. 물론 그렇게 될 것이다. 그러나 이것은 어찌 보면 개인적 삶의 능력이며 방법에 관계되는 문제일 것이다. 데이터 처리 능력이 생활의 수준을 좌우할 수는 있을 것이다. 그러나 데이터 그 자체가 삶의 지표며 가치의 판단에 영향을 주기는 어려울 것으로 보인다. 말하자면 종교가 요구하는 통일된 교리며 예배의 일체성까지를 데이터가 좌우하게 될까 하는 의문이 생긴다.

그러기에 데이터는 삶을 좌우하는 생계의 수단이 되고 따라서 삶을 지배하는 스트레스는 될지언정 종교의 자리로 올라서서 인류를 이끌어 가는 '복음'의 수준까지 오르지는 못한다고 보아야 하지 않을까? 사람들은 데이터를 다루고자 하지 경배(敬拜)하려고는 하지 않을 것이라는 생각이다.

이제 시선을 옮겨 데이터보다는 우리 삶에 훨씬 더 힘을 행사하는 매체(媒體, media)를 살피고자 한다. 매체는 이미 오래 전부터 개인의 자유의지로는 어찌할 수 없을 정도의 빅 브라더로 우리 위에 군림해 왔다. 그리고 매체가 신의 위엄을 갖추어 그가 내리는 교시에 복종을 강압한다. 이미 우리가 매체를 경배하며 살고 있지 아니한가!

좀 더 들여다보자. 매체로서의 기능을 지닌 것은 한두 가지에 그치지 않는다. 신문과 잡지며 라디오, 그리고 텔레비전 방송까지가 전통적인 매체일 것이다. 텔레비전 방송의 위력이 어떤 수준인가는 이런저런 생활경험만 근거로 삼더라도 잘 알만 하기에 줄이기로 한다.

훨씬 더 강력한 힘을 행사하는 것이 새로운 기능의 미디어들이다. 컴퓨터를 이용해서 수용하고 발신하는 모든 매체기능이 다양하게 가능하다. 스마트폰으로 할 수 있는 주고받음 또는 영향력 행사하기 또한 참으로 광대무변하며 막강하다.

이런 매체들이 조금씩은 상이한 교리와 전도의 방식으로 또는 기도와 세례의 방식으로 모든 개인을 휩싸고 있음을 우리는 모두 안다. 따라서 여기서 그 종류가 어떻고 영향력이 어떻고 살피는 것조차 새삼스러워 보일 정도이다. 모든 가정에서 매체로 인해 가족 사이의 소통이 단절된 지는 이미 오래다. 가족이 한 지붕 아래 있어도 식구들의 마음이 각기 다른 매체의 교구나 전도관에 가 있음은 대부분 가정의 공통된 모습이다.

정리해 보자. 매체는 사람들의 모든 것을 알아 움켜쥐고 있다. 만약에 그 그물에 아직 걸리지 않고 돌아다니는 자가 있으면 온갖 불법을 행해서라도 매체의 교주는 신도로 낚아챈다. 그래서 그 신도의 모든 정보를 손에 쥐고 있다가 이득 볼 일이 생기면 두루 사방에 원하는 대로 흘려 보내기도 한다. 모든 신도의 일거수일투족은 CCTV며 각종 기기에 기록되고 또한 편집되거나 조직된 각종 지침이 마음과 행동을 규제한다. 손오공이 삼장법사의 손바닥을 벗어나지 못했듯 모든 신도는 어느 매체인가에 자기도 모르게 기속되어 있는 것이 현대이다. 누구나 예외 없이 이미 여러 매체에 신도로 등재되어 있을 것이다.

또한 모든 생각도 매체가 정해 준다. 매체의 성지(聖旨)가 내리면 고분고분 따라야 한다. 그것을 벗어나서는 생각조차도 할 수 없다. 교리는 온갖 흥미요소로 덧칠되어 있기에 흥미로움 속에서 서서히 중독되고 그리하여 드디어는 맹신(盲信)과 광신(狂信)으로 나아간다. 깜박이는 보행신호를 곁눈질해 가면서 스마트폰을 들여다보며 달리는 시민들의 모습―그것이 광신하고 맹신하는 신도인 모든 '나' 혹은 '우리'의 모습이다.

그렇다면 한반도에서 살아가는 모든 우리는 이중의 종교에 몸을 담고 있는 것이 분명하다. 하나는 신흥종교인 매체교이고 다른 하나는 구체제의 종교인 남북한의 국체교(國體教)이다. 국체교는 남과 북이 다르고 매체교의 성격은 남북이 다르지 않겠으나 영향 받는 매체에 따라 신앙생활의 성격은 달라질 것이다. 다만 전도와 예배의 방식은 같기도 하고 다르기도 하겠으나 신도를 바보로 만들어 맹종하게 만드는 것은 같을 수밖에 없다.

실상이 이러하니 참으로 황홀한(?) 노릇이기도 하다. 한반도의 우리는 이중의 종교전쟁을 치르면서 산다.

그렇긴 해도 오늘날은 물론이거니와 앞으로도 매체교며 국체교의 지향은 같을 수밖에 없다. 모든 신도를 교리에 순종하고 헌신하는 존재로 길들이는 일이다. 그러하기에 이 상황의 성격이 조금은 분명해진다. 오늘과 내일로 이어지는 현재와 미래는 고분고분 따르는 우민(愚民)으로 길들이려는 매체와 그에 대처하여 자신의 삶을 자신의 가치에 헌신하려는 개인의 대결로 전개될 수밖에 없다. 그래서 모든 삶의 순간이 이 매체교와의 전쟁으로 규정되게 마련이다.

시와 언어문화를 대상으로 지금까지 살펴 온 것은 사람답게 사는 길에 대한 이해를 얻고자 함이었다. 그 일이 개인적 존재로서의 탐구,

사회적 존재로서의 소통, 실존적 존재로서의 꿈꾸기를 통해 가능함을 확인하였다. 그런데 21세기의 삶은 사람다움을 추구하는 그런 노력에 장애가 되거나 아니면 그와 먼 길을 가도록 유혹 또는 강제하게 됨 또한 확인하였다.

그러기에 시와 언어문화에 대한 이해 과정에서 결단이 필요한 지점에 우리가 서 있음도 분명히 깨닫게 되었다. 매체교가 우리를 유혹하여 혼몽(昏懵)으로 이끄는가 하면 매체의 '말씀'대로 복종하도록 강요까지 하기에 이른 것도 분명히 알게 되었다.

이제 선택의 지점에 선 것이다. 그 노예로 중독된 듯이 살아갈 것인가, 아니면 일회뿐인 우리의 생을 인간적 가치의 실현에 헌신하는 길로 나아갈 것인가? 시와 언어문화는 모든 개인에게 그런 결단의 빛을 던지고 있다. 실천할 것인가 아니면 외면하고 도취할 것인가의 선택은 결국 개인의 몫일 것이다.

3

매체종교 시대의 시와 언어문화 교육

21세기가 매체와 개인의 대결을 수반하는 삶이라는 종교전쟁을 피할 수 없는 삶으로 전개되고야 말 것임은 분명함을 앞에서 살폈다. 남과 북 사이의 종교적 대립이 체제의 문제라면 매체교와의 대결은 개인과 사회의 문제가 핵심일 것이다. 여기에 선지자처럼 던질 암시가 어찌 있을 수 있으랴.

다만 분명한 것은 우리가 세계사에도 유례가 없는 이중의 종교전쟁에 휘말려 살 수밖에 없다는 사실이다. 이럴수록 생각하게 되는 것은 삶의 본질이 '사람으로서의 삶'을 영위함에 있다는 점이다. 그리고 지금껏 우리는 시와 언어문화가 개인, 사회, 꿈의 세 영역을 기반으로 전개하는 삶의 실질임을 살펴 왔다.

엄혹한 종교전쟁의 소용돌이 속에서도 우리가 '사람'의 길을 지키고 향상시킬 의무는 필연적이다. 아니 사람다움의 길을 추구하며 살아가는 길이 이중의 종교전쟁이라는 이 엄중한 상황을 헤쳐 나가는 길도 될 것이다. 아니다. 길은 오로지 여기에 있을 것이다.

사람의 길을 이해하고 탐구하는 일은 대개 언어 이해의 심화와 관련되었다. 탐구와 소통 그리고 꿈꾸기가 곧 인간의 본질이기 때문에 교육은 대체로 언어에 중점을 두며 전개된 것도 우리는 안다. 세계의 역사가 그런 교훈을 제공해 준다. 세계사의 굽이굽이에서 엄혹한 환난의 상황에 처해서 그것을 헤쳐 나가는 길은 대체로 '인간'을 깊게 이해하고 인간의 길을 찾는 데서 가능하였다. 그 실천의 핵심은 '교육'이었다. 피히테(Fichte, J. G.)의 <독일 국민에게 고함>이 한 예다.

그렇다면 시와 언어문화가 이런 시대적 삶을 위해 던질 수 있는 예언은 어떤 것이라야 하는가? 시인은 쓰고 독자는 읽고 교실은 가르치면 된다. 그 밖에도 문학을 둘러싸고 할 일은 많겠으나 그 모두를 아울러 할 수 있는 말은 없어 보인다. 만약에 가능한 핵심어가 있다면 '인간'일 것이고 인간교육으로 나아가는 교수-학습의 쇄신일 것이다. 이에 인간교육으로서의 문학과 언어문화의 교실이 나아갈 지표와 내용 그리고 방법을 살핀다.

가. 시와 언어문화 교육의 지표

무슨 일이건 지표의 설정은 그 일의 의도와 필요성이 결정한다. 지금 우리가 중요하게 바라보는 것은 21세기가 매체종교의 쓰나미와 같은 모습으로 전개되므로 그에 대처하는 인간다움의 확보가 중요하리라는 깨달음이다. 이런 목표를 오랫동안 추구해 온 사회인 서구가 휴머니즘에 주목했음은 잘 알려진 사실이다. 그런 전통을 가진 사회가 언어교육에서 강조하는 사항을 살펴 참고로 삼고자 한다.

> ⓐ **감성(feeling)** 개인적 정서와 미적 분별력, 불쾌하거나 미적 쾌감을 깨뜨리거나 방해하는 것을 거부하는 성향.
> ⓑ **지성(intellect)** 지식, 이성, 이해심을 포함하여 양심의 자유를 간섭

하는 것에 반대하여 투쟁하며 지적으로 시험될 수 없는 것에 대해 의심하는 성향.

ⓒ **자기실현성(self-actualization)** 개인의 심층적이고 진실한 본질의 자각에 대한 탐구. 안락이 노예성을 낳으므로 독자성의 추구가 자유에 이르게 한다고 믿는 성향.

ⓓ **사회성(social relations)** 우애와 협동을 고무하고 이것을 감쇄하는 어떤 것도 반대하는 성향.

ⓔ **책임성(responsibility)** 사회적 검증과 비판 그리고 시정의 필요성을 수용하고 그 중요성을 부정하는 것은 어떤 것도 배제하는 성향[55] (Stevick, 1990:23-24).

이상의 다섯 항목 가운데 ⓐⓑⓒ 셋은 개인적 삶과 주로 관계된다면 ⓓⓔ는 사회적 존재로서 갖추어야 할 휴머니즘적 성향이다. 하나하나를 세세하게 살피는 일은 그것만으로도 방대한 일이 될 것이므로 줄이되 ⓐⓑⓒ를 아울러 주체적 삶의 요소로, 그리고 ⓓⓔ 둘을 합쳐 공동체적 삶의 요소로 모아서 교육의 방안을 생각하기로 한다.

(1) 주체적 삶을 위한 시와 언어문화 교육

주체적 삶이란 앞에서 본 바와 같이 감성과 지성을 갖추면서 저다운 꿈을 추구하여 저답게 살아가고 그 삶에 대한 책임을 스스로 감당하는 삶이다. 21세기를 지배하는 종교의 명칭이 무엇이고 서로의 관계가 어떠하든 21세기는 종교전쟁의 시대다. 매체가 맹종하는 바보로 만드는 삶이기에 신이 모든 개인을 바보로 만들던 중세와 다를 바 없는 삶일 수밖에 없다.

---

55 내용은 원전을 따르되 설명의 편의를 위하여 항목 배열의 순서를 조정하였음.

이런 시대에 삶의 과제는 우선 모든 개인이 모두 저다움을 추구하고 실현하는 삶이 무엇보다도 먼저다. 누구든 사람은 자신의 삶을 살아야 한다. 그 '저다움'은 어쩌면 이런 것이 아닐까?

모과   김현숙

하느님이
물었지

얼굴을 가질래?
향기를 가질래?

난
향기를
가지기로 했어

자,
맡아 봐
내 향기!

보라, 이 당당하고 빛나는 자신감을! 자세히 보면 속물로 넘쳐나는 오늘날의 세상에 대한 야유도 숨겨져 있는 것으로 느낀다. 외모를 지금처럼 중시하는 사회도 드문데 그런 세상에 대고 하는 말, "자,/ 맡아봐/ 내 향기!" 바로 이것이다. 얼마나 씩씩하고 멋진가! 외모가 겉치레라면 향기는 속, 그러니까 내면에서 우러난다. 그래서 더 귀해 보인다.

이와 같이 저답게 저만의 가치를 추구하는 삶을 인류가 오래전부터 권해 왔음에 주목하자. 그런 가르침으로 먼저 천상천하유아독존(天上天

下唯我獨尊)이 떠오른다. 내 삶은 오로지 내 것이며 이 우주 안에서 나만큼 중하고 존귀한 것이 더 있겠는가? 진선미(眞善美)가 주체적 삶의 지표라고도 하고, 혹은 도(道)를 강조한 선인도 있었다. 그런가 하면 자유와 책임을 강조하기도 하였으며, 사유(思惟)며 이성(理性)을 내세우기도 하였다. 그런가 하면 예의염치(禮義廉恥)의 네 글자로 그 핵심을 압축도 하였고, 서양은 휴머니즘으로 이를 표상하여 오늘날까지 인문(人文)의 가치와 의의를 강조하기도 하였다.

시와 언어문화의 교육이 향할 목표의 핵심이 바로 이것이다. 저다운 삶을 살도록(이홍우, 1977:411-428) 돕는 것. 이 세상에 자신의 삶을 지니고 와서 자기가 가장 하고자 하고 보람이 있다고 생각하는 일을 하도록 시와 언어문화가 도움을 주는 일. 그것이 아니라면 우리는 어째서 사람이며 왜 말을 하며 사는 것인가? ─ 이런 의문에 답하는 것이 먼저다. 그 방법이 어떠해야 하겠는가는 차차 생각하되 시와 언어문화를 교육하는 가장 중요한 지표로 앞세우고자 한다.

(2) 공동체적 삶을 위한 시와 언어문화 교육

사회공동체의 일원으로서 남과 더불어 조화롭게 사는 태도와 협동하고 책임을 다하는 노력은 민주사회는 물론이고 휴머니즘을 지향하는 사회에서는 반드시 필요한 노력이다. 그런데 그 일이 쉽지만은 않다. 공동체적 삶을 해치는 가장 중요한 요인은 개인의 욕망이고 그 때문에 갈등이 빚어진다. 욕망이야 누구나 갖게 마련이지만 남을 해치지 말아야 하고 갈라놓지 않아야 한다.

생각의 실마리를 붙잡기 위하여 먼저 시 한 편을 읽기로 한다. 이 시는 사랑 노래일 수도 있고 아니면 살아가는 이야기일 수도 있으리라. 그런 생각이 '만남'이라는 말에 담겨 있어 보인다. 그럴 것이다.

공동체적 삶이란 만나고 헤어지고의 연속이다. 어떤 만남이건 물로 만나는 일이어야 한다고 시는 말한다.

우리가 물이 되어 　　　　강은교

우리가 물이 되어 만난다면
가문 어느 집에선들 좋아하지 않으랴.
우리가 키 큰 나무 함께 서서
우르르 우르르 비 오는 소리로 흐른다면.

흐르고 흘러서 저물녘엔
저 혼자 깊어지는 강물에 누워
죽은 나무뿌리를 적시기도 한다면.
아아, 아직 처녀인
부끄러운 바다에 닿는다면.

그러나 지금 우리는
불로 만나려 한다.
벌써 숯이 된 뼈 하나가
세상에 불타는 것들을 쓰다듬고 있나니

만 리 밖에서 기다리는 그대여
저 불 지난 뒤에
흐르는 물로 만나자.
푸시시 푸시시 불 꺼지는 소리로 말하면서
올 때는 인적 그친
넓고 깨끗한 하늘로 오리.

물과 불의 대비가 잘 드러내듯이 불은 모든 것을 태우지만 물은 스며들고 감싸 안아 뒤섞인다. 물은 그러기에 구분하기가 쉽지 않은 한 덩어리가 되게 해 줄 수 있다. 화합한다는 것도 이렇듯이 물로 만나는 일이다. 시냇물이 모여 강물이 되고 강물이 서로 모여 바다를 이루듯이 함께 스며들어 뒤섞이는 일, 그리하여 너와 나는 물론이고 이쪽과 저쪽의 구분조차도 없어지는 것이 이상이다.

이렇게 말하면 너무 일방적이라는 오해도 있을 수 있겠다. 그래서 정반대인 불의 모습으로도 얼마든지 화합이 가능함을 생각해 본다. 불이라고 해서 상대방을 불태우는 것으로만 생각하지 말자. 저는 타지 않고 남만 불태울 수 있겠는가. 너와 내가 하나 되기 위하여 타오르는 과정과 결과에 주목해 본다.

모닥불   안영희

아무도
혼자서는 불탈 수 없네
기둥이었거나 서까래
지친 몸 받아 달래준 의자
비바람 속에 유기되고 발길에 채이다 온
못자국 투성이, 헌 몸일지라도
주검이 뚜껑 내리친 결빙의 등판에서도
불탈 수 있네
바닥을 다 바쳐 춤출 수 있네
목 아래 감금된 생애의 짐승 울음도
너울너울
서로 포개고 안으면

'너울너울' 서로 포개고 안으면 된다. 형형색색은 물론이고 천차만별일 수밖에 없는 이 세상 모든 사람이 서로 '포개고 안으면' 어우러져 하나의 불꽃으로 타오를 수 있겠다. 그것이 본디 무엇이었는지 서로 어떻게 다른지가 아니라 어우러져 활활 타오르는 불길로 됨이 중요하다. 거기 눈을 주면, 또 그러기를 목적으로 삼으면 된다. 그러기만 한다면 쇠붙이도 녹이는 모닥불이 될 수 있으리라.

(3) 개인의 성장을 위한 입체적 교수-학습

학교를 위시한 각종 교육에서 시급하게 문제가 되는 것이 암기교육 일색의 내용과 방법으로 해서 생겨나는 문제점이다. 암기 일변도인 교수-학습은 전부터 폐단으로 여겨 온 것이기도 하다. 전에 없이 기출문제를 강조하는 경향이 생겨난 것도 입시정책 때문이라는 것은 공통된 의견이다. 한 예로 중학교 3학년의 시교재 학습내용을 짐작하게 해 주는 참고서(오진오, 『중학국어』 3-1, 2006:26)의 설명을 본다.

> 가야 할 때가 언제인가를
> 이별의 시간
> 분명히 알고 가는 이의
> 이별의 시간을 알고 가는 사람
> 옆모습은 얼마나 아름다운가
>
> 봄 한 철
> 격정을 인내한
> 화려한 사랑의 감정을 참아 낸(꽃이 만발하였던)
> 나의 사랑은 지고 있다.
> (은유법-원관념 : 꽃)

이런 참고서 풀이 내용이 시사해 주듯 시를 교수-학습하는 일은 참고서의 해석이자 아울러 문학용어를 암기하여 필요할 때 반복 재생하면 되는 것으로 인식되어 왔다. 이래서 문학은 이미 감동과는 무관한 대상이 되어버렸으며 해석된 설명 내용을 기억하는 일로 전락하고 말았다. 안타깝다. 여기서 벗어나지 않으면 문학은 물론이고 모든 교육이 위태롭다. 따라서 언어의 교수-학습을 이루는 데 중핵적인 능력인 네 요소가 입체적으로 교수-학습되기를 제안한다.

시와 언어문화는 물론이고 모든 언어활동을 이루는 요소를 언어와 삶의 관계라는 측면에서 살피면 네 요소이 중요성이 드러난다. 우리 삶에서 언어가 담당하는 구실은 무엇일까에 대한 답으로 네 가지를 제시한다. 과제(task), 의미(meaning), 체계(system), 정체성(identity)이 그것이다. 따라서 언어활동과 관련된 교육은 네 요소의 능력을 기르는 일로 내용을 구성하자고 제안[56]한 바 있다. 이제 네 가지를 요소별로 살핀다.

나. 시와 언어문화교육의 네 영역과 방법

아무리 훌륭한 목적도 그것을 추구하여 나아가는 실천의 내용과 방법이 잘못되면 달성하기 어렵다. 방법이 이토록 중요하기에 우리 교육을 질식하게 만드는 암기일변도 교육의 수렁이 큰 문제다. 오래 된 폐단인데다 쉽게 바뀔 전망이 보이지 않아 심각하다. 이런 폐단을 도려내고 새로이 갖추어야 할 내용과 방법의 모습을 살핀다.

---

56 2000년대로 들어서자 남북통일이 될 것 같다는 희망을 갖게 하는 일이 잦았다. 그런 사회 분위기에 힘입어 통일이 된다면 교육 기획의 참고로 제공하고자 『통일이후의 문학교육』이라는 책을 냈다. 남북 사이에 문학관 차이가 심각하여 통일에 장애 요소임을 살폈다. 그런 난관의 해소를 위해서도 이제 설명할 네 요소로 문학을 교수-학습하는 기획이 필요함을 분명히 제시하였다(김대행, 2008:69-114).

(1) 수행의 교수-학습

언어가 언어학의 대상이 되는 것이라고만 보아 넘겨버리기 쉽다. 그러기 전에 인간의 삶과 관련하여 생각해 본다. 인간의 삶에서 언어가 담당하는 역할은 무엇일까? 사람으로 태어나 어느 나이가 되면 누구나 말을 시작하는데 인간이라면 말하며 살아가야 할 의무가 있다. 따라서 인간의 존재 실현에서 언어는 수행해야 할 과제(task)로서의 성격을 지님이 분명하다.

과제란 그것이 의무라는 뜻도 되겠지만 그 과제를 실현하는 행위가 곧 삶이라는 뜻도 된다. 따라서 과제는 어떻게든 이행되어야 한다. 이행해야 할 과제인데 이행하지 못하면 인간으로서의 능력에 결함이 있다는 뜻도 된다. 그리고 사회생활에 어려움이 생긴다. 그러니 언어라는 과제는 수행(perform)의 능력 기르기가 교수-학습의 중요한 내용이 된다. 궁금한 것은 남에게 물을 수 있어야 하고 물으면 대답도 해야 한다. 이런 활동 모두가 수행이다.

말하기며 쓰기의 표현 수행은 물론이고 읽기며 듣기의 이해 수행도 특수상황만 아니라면 기본은 대개 갖춘다. 수행의 교수-학습은 모방하기를 중요한 방법으로 삼는다. 그 대표적인 예로 중국에서도 『고문진보(古文眞寶)』와 같은 명문장 사례를 모아 본받도록 예시하는 교재를 두어 가르쳤다. 이렇듯 수행의 교수-학습 방법은 대체로 모방을 먼저 한 다음 개성적 변형으로 나아가는 것이 일반적이다. 변형은 얼마든지 다양할 수 있으며 다양할수록 좋을 것이다.

그러기에 글쓰기의 교육에 왕도가 따로 없다며 창작만이 능사가 아니고 번안을 하는 것도 글쓰기의 감각을 향상시키는 데 충분한 기여를 할 수 있다고 예시한 글(유종호, 2009:53)을 소개한다.

엄마야 누나야 강남 살자
뜰에는 반짝이는 금싸라기
뒷문 밖에는 갈보의 노래
엄마야 누나야 강남 살자

김소월의 <엄마야 누나야>를 패러디한 이 시는 원시에서 불과 여섯 글자만 바꾸었다. 그런데도 원래의 시와는 전혀 다른 취지와 분위기의 시가 되었다. 이처럼 패러디도 중요한 쓰기교육으로 아주 훌륭할 수 있음을 강조한다. 이렇듯 어느 방법이건 '왕도'라고 할 것은 없고 해 보면 해 본 만큼 늘게 되어 있다는 뜻이다.

그렇다. 어려서 쓰는 글은 거의 다 표절이게 마련이다! 그러나 생각해 보면 표절은 윤리적 단어일 따름이고 그 일의 실상은 모방이다. 모방은 모든 인간 행위의 원리이자 동력임이 분명하다. 이를 참고하여 시쓰기도 다양한 방법으로 실천할 필요가 있다.

말하기와 관련해서도 생각하게 되는 사례가 있다. 북한의 삶을 소개하는 이런저런 화면에서 느끼는 일이다. 북한 주민이면 누구든지 심지어 어린아이들까지도 카메라 앞에서 어물거리는 일이 없어 보인다. 당차고 또라지게 자기 말을 조리 있게 한다. 왜 그럴 수 있게 되었을까? 확인까지 해 보지는 않았지만 짐작은 충분히 가능하다. 말하고 글쓰는 일은 되풀이해서 자주 하면 잘하게 되어 있다.

다른 요소도 있다. 우리나라 교실에서는 '은유법'이라는 용어가 직유법, 환유법 등과 함께 수사법의 용어를 암기하는 단위로 학습되는 것이 관행이다. 그러나 그보다는 무엇이건 비유 표현으로 바꿔보는 실습을 통해 형상(形象)으로 떠올리는 학습을 강화하면 이 방면의 기능의 향상에 큰 도움이 될 것이다. 비유는 서로 다른 영역의 뇌기능을 동시에 활성화함으로써 두뇌의 능력을 향상시키기도 하는 것(Lakoff, 2008:19-22)으로 알려져 있다. 그러니 은유를 해서 표현의 능력도 기르고 두뇌도 명석하게 하는 일석이조(一石二鳥)의 효과도 거둘 수 있을 것이다.

시중에 널리 퍼져 돌아다니는 언어문화의 자료를 가지고도 충분히 수행능력을 기를 수가 있을 것으로 본다. 예컨대 <강남 미친년>[57]이라는 유머 하나만 가지고도 여러 사례에 두루 적용하고, 다른 형식으로 변형해 보고, 현실에 적용해 보는 등의 다양한 수행능력 교육을 할 수 있을 것이다. 이 과정을 통해 말하기며 쓰기 그리고 읽기며 듣기의 교육이 입체적으로 가능하다고 본다.

이 모든 과제 수행의 교수-학습은 굳이 분류하자면 기능(skill)의 교수-학습이다. 그런데 실제로 쓰고 말해보지는 않고 기능이란 무엇인가 설명이나 하고 기능을 어떤 식으로 분류할 수 있는가 하는 등의 과제는 기능교육이 아니라 '설명'일 따름이다. 혼동이 없어야 한다. 실제로 수행하는 능력이 갖추어져야 21세기의 엄혹한 종교전쟁에서 종교의 횡포에 대처하여 자신의 삶을 영위할 기반을 갖출 수 있다.

(2) 경험의 교수-학습

이 세상의 모든 언어는 의미(meaning)를 가진다. 달리 말해 언어행위는 곧 의미행위이다. 의미는 실용적인 의미일 수도 있고 감정을 움직이는 정서적인 뜻일 수도 있다. 말하기며 글쓰기 또한 다른 시각에서

---

57 시중에 널리 떠돌던 유머다. "10억도 없으면서 강남 살겠다는 년/ 20억도 없으면서 조기유학 시키겠다는 년/ 30억이나 있으면서 손주나 봐 주고 있는 년/ 40억도 없으면서 '사'짜 사위 보겠다는 년/ 50억도 없으면서 유산 분배 걱정하는 년/ 60억이나 모아 놓고 60도 못 돼서 죽는 년/ [여기서 잠시 숨을 돌리며 대전환을 암시하는 분위기 조성이 필요하다]…… 1억도 없으면서 이런 이야기하고 웃는 년."

보면 의미를 전달하는 행위이다. 남의 말을 듣거나 글을 읽는 것은 거기 담긴 사실과 생각들을 경험하는 일이다.

　말을 하고 글을 쓰는 것도 의미를 강화하고 전달하는 행위가 된다. 머릿속에서 어지러운 생각도 말로 하기 위해 정리할 수 있다. 또한 글로 쓰게 되면 정리가 될 뿐더러 기억에 더 강하게 남게 된다. 이 모두가 사실의 직접 체험은 아니지만 간접적인 자취를 남기게 된다. 독서를 가리켜 간접경험이라 하여 권장해 온 까닭도 이런 경험적 성격 때문이다.

　한 예를 든다. 판사 한 분이 법과대학생에게 들려주는 강연이 교훈적이었다. 장차 법조인이 되려는 법대생은 고시 치르기 전에 반드시 2백 권 정도의 소설을 읽으라고 권했다. 이유는 이러했다. 법조인이 되고 나면 사건을 처리하게 되는데 사건 처리에 필요한 법률적 지식은 30%에 지나지 않으며 나머지 70%는 사람에 대한 지식이라고 했다. 사람의 인성이며 삶에 대한 이해가 있어야 이를 바탕으로 제대로 된 재판을 할 수 있음을 강조하였다. 그런데 우리나라의 사법시험 제도는 인간 이해 없는 나이의 젊은이가 법전만 공부해서 치르므로 문제라고 하였다.[58]

　이에 비추어 생각하더라도 시며 언어문화는 그냥 흘러가는 말이나 글이 아니다. 사람을 경험하여 이해하게 만드는 의미의 결정체이다. 따라서 마땅히 체험함으로써 인간 경험과 이해를 깊게 하도록 교수-학습이 이루어져야 마땅하다.

58　사법시험은 이제 사라졌고 오늘날 법학교육은 전문대학원에서 이루어진다. 이처럼 제도를 바꾸게 된 배경에는 이 판사의 말처럼 인간 이해를 깊게 한 뒤에 법을 공부하게 만들겠다는 취지도 상당 부분 작용한 것이라고 들었다.

다른 한편으로 각급학교에서 사용할 독서목록을 반드시 만들어야한다는 제안 또한 언어의 경험적 요소와 관계된다.[59] 이는 공동체의 문화적 공동성을 이루기 위해 매우 중요하다. 여러 가지의 경험 가운데서도 공동체적인 경험은 같은 것을 기억함으로써 공감을 형성하는 힘을 발휘한다 그러기에 할아버지가 읽은 글을 아들이 읽어 기억하고, 아들이 부르던 노래를 손자가 기억해 즐길 수 있어야 비로소 문화의 계승을 말할 수 있을 것이다. 경험의 공유와 관련된 모습을 가장잘 뭉쳐 놓은 것으로 보이는 노래가 아마 이것이겠다.

라구요   강산에 작사 작곡

두만강 푸른 물에 노젓는 뱃사공을 볼 수는 없었지만
그 노래만은 너무 잘 아는 건 내 아버지 레파토리
그 중에 십팔번이기 때문에 십팔번이기 때문에
고향 생각나실 때면 소주가 필요하다 하시고
눈물로 지새우시던 내 아버지 이렇게 얘기했죠
죽기 전에 꼭 한번만이라도 가 봤으면 좋겠구나
라구요

설명이 굳이 필요해 보이지는 않는다. 북한의 동포들은 이 노래를 들으며 무슨 생각을 했는지 알 수 없다. 그렇긴 해도 '두만강 푸른 물'이나 '바람 찬 흥남부두' 같은 지명에 대한 기억은 어느 정도 지니고 있을 것이다. 그것이 바로 경험적 공감의 단서가 될 수 있다. 그러

---

59 독서목록의 필요성은 '공동체적 소통'의 측면에서 꼭 필요함을 앞(131쪽)에서도 이미 강조한 바 있다.

기에 이 노래를 아는 우리는 누구라도 아버지 어머니 그리고 유행 가…… 등 머리를 휘저으며 나와 가슴속으로 내닫는 많은 기억을 축으로 삼아 진한 유대감에 빠져든다. 그러기에 이 노래의 가사에 깔려 있는 가족공동체의 아픔, 노래공동체의 소망, 문화공동체의 정서 등을 다 이해할 수 있다. 그래서 공감에 이르게 되기도 한다.

이로 미루어 보더라도 진정 공동체를 생각하고 위하는 공동체적 교육을 바로 할 생각이 있다면 서둘러 독서목록을 만들어야 한다. 제대로 된 나라들은 어떤 형식으로든 꼭 읽을 책을 정해 놓은 것을 본다. 그런데 우리는 그 일이 어려운 모양이다. 그럴 것이다. 우리 사회의 이념 대립이 이토록 심하고 교과서만 가지고도 시비가 저리 어지러운데 독서목록이야 언감생심(焉敢生心)일 수도 있다. 그러나 후대에 국민을 망가뜨린 세대라는 저주어린 비난을 받게 될 일이 두렵다.[60] 꼭 우리 국민으로서 함께 지닐 경험의 목록을 정해야만 마땅한 노릇이다.

(3) 체계의 탐구를 통한 설명 능력 교수-학습

'언어는 의미의 체계, 즉 기호의 체계'(Halliday, 2003:2)다. 영국의 언어학자 할리데이의 저서는 이런 서문으로 시작하는 것을 본다. 체계란 많은 구성요소들이 부분과 전체로서 일정한 원리에 따라 질서 있게 잘 조직되어 있는 것을 가리켜 쓰는 말이다. 이 세상에는 언어 말고도 체계를 갖추어 존재하고 운용되는 것들로 가득하다. 아니 우리가 알건 모르건 이 세상 만물은 체계를 이루어 운행된다. 가족체계,

---

60 외국에서도 독서목록 선정이 어려운 일임을 알게 하는 여러 모습을 보긴 했다. '왜 백인 작품만?'이라고 반발하기도 하고 '남자 작가들뿐?'이라고 항의하는 것도 보았다. 그렇지만 어떻게든 합의를 이루어냄으로써 국민들은 괴롭히지 않는 것을 보았다.

법률체계 등 사회적인 대상은 물론이고 물질체계와 관념체계 또 실재체계, 자연체계와 인공체계, 연역체계와 공리체계 등 얼마든지 많고 다양한 체계를 이루고 있다. 그런데 언어는 그 어느 것보다도 언어는 잘 짜인 체계를 이루고 있다.

이러한 체계를 밝혀내는 일이 지적 연구의 과제이기도 하다. 우리 말의 공대법은 체계를 이루고 있으며 그래서 문법은 어떻게 조직되는지……. 이런 등등의 모든 과제가 다 체계에 대한 의문에서 비롯한다. 비슷한 말이며 반대말을 익히는 것은 말의 수효도 늘리겠지만 의미들의 체계를 머릿속에 정리하는 체계화의 이해와 탐구 학습으로서 중요하다. 다시 말하면 탐구학습이란 결국 이 체계를 밝혀 설명하는 일이라고 할 수도 있다.

그런 것인데도 우리의 시와 언어문화에 대한 교수-학습은 밝혀 놓은 체계의 용어며 설명을 전달하고 그것을 암기하여 되풀이하는 데 한정되어 왔기에 늘 문제가 되었다. 말 한마디조차도 여러 가지로 달리 해석할 수 있음에도 시의 의미를 남이 생각한 대로 기억하거나 용어를 암기하는 것이 학습인 것으로 생각하게 만드는 것만으로도 병폐가 분명하다.

체계를 이루는 규칙도 있게 마련이고 그 구조의 단위를 운용하는 방법도 있게 마련이다. 이런 사항은 설명(explain)의 자료이다. 탐구의 중요성이 여기서 등장한다. 사실이며 원리를 인지하고 탐구하는 일은 지적활동의 기반이자 목적이고 방법이 된다. 암기하는 데서 그치고 마는 지식을 강조해 온 데서 나아가 탐구할 대상인 시와 언어문화의 체계를 설명하는 쪽으로 교수-학습의 성격을 전환할 것을 제안한다.

이와 관련하여 한 예를 보자. 다른 분야 또한 마찬가지이지만 언어는 맥락의 지배를 강하게 받으면서 운용된다. 따라서 이에 대해 충분히 고려하면서 체계를 탐구하게 되면 조직적이고 과학적인 사고력 개발이 도움을 줄 것이다. 흔히 단어의 뜻을 사전에서 찾지만 실은 같은 단어가 사용되는 맥락에 따라 전혀 다른 의미가 되기도 한다는 데 주목하고 그 체계를 탐구하여 발견하는 것도 중요하다.

예컨대 '세일(sale)'이라는 단어는 영어에서 빌어다가 널리 쓰는 말이지만 그 활용의 맥락은 참 다양해 보이다. '반액세일, 창고세일, 모피세일, 대박세일, 파산세일, 몽땅세일……'의 예에서 앞말과 '세일' 사이의 의미와 기능의 관계가 다양하게 변모한다. 고등학교 수준에서 체계를 교수-학습할 때 이 점을 간파하여 설명할 수 있을 정도에 이른다면 체계의 이해와 활용의 능력을 향상시키는 데 크게 도움을 줄 수 있을 것이다. 지적인 현대시민의 언어능력 교육이 나아갈 지표로 참고할 만하다.

시를 가지고도 생각해 보자. 향가, 고려가요, 시조 등의 고전시가는 대체로 노래로 불렸음을 누구나 안다. 그것을 기억하는 것도 체계 학습의 일부라고는 할 수 있다. 그러나 보다 더 중요한 것은 왜 고려가요의 세계는 시조가 지향하는 바와 왜 그토록 다른 느낌부터 주는가를 탐구해 설명하는 교수-학습 활동을 할 수도 있다. 그리하여 적어도 고등학교 수준의 교육을 이수하면 노래가 삶과 성정의 변화에 깊은 관련을 보인다는 점을 이해하고 설명하기도 해야 할 것이다. 그래야 예전의 트로트와 요즘의 랩이 왜 그렇게 다른지도 이해하는 인문적 삶으로 이어갈 수 있는 교육이라 할 것이다.

(4) 비판적 사고를 통한 주체적 태도 교수-학습

시는 두말할 것도 없거니와 일상의 언어활동은 모두 개인적 정체성의 실현이다. 사람은 좋은 것을 '좋다'고 말하고 싫은 것을 '싫다'고 말할 수 있어야 한다. 우리의 삶은 어느 한 순간도 자신의 정체성을 떠나서 이루어지지는 않는다. 따라서 우리가 하는 모든 말은 정체성의 실현이다. 고로 나답게 들어야 하고 말해야 하며 그 반응이며 말에 나로서 전적으로 책임을 져야 한다.

그래서 정체성에 관련되는 교수-학습의 지표는 태도(態度)의 요소가 된다. 태도에 대해 교육현장은 다소 전체주의적인 경향이 있었다. 그래서 '열심히 하는' 태도며 '공손'하거나 '바르게' 하는 태도와 같은 것을 흔히 내세웠던 생각이 난다.

그러나 태도란 자신의 정체성을 실현하는 일이다. 따라서 자신이 자신의 주인이 되어 자기가 세워 지닌 기준으로 판단하고 스스로 결정함으로써 이른바 '거름 지고 장에 따라가는' 일이 없도록 해야 한다. 흔히 하는 말이지만 가게에서 물건을 사고 안 사고를 결정하는 것은 자신의 정체성이다. 또는 정당에 대하여 찬반을 분명히 하는 것도 태도의 실천이다. 또한 모든 일이 다 그러하며 이런 선택과 결정은 자신의 권리이자 의무이다. 따라서 태도 결정에는 충분하게 자유로워야 하되 결과에 대해서는 반드시 책임질 수 있어야 한다.

언어생활에서 태도의 문제는 가장 핵심적인 요소이다. 그래서 이 세상에서 제일 어려운 말은 '예/아니오'라는 대답[61]이라고도 한다. 그만큼 자신의 판단이 중요하기 때문이다. 이 활동과 아주 밀접한 관련을 갖는 말이 우리 주변에서 흔히 들을 수 있는 단어인 주체성(主體性, subjectivity)이다. 주체성이란 자신의 언어활동에 자신이 주인이 되어야

---

[61] 아련한 기억이지만 6·25가 끝날 즈음에 받았던 초등학교 국어책에 그런 내용이 있었던 것으로 기억한다. 어려운 말은 '들에 콩깍지 깐 콩깍지인가 안 깐 콩깍지인가' 같은 게 아니고 '예/아니오'임을 설명한 내용이었던 것으로 기억된다. 참 어렵지만 매우 중요한 내용인데 어떻게 배웠는지는 기억에 없다.

함을 뜻한다.

이렇듯이 주체성에 기반한 정체성의 행사가 언어활동의 태도이므로 이를 위해서는 필요하고 충분한 만큼의 교수-학습이 이루어져야 한다. 그래서 사고(thinking) 분야의 교육이 특별하게 강조되어야 한다. 주체성과 관계되는 사고의 형식을 비판적 사고(critical thinking)라고 하여 필수요소로 설정하고 강조하는 외국의 예도 참고할 만하다.

자신이 주인이 되고 부질없는 것에 휘둘리지 않는 태도 결정이 실제의 삶에서 결코 쉽지만은 않음을 우리는 잘 안다. 각종 쇼핑 공세 앞에서 허망하게 무너지는 소비자로서의 경험만으로도 주체적 판단의 중요성을 충분히 체감할 수 있다. 술의 유혹 앞에서 흔히 휘둘려 괴롭기도 했던 경험은 태도 교육의 중요성을 심각하게 일깨워 주기도 한다. 또한 우리 생활에서 널리 작용하게 마련인 프레임(Frame)의 영향(최인철, 2017)으로부터 자유로울 수 있는 능력도 중요하다. 특히 매체교가 우리를 압도하는 현대사회에서는 이 부분의 교수-학습 강화가 필연이다. 누구든지 그래야 유혹을 이겨내고 저답게 살 수 있게 된다.

지금까지 살펴 온 교수-학습의 지표며 내용과 방법은 입시의 방식에 따라 좌우되는 숙명을 지니고 있다. 잘 아는 일이고 입시는 입시대로 만만치 않은 문제라서 고민이 클 것임도 충분히 짐작된다. 여기서는 그 일까지 살피는 것이 적절하지 않다고 보아 삼갔다.

그러나 우리는 나라의 훗날을 위해 잘 생각해야 한다. 나라의 장래를 생각한다면 답지 가운데 하나를 고르는 택일식 출제를 없애는 일이 먼저다. 창의력은 미리 마련된 답을 찾는 데서는 결코 길러지지 않는다. 모든 개인은 저마다의 창의로 저답게 삶을 영위할 책임도 있다. 이렇듯 새로운 생성을 뜻하는 창의력 쪽으로 방향을 잡지 않고는 문제가 풀릴 길이 없으며 바른 교육으로 나아갈 방법이 없다.

나라의 장래를 생각한다면 학교의 교실도 기필코 다시 살려 내야 한다. 그리하여 교사와 학생이 함께 탐구하고 토론하는 학교를 만들어야 한다. 사람의 관계도 그래야 회복되고 나라도 그래야 바로 선다. 교실의 모습을 오늘날과 같은 황폐화로 그냥 둔 채 태연하고 무심하다면 역사에 대한 책임이 실로 클 것이다.

참고문헌

교육부(2015), 『초·중등학교 교육과정총론』, 교육부고시 제2015-71호(별책1).

기든스, 앤서니(2009), 김미숙 외 옮김, 『현대사회학』, 을유문화사.

김대행(1980), 『한국시의 전통 연구』, 개문사.

김대행(1989), 『우리 시의 틀』, 문학과비평사.

김대행(1990), 『북한의 시가문학』, 문학과비평사.

김대행(1992), 『문학이란 무엇인가』, 문학사상사.

김대행(2000), 『문학교육 틀짜기』, 역락.

김대행(2003), 한국어교육과 언어문화, 『국어교육연구』 제12집, 국어교육학회.

김대행(2005), 『웃음으로 눈물 닦기-한국 언어문화의 한 특질』, 서울대학교출판문화원.

김대행(2008), 『통일 이후의 문학교육』, 서울대학교출판문화원.

김열규(1997), 『욕 : 그 카타르시스의 미학』, 사계절.

김형규(1977), 『고가요주석』, 일조각.

김혜숙(2014), 「동양과 서양 : 문화적 차이를 넘어서」, 김상환, 박영선 엮음, 『사물의 분류와 지식의 탄생 : 동서 사유의 교차와 수렴』, 이학사. pp.40-49.(42)

동아일보사출판부(1983), 『아! 살아있었구나』, 동아일보사.

로블랭, C. & 로블랭, J.(2007), 심지원 옮김, 『인간이란 무엇인가?』, 웅진주니어.

로트만, 유리(2008), 김수환 옮김, 『기호계-문화연구와 문화기호학』, 문학과지성사.

마이클, 가자니가(2009), 박인균 옮김, 『왜 인간인가?-인류가 밝혀낸 인간에 대한 모든 착각과 진실』, 추수밭.

문태준 해설(2008), 『애송시 100편 : 어느 가슴엔들 시가 꽃피지 않으랴 2』, 민음사.

밀로, 다니엘 S.(2017), 양영란 옮김, 『미래중독자』, 추수밭.

박이문(2002), 『환경철학』, 미다스북스.

베르베르, 베르나르(2011), 『웃음 1-2』, 이세욱 옮김, 열린책들.

신경림 엮음(2006), 『처음처럼』, 다산책방.

아리스토텔레스(2005), 이상섭 옮김, 『시학』, 문학과지성사.

아리스토텔레스(2007), 김진성 역주, 『형이상학』, 이제이북스.

양주동(1963), 『여요전주』, 을유문화사.

오욱환(2000), 『한국사회의 교육열 : 기원과 심화』, 교육과학사.

왕한석(2009), 『한국의 언어민속지 Ⅰ.서편』, 교문사.

유종호(2009), 「왕도는 없다－문학교육에 관한 소견」, 윤영천 외 편, 『문학의 교육, 문학을 통한 교육』, 문학과지성사.

이숭원(2008), 『교과서 시 정본 해설』, Human & Books.

이해영(2000), 『독일은 통일되지 않았다』, 푸른숲.

이홍우(1991), 『교육의 개념』, 문음사.

이홍우(1977), 『증보 교육과정탐구』, 박영사.

장상호(1997), 『학문과 교육 상』, 서울대학교 출판부.

장상호(1991), 『교육학 탐구영역의 재개념화』, 서울대학교 사범대학 교육연구소.

정끝별(2008) 해설, 『애송시 100편 : 어느 가슴엔들 시가 꽃피지 않으랴 1』, 민음사.

정대일(2012), 『북한 국가종교의 이해』, 나눔사.

정대현(1990), 『지식이란 무엇인가』, 서광사.

정대현(2009), 「'우리 마누라'의 문법」, 『철학적분석』 제20호(2009 겨울), 한국분석철학회.

정재찬(2015) 『시를 잊은 그대에게』, 휴머니스트.

조대호 역해(2004), 『아리스토텔레스의 형이상학』, 문예출판사.

촘스키, 노암(2017), 주미화 옮김, 『인간이란 어떤 존재인가』, 와이즈베리.

최상진(2000), 『한국인 심리학』, 중앙대학교출판부.

최인철(2017), 『프레임』, 21세기북스.

타타르키비츠, W.(1999), 손효주 옮김, 『미학의 기본개념사』, 미술문화.

트리그, 로저(1996), 최용철 옮김, 『인간 본성에 관한 10가지 철학적 성찰』, 자작나무.

파브, P.(2000), 이기동 외 옮김, 『말의 모습과 쓰임』, 한국문화사.

하라리, Y. N.(2017), 조형욱 옮김, 『사피엔스』, 김영사.

하라리, Y. N.(2015), 김명주 옮김, 『호모데우스 : 미래의 역사』, 김영사.

홍두승(1985), 「전쟁·이산·빈곤 : 재회가족의 생활사를 통해 본 이산의 사회학적 일고 찰」, 서울대학교 사회과학연구소, 『한국사회의 변동과 발전』, 범문사, pp.491-511.

E.B.S.(2015a), 『수능기출＋플러스－국어영역(문학)』, 한국교육방송공사.

E.B.S.(2015b), 『수능기출플러스 : 국어영역－문학』, 한국교육방송공사.

E.B.S.(2016), 『수능완성 국어－국어영역』, 한국교육방송공사.

Adler, Ronald B. & Rodman, George(2000), *Understanding Human Communication*, Harcourt College Publishers.

Ball, Arnetha F. & Freedman, Sarah Warshauer, ed.(2004), *Bakhtinaian Perstpectives on Language, Literacy, and Learning*, Cambridge University Press.

Bostad, Finn & Others, ed.(2004), *Bakhtinian Perspectives on Language and Culture-Meaning in Language, Art and New Media*, Falgrave.

Brooks, C. & Warren, R.P.(1949), *Modern Rhetoric*, Harcourt, Brace & World.

Coplan, Amy(2011), Understanding Empathy: Its Features and Effects, Coplan, Amy & Goldie, Peter, ed., *Empathy: Philosophical and Psychological Perstpectives*, Oxford University Press Ltd.

Feagin, Susan L.(2011), Empathizing as simulating, Coplan, Amy & Goldie, Peter, ed., *Empathy: Philosophical and Psychological Perstpectives*, Oxford University Press Ltd.

Gay, P. et als.(1997), *Doing Cultural Studies-The Story of Walkman*, SAGE Publications Ltd.

Geertz, Clifford(1973), *The Interpretation of Cultures*, Basic Books, SAGE.

Geisler, Eiezer(2008), *Knowledge and Knowledge System*, IGI Publishing.

Gossman, Lionel(1990), *Between History and Literature*, Havard University Press.

Halliday, M.A.K. & Malliziessen, M.I.M.(2004), *An Introduction to Functional Grammar*, Hodder Arnold.

Halliday, M.A.K.(2003), *On Language and Linguistics*, Continuum.

Hartley, Mary(1996), *English for Future*, Nelson.

Hayward, Frank Herbert(1922), *The Lesson in Appreciation-An Essay on the Pedagogies of Beauty*, The Macmillan Company.

Holquist, Michael(2002), *Dialogism*, Routledge.

Jenks, Chris(1993), *Culture*, Routledge.

Keen, Suzann e(2007), *Empathy and the Novel*, Oxford University Press Inc.

Kramsch, Claire(1988), *Language and Culture*, Oxford University Press.

Lakoff, George(2008), The Neutral Theory of Metaphor, Gibbs, Jr. Raymond W. ed., *The Cambridge Handbook of Metaphor and Thought*. pp.17-38,

Lord, Albert B.(1973), *The Singer of Tales*, Atheneum.

Lotman, Juri(2004), *Culture and Explosion*, Mouton de Gruyter.

Malinowski, Bronislaw(1948), *Magic, Science and Religion and other essays*, Waveland Press, Inc.

Maslow H., Abraham(1970), *Motivation and Personality*, Harper & Row.

Matravers, Derek.(2011), *Empathy as Route to Knowledge*, Coplan, Amy & Goldie,

Morris, Pam, ed.(1994), *The Bakhtin Reader-Selected Writings of Bakhtin, Medvedev, Voloshinov*, Arnold.

Oakeshott, Michael(1999), *On History and Other Essays*, Liverty Fund.

Peter, ed.,(2011) *Empathy: Philosophical and Psychological Perstpectives*, Oxford. pp.19-30.

Preminger, Alex and Brogan, T.V.F. ed.(1993), *The New Princeton Encyclopedia of Poetry and Poetics*, Princeton University Press.

Santayana, George(1896), *The Sense of Beauty*, Dover Publication Inc.

Stevick, Earl W.(1990), *Humanism in Language Teaching*, Oxford University Press.

Thwaits, T. et als.(1994), *Tools for Cultural Studies: An Introduction*, Macmillan Publishers.

Volosinov, V. N.(1973), *Marxism and the Philosophy of Language*, Havard University Press.

Vygotsky, Lev(1986), *Thought and Language*, The Massachusetts Institute of Technology.

Widdowson, H.G.(1996), *Linguistics*, Oxford University Press.

Willams, Raymond(1958), *Culture & Society: 1780-1950*, Columbia University Press.

Willams, Raymond(1976), *Key Words-A Vocabulary of Culture and Society*, Oxford University Press.

Woodberry, George E.(1907), *The Appreciation of Literature*, The Baker & Taylor Company.

Yule, George(1996), *Pragmatics*, Oxford Universtiy Press.

찾아보기